JN281566

カウンセリング／心理療法の4つの源流と比較

W. ドライデン & J. ミットン 著

酒井 汀 訳

北大路書房

Four Approaches to Counselling and Psychotherapy

by

Windy Dryden and Jill Mytton

Copyright © 1999 by Windy Dryden and Jill Mytton
All Rights Reserved. Authorized translation published by
Routledge, a member of the Taylor & Francis Group.
Japanese translation published by arrangement with Taylor & Francis
Books Ltd through The English Agency (Japan) Ltd.

訳者まえがき

　原著では，「カウンセリング」と「心理療法」とは，実質的には区別しにくいとして，それらの類似点を大まかにとらえて論じている。翻訳にあたり，「カウンセリング／心理療法」という表現が随所に出てくるが，そのことを表わすために用いたものである。それらの活動は多種多彩であるが，主要なアプローチ（目標に向かう道筋，やり方。'流派'と類義）として，4つあると言えよう。それらは，①ジグムント・フロイト（Sigmund Freud）に始まる精神分析的，ないし精神力動的，②カール・ロジャーズ（Carl Rogers）の唱えたパーソン・センタード，③アルバート・エリス（Albert Ellis）の唱えた「合理情動行動療法*」，④アーノルド・ラザルス（Arnold Lazarus）が唱え，本翻訳で「多面的療法」としたもの，の4種であり，それらについて入門的に紹介したのが本書である。その紹介は，それぞれのアプローチに対して公平に，創始者の生い立ちや人物，新学説の提唱にいたる苦難や変遷，その理論，その実践手続きなど，同じ順序と展開でわかりやすく説明している（前2者は，日本でもかなりよく知られていると思う。後2者は，今のところ前2者ほどではないかもしれないが，発展の兆しがうかがえる）。

　そのうえで，それらのアプローチを丹念に比較し，最終的に比較表にまとめている点がこの本のおもしろさの圧巻と言えよう。ある流派に傾倒している者が，異なる流派のアプローチについて知り，かつその考え方を，自分の傾倒しているアプローチと比較してみることは，カウンセリングや心理療法に対する視野を広げるばかりでなく，すでになじんでいるアプローチに対する理解を深めるのにも役立つと思う。

　原著者のウィンディ・ドライデン（Windy Dryden）は，ゴールドスミス・カレッジのカウンセリング担当教授であり，カウンセリングと心理療法の分野の著書，編書が100冊以上ある。またジル・ミットン（Jill Mytton）は，イーストロンドン大学専属のカウンセリング心理士兼上級教授である。

訳者は，日本で心理臨床的な動きといえばロジャーズ派しかなかった感のあった時代に，その世界に足を踏み入れたものであるが，その後アメリカへの留学を機に精神分析を学ぶことになった。正直に言って当初は気に染まないことを学ばされたような思いであったが，何とか学んでみると，おもしろくもあり，捨てがたい魅力を感じるようになったものである。その経験から1つの学派やアプローチだけにこだわることは問題だとも感じるようになった。それは，訳者が少年院や鑑別所で非行少年を相手に仕事をする期間が長かったこと，そしてそれらの場面では，ロジャーズ派にしても精神分析にしても，そのアプローチの純粋な実践には制約があったことなども関係していると思う。そのような背景から，いろいろな考えを学んでみる心構えで過ごすうちに，丸善書店で本書に出合った。ぽつぽつと読んでいるうちに，日本でもさまざまなアプローチが導入され，あるいは普及してきて，それらの統合化のことなども話題になってきた。

　こうした時期にあって，さまざまなアプローチを入門的に紹介し，かつそれらを比較している点で，本著は，心理臨床に対する入門書としても，また比較研究のための参考書としても役に立つのではないかと思い，北大路書房に話を持ち込んでみたものである。

　編集部長の関一明さん，原田康信さん，その他多くの方々に激励と貴重な示唆をいただいて何とか形にしていただいたことに対して深く感謝の意を表わしたい。

2005年1月

酒井　汀

注＊　当初，Rational Therapy と呼称され，日本では「論理療法」として紹介されていたが，その後，エリスが呼称を再三変更し，最近の邦訳では，「論理情動行動療法」「理性感情行動療法」などもよく見られる。

もくじ

訳者まえがき

第1章 カウンセリングと心理療法　1

- はじめに　1
- カウンセリングと心理療法の発展　2
- カウンセリングとは，心理療法とは，何か？ また，それらは本当に違うのか？　3
- カウンセラーや心理療法者はどこで働くか？　7
- 歴史的背景　9

  有史以前と紀元前　9 ／ 西暦紀元以後フロイトまで　10 ／ フロイトと'対話による治療'の始まり　12 ／ 行動療法の発達　13 ／ ヒューマニスティック(人間主義的)モデル　15 ／ 認知・行動的アプローチ　15 ／ 多様性は人生の香辛料――ではないだろうか？　17 ／ 統合と折衷への動き――第四勢力　18

- 終わりに　19

第2章 精神力動的アプローチ　21

- はじめに　21
- ジグムント・フロイト　23

  家庭背景と幼少期　23 ／ 大学時代　23 ／ 専門家としての活躍そして転機　24 ／ その人物像に迫る　25

- 精神力動的アプローチの発展　26

  療法への最初のアプローチ　26 ／ 失意からの飽くなき探究　27 ／ キー事例　28 ／ 変遷　29 ／ 最終的発展　30 ／ 同時代に活躍した人たち　31 ／ 精神力動的アプローチの現在　32

- このアプローチの理論　34

  概観　34 ／ パーソナリティ理論　35 ／ パーソナリティの発達　43 ／ 問題はどのように発生し，われわれはそれをどのように持続させているか　47

- このアプローチの療法　51

特徴的な様相　51　／　見立て（アセスメント）　52　／　ゴール（具体的な達成目標）　53　／　治療的関係　54　／　技術　58

※終わりに　65

第3章　パーソン・センタード・アプローチ　66

※はじめに　66

※カール・ロジャーズ　68

家庭背景と幼少期　68　／　大学時代　69　／　専門家としての活躍そして転機　70　／　その人物像に迫る　71

※パーソン・センタード・アプローチの発展　72

療法への最初のアプローチ　72　／　失意からの飽くなき探究　73　／　キー事例　73　／　変遷　74　／　最終的発展　75

※このアプローチの理論　77

概観　77　／　パーソナリティ理論　78　／　パーソナリティの発達　83　／　問題はどのように発生し，われわれはそれをどのように持続させているか　86

※このアプローチの療法　90

特徴的な様相　90　／　見立て（アセスメント）　91　／　ゴール（具体的な達成目標）　92　／　治療的関係　93　／　これらの核心的な条件を伝達する　99

※終わりに　105

第4章　合理情動行動的アプローチ　107

※はじめに　107

※アルバート・エリス　109

家庭背景と幼少期　109　／　大学生活　112　／　専門家としての活躍そして転機　113　／　その人物像に迫る　114

※合理情動行動療法の発展　114

療法への最初のアプローチ　114　／　失意からの飽くなき探究　115　／　キー事例　117　／　変遷　118　／　最終的発展　119

※このアプローチの理論　120

概観　120　／　パーソナリティ理論　121　／　パーソナリティの発達　129　／　問題はどのように発生し，われわれはそれをどのように持続させているか　132

※このアプローチの療法　139

特徴的な様相　139　／　見立て（アセスメント）　140　／　ゴール（具体的な達成目標）　142　／　治療的関係　143　／　技法　146

※終わりに　159

第5章　多面的アプローチ　161

- はじめに　161
- アーノルド・ラザルス　162
  家庭背景と幼少期　162 / 大学生活　163 / 初期の職歴と専門家としての発展　164 / その人物像に迫る　165
- 多面的アプローチの発展　165
  療法への最初のアプローチ　165 / 行動療法では不満足　166 / キー事例　167 / 変遷　168 / 最終的発展　168
- このアプローチの理論　169
  概観　169 / パーソナリティ理論　171 / パーソナリティの発達　173 / 問題はどのように発生し，われわれはそれをどのように持続させているか　177
- このアプローチの療法　181
  特徴的な様相　182 / 見立て（アセスメント）　183 / ゴール（具体的な達成目標）　191 / 治療的関係　191 / 技法　193
- 終わりに　204

第6章　4つのアプローチ比較　206

- メアリーの物語　206
- 各派エキスパートたちへの面接聞き取り　208
  精神力動的アプローチ　208 / パーソン・センタード・アプローチ　213 / 合理情動行動的アプローチ　221 / 多面的アプローチ　229
- 比較　237
- 終わりに　249

引用文献・参考図書　251
索引　257

第1章

カウンセリングと心理療法

はじめに

　「この僕が言葉を使うときは……まさにその言葉が意味するようにと選んで用いたとおりの意味を表わし，それ以上でも以下でもないね」とハンプティ・ダンプティは，やや軽蔑した口調で言いました。アリスは「問題は……言葉にそれほど多くの異なる意味をもたせることができるかどうかだわ」と言いました。ハンプティ・ダンプティは「問題は……どちらを主人（主体）にするかだな——それだけのことだよ」と言いました。
　　　　『鏡の国のアリス（*Through the Looking Glass*）』（Lewis Carroll, 1871）より

　悪魔払いの儀式（払魔式），巫女による霊媒術，催眠術，また魔法さえも含めて，すべてが何かしらカウンセリングや心理療法と共通のものをもっている，と言ったら読者の皆さんは恐らく大変驚かれるであろう。しかしそれらは，すべて，感情の苦悩を癒すための人類の対処法として，いろいろな時代に現われたものである。大昔，感情の苦悩というのは，心が偶然に体から離れたとき，あるいは幽霊か魔法使いに盗まれたときに生じると考えられていた。巫女のような人たちは，失われた魂を探し，それを持ち主に戻すことによって，その個

人を治したものである。

　その後感情の苦悩については，満たされない欲望が病気に導くという考え方から，恋煩い，ホームシックなどもその原因とされた。17世紀のアメリカ東北部イロクォイ・インディアンには，満たされない欲望が叶うようにするために夢を用いる例があった。夢の大祭典では，何でも願望するものが与えられるとされ，それには治療の効果があるという信仰をもって行なわれた。

　これらの方法はすべて，カウンセリングや心理療法と同様に，問題を抱えて助けを求める側と援助を提供する側との間の人間関係を含んでいる。また，すべてに，感情の問題がどのように生じるかについての理論があり，その理論によって，どのような援助を与えるかが決まる。エレンベルガー（Ellenberger, 1970）の『無意識の発見（*The Discovery of the Unconscious*）』は，太古から現代までわたって用いられた広範な種類の方法を記述しており，今日の多様な療法がいかにそれらの基礎の上にできていたものかが理解できる。

カウンセリングと心理療法の発展

　カウンセリングと心理療法は，現在大変な人気を博している。英国では，その訓練課程の大幅な増加や，大きな組織から小さな医院にいたるまでの多種多様な場所での求人の広がりをみせている。

　このカウンセリングと心理療法の発展の理由としては，多くの説が唱えられている。それは，宗教心をもつ人が少なくなってきたこと，それに家族形態の変化や以前ならあった地域社会の連帯が失われたことによると言う人もいる。困った人たちが助けを求めて行くのは，もはや牧師でもなく，近所の年長者でもなくなり，掛かり付けの医者でさえも，以前ほど時間をかけてくれなくなった。それは，医療の主流が，人を部分として見がちなことに対する人々の反抗なのかもしれない。カウンセリングと心理療法のアプローチの多くは，よりホリスティック――人間総体の健康を考慮する――なアプローチをとっている。

カウンセリングとは，心理療法とは，何か？ また，それらは本当に違うのか？

　カウンセリングや心理療法とは何か？　と質問したら読者の皆さんは，それらについて多分何らかの考えをお持ちであろうが，その答えとしては不確かで，それぞれ大きく違っているのではないだろうか？　しかし，次の2つの会話の中でどちらがベスとカウンセラー（あるいは心理療法者）で，どちらがベスと彼の知人とのものかについてならば多分言い当てることができるであろう。

会話1

　ベス　　あぁ，今日はとてもイヤな気分です。
　ジョン　イヤな気分？
　ベス　　そう，あのー，落ち込んで，うんざりして，何もかもうまくいかないように思えるんです。よい職業と，愛する夫と，2人の可愛い子どもに恵まれて，ルンルンで幸せな気分なはずだと思ってはいるけど，幸せと思えない，実際はみじめな感じなんです。
　ジョン　（やんわりと）幸せであるはずだと思っているけど，そう思えないと言うんですね。本当に落ち込んで……もしかして罪悪感も？
　ベス　　ええ，その通り，もっとうまくいっていない人もいるのに……，家もなく病気だったり，その他いろいろ……。私は，うまくいっていて，落ち込む資格がないのに……。
　ジョン　なのに，あなたとしては，そんな気持ちになるんですね。
　ベス　　（考え深く）ええ，何かがまだ欠けているようなんです。だけどそれが何かわからないんです。

会話2

　ベス　　あぁ，今日はとてもイヤな気分です。
　カール　イヤな気分！　あなたが，何でイヤな気分にならなきゃならないんでしょう？
　ベス　　わからない，あぁ，聞かないで，私ちょっとどうかしてると思うわ。よい職業に恵まれているし……。
　カール　（遮りながら）それによいご主人とよい家庭。さぁさぁ，元気を出しなさいよ，あなたなんか本当に上機嫌でいるべきですね。何もかも，そんなにうまくいってるじゃないですか。
　ベス　　だけど上機嫌になれない，自分でもどうにもならないんです。
　カール　いろいろ考え過ぎなさんな。自分の考えをまとめて──クヨクヨ考え続けていると，気分よくならないですよ。
　ベス　　（ため息をつきながら）そう，あなたの言う通りだと思います。

　会話1がカウンセラーないし心理療法者とクライエントとの間のものであることは容易にわかるであろう。ジョンは，ベスがなぜ落ち込んだ気分になるの

か探究するのを支援している。彼は審判的でもなく，彼女の感じていることを軽く扱おうとしてもいない。もちろん，この種の会話がベスとよい友達，あるいは親戚との間のものでもあり得る。われわれは，いろいろな事態で困っている他者の話を聞き，ジョンのように決して批判的でないような理解に努めることがある。友達との間のそのような会話とカウンセリングや心理療法の面接中に生じることとの間にはいくつかの相違がある。前者は，通常，偶発的な出来事であり，一方カウンセリングや心理療法は，熟慮のうえ計画されたもので，2人あるいはそれ以上の人たちの間で明らかにされた合意を伴っている。通常，クライエントが，サービスを提供するカウンセラーや心理療法者にコンタクトし，クライエントの要望に合わせて共同作業することで両者が合意する。もう1つの大きな相違は，クライエントとカウンセラーの会話は常にクライエントに焦点を置いていることである。もしジョンとベスとの会話が次のように続けられたら，それはカウンセリングの面接ではないと思わなければならない。

ジョン あぁ，私もよくそう思ったものです。私が仕事のことで調子が悪くて，どうしてかわからなかったこと，覚えていますか？ あのとき私も同じような，あぁ，あなたの言われる何かが欠けているような空虚な気分でしたよ。
ベス ええ，覚えていますよ，そして，あなたが何かを考えつくまでにかなり時間がかかったことも覚えていますよ。

　ジョンは，ここでは彼自身と彼の過去のことを話している。そのような会話は心理療法やカウンセリングのやりとりでは生じないものである。会話2で見られるカールとベスとの会話は心理療法者とカウンセラーとの間では極めて生じにくいものである。カールは，ベスがなぜそのように落ち込んだ気持ちにならなくてはならないか理解できなかったし，彼女の感情を受容するどころか，それを過小評価し，彼女の立場から事態を理解しようとはしなかった。彼の反応は会話を中断させてしまっているのである。
　カウンセリングと心理療法の本質に関しては，おそらく，多くの定義と同じくらいに誤解がある。またカウンセリングと心理療法の相違に関してもかなりの議論があり，将来にもあり続けるであろう。歴史的には，心理療法という言葉が先に現れた。それは心と療法の合成語である。1880年代の後半に体の治

療法がある以上，心の治療法もあるはずだと考えられたときに初めて用いられた（Efran and Clarfield, 1992）。

一方カウンセリングという言葉が心理的な問題に適用されたのは，1930年代にカール・ロジャーズが米国でパーソン・センタード・アプローチを開発したときである。当時の米国では，心理療法の実施は法律的に医師にのみ許されていた。彼の療法を'カウンセリング'と称したことで，法律的な制約の網をくぐり抜け，彼や他の心理学者が実施することが可能になった。

'カウンセリング'という用語は広くて複雑な意味をもつ言葉であるから，ロジャーズがこれを用いたことは不幸なことでもあった。たとえば，それは，日常の会話において助言を与えることと同義に用いられる場合も多く，破産カウンセリング，経済上のカウンセリング，あるいはエネルギー節約カウンセリングなどという言い方さえあるぐらいである。カウンセリングという言葉は，13世紀に相談とか助言という意味に用いられたとき以来あるのだから，このようなことは驚くには当たらない。この言葉は，その後，法律的な相談者，あるいは主張者という意味にも用いられるようになった。辞書でもカウンセラーは，必ずしも療法的な種類のカウンセリングをさすのでなく，通常的に，学生などに個人的な学業上あるいは就職上の問題について助言する人として定義されている。冒頭でのやりとりでアリスは，ハンプティ・ダンプティに対して，言葉にそれほど多くの異なる意味をもたせることができるかではなく，そうすることが賢明かどうかを問うべきであった。

療法的なカウンセリングと心理療法とは，大筋において助言を与えることにはなじまない。これは，初心者が学ばなければならない最も困難な課題の1つである。なぜなら初心者は，初めて他人の問題について聴くとき，その人のために'治してあげる'強い欲望を発揮し，'私だったら……するでしょう'と言っしまう傾向にあるからである。

では，助言を与えるものでないならばカウンセリングと心理療法とは，一体何なのであろうか？　英国カウンセリング協会は，カウンセリングの本質について次のように言っている。

カウンセリングの究極の目標は，クライエントが，より満足でき，才能を活用できるような生活に向かうための努力をするようになる機会を提供することです。'カウンセリング'という言葉は，多くは個人，ペア，あるいはグループとの作業をいいますが，必ずしも'クライエント'と言わない場合もあります。そもそもカウンセリング関係の場合，目標はクライエントの要求によって異なります。カウンセリングは，発達上の問題，特殊な問題事項の明確化や解決，決断，危機への対処，個人の洞察や知識の開発，感情を通じて内的葛藤に対する対処，あるいは，他者との関係の改善などに関与できるでしょう。カウンセラーの役割は，クライエントの価値観，個人的資源，および自己決定への能力を尊重しながらクライエントの努力を促進することです。

英国カウンセリング協会（BAC）のリーフレット，
1994年『入会案内（Invitation to Membership）』より

　心理療法もカウンセリングの場合と著しく似ている。たとえば，心理療法についての定義としては，

　　基本的には，困ったことのある人たちとの間で，その人たちがみずからを理解しみずからの問題を解決するのを目的として，話を聴き，話し合うことである。

（Brown and Pedder, 1979: ix）

　　心理療法の特徴は，治療者対他の1人あるいはそれ以上の人との間の，特に作られた専門的な関係にあり……その関係は，誠実であり，感情的に平等であるが，自己開示に関しては両者同等ではなく，患者が人間としての働き方に変化を遂げることへの援助を志向するような関係の中で会合することである。

（Aveline, 1992: 11）

　これらの定義では，心理療法はカウンセリングと類義的な響きをもつ。両者ともに，治療的な関係の発展，およびクライエントたちが自分の問題の解決を発見することができるような尊重的な環境の整備に言及している。それにしても，初めて来るクライエントは，しばしば助言をもらうことを期待するものであり，実際にそれを求めもする。そこで，カウンセラーや心理療法者の最初の

仕事の1つは，クライエントに療法の過程について教えることである。カウンセリングと心理療法が何かをはっきりと定義することが困難だとすれば，その過程の説明も難しい仕事である。そこで最も重要なことは，クライエントに誤解を与えない，とりわけ何かが成し遂げられるというようなことに関しては明確にしろ言葉を濁すにしろ，できないような約束をしないことである。

カウンセラーや心理療法者が実際に行なっていることを見ると，しばしば両者ともに同じことをやっている。両者は類似の手続きを用いており，その結果たとえば精神力動的心理療法について語られることと，精神力動的カウンセリングについて語られることは同じである。カウンセラーと心理療法者は同じ技法を用いる。たとえば，恐怖症の治療には両者ともに行動的な技法を用いる。両者は類似した種類のクライエントを扱う。だから，異なる用語を用いているのは，おそらく歴史上のことにすぎない。あるいは，ハンプティ・ダンプティが正しくて，実際はどちらが主人になるかの問題であるかもしれない。

療法者を雇用する機関によっても異なった名称を用いる。たとえばＨＩＶ機関はカウンセラーの呼称を使い，子どもを扱う機関は児童心理療法者の呼称を使う傾向がある。時には心理療法者の用語はサービスを売り物にするために用いられる。このように実際にどのようなサービスが提供されるかに関係なく，見込まれるクライエントにとってより受け入れやすいと思われるほうの用語が使われるようである。

本書においては，2つの用語の間には何ら真の差異が認められないので，両者を相互に交換し得るように用いる（訳注：以後カウンセリング／心理療法と表わす）。これは，英国カウンセリング協会がそれらを決定的に区別はできないとするのに則応している。しかしながら，カウンセリングと心理療法が異なる活動であるとみる人々がいることも確かであり，その見解を否定するものではない。

カウンセラーや心理療法者はどこで働くか？

心理クリニックなどの開業者を訪れる人々の約3分の1は，何らかの心理的な障害（しばしば一過性のものであるが）を患っていると考えられる。人々は，

いろいろな理由があって，病院などの精神科のところへ行くことをためらう。その理由は，精神病というものに対するレッテルのためであり，もう1つには，自分を律するだけの強さと力をもっているという自分のイメージをできるだけ保ちたいと願うためであろう。国立の保健機構に援助を受けようとする人々が行き着くところは，長い待合いのすえの限られた回数の面接だけである。カウンセリング／心理療法の拡大は，多分に個人開業の部門に限られていたが，ここ数年の間に，英国の国立保健所でも次第にカウンセラーを雇い，特に初歩的な診療に当たっている。これは，個人開業のカウンセラーに手の届かなかったより多くの人々に門戸を開いた。

▎ボランティア組織

カウンセラー／心理療法者の多くは，結婚相談所や犯罪・交通被害などの遺族支援のためのボランティア組織で働いている。これらの機関の中には高い資格をもったスタッフを雇っているところや傾聴などカウンセリング技術の行使について訓練を受けているがカウンセラーとは自称しないスタッフによって運営されているところもある。ボランティア組織には，通常，クライエントたちがみずから訪ねてくる。

▎公的組織

病院や保健所などの公的組織においては，カウンセラー，心理療法者，臨床心理士，カウンセリングサイコロジスト，精神科医師，地域精神医学的看護師，あるいは家族療法者などがいて，クライエントは治療の目的でそこに紹介される。前項のグループと異なって，それらのクライエントのすべてが特にカウンセリングとか心理療法といって求めたわけではなく開業者から紹介されるので，来訪を嫌う人もいる。カウンセラーや心理療法者は，地域精神保健センター，一般開業医，精神病院あるいは総合病院の精神科部門，それに薬物依存回復センターやアルコール依存助言サービスなどの専門家クリニックなどで働いている。

▎学校

学校においては，心理療法よりもカウンセリングの用語が通常用いられる。英国においては，中学校ではカウンセリングは稀だが，高校ではかなり一般的になってきている。大学や短大のカウンセラーは，二重の役割をもつ。それは，

通常の情緒的な広範な問題をもつ生徒を援助する役割と，勉学上の困難や経済的，留学滞在上の問題をもつ学生に対して援助する役割とである。クライエントは，通常，みずから訪れるが，時に個別担任から紹介されることもある。

■ 個人組織

多くのカウンセラーや心理療法者が個人開業している。またロンドンの家族療法研究所やブラックヒースのストレス・マネージメント・センターなど民間の組織でもカウンセリングのサービスを提供するところが次第に増えてきている。民間の研修所の中には，支払い困難な人に対しては無料あるいは低料金で療法を提供しているところもある。たとえばウェストミンスター・パストーラル財団などである。

■ 民間企業および公共機関

銀行，保険会社，警察，消防署など，大きなサービス機構や営業機関も，次第に従業員や職員に対してカウンセリング／心理療法のサービスを提供するところが増えている。中には援助提供に多額の費用を投じているところもある。たとえばロンドン交通局では，仕事中トラウマ的な事件を経験した職員が増えてきたため，1996年に心的外傷後ストレス障害（PTSD）に対する処置のための専門部門を設けた。これと連動しているのは，この障害に対する処置手続きの成果を調べる研究の増加である。こうした研究結果などを用いた対応が有効で価値があると認められてきたのである。

歴史的背景

ここで現在のわれわれが知っているカウンセリング／心理療法になる以前の歴史を簡単にみていくことにしよう。

有史以前と紀元前

情動的な問題や異常な行動に対する原因論や処置の探究は，常に人々の関心を集めてきたものであろう。有史以前の処置についてすでにいくらか述べた。初期の理論の多くは，悪霊や悪魔を含む超自然的なものを原因とみてきた。悪魔を信じていたことの証拠は，古い中国やギリシャやバビロニヤ，エジプトの

記録に見られる。救済は，投薬，気つけ薬，マッサージ，および食事習慣から，告白，払魔式，当人の中に住んでいると考えられた異物的霊魂の技巧的な摘出にまでわたっていた。

　ＢＣ５世紀ごろ，ギリシャの医師ヒポクラテスは，身体的および精神的な障害は神が罰として与えたものとする超自然的な考え方を拒否した。むしろ彼は，精神的な問題を脳に関する病理と考えた。ヒポクラテスは，精神障害を躁病，うつ病，および脳炎すなわち脳の熱病の３種のカテゴリーに分類した。精神の健康は，身体の４種の液体あるいは気質，すなわち血液，黒胆汁，胆汁，および粘液の均衡によると考えた。粘液（phlegm）の過多は，人を不精で鈍重にする。そこから無気力（phlegmatic）の語源になった。黒胆汁の過多は憂うつ，胆汁の過多は怒りっぽさと不安，また血液の過多は気分の変わりやすさをもたらすとされた。

西暦紀元以後フロイトまで

　１，２世紀の間に，エピクテタスやマルクス・アウレリウスなどギリシャやローマの哲学者たちは，諸問題の原因について人間の考え方にあると考えた。本書の第４章合理情動行動的アプローチで取り上げるテーマを出している。これらの哲学者たちは，いかに生きるかの学習を鼓吹し，導師や教師の活用を奨励した。その後ギリシャやローマの文化が衰退し暗黒の時代が始まった。その時代には，教会と僧侶たちが精神障害者たちの世話をした。処置は，祈祷礼拝，聖遺品への接触，有りがたい薬物の飲用などであった。そのころしばしば生じた飢饉や疫病の原因説明を求めた人々が神罰や悪魔の仕業と考えるようになり，それにつれて狂気の原因についても，悪魔憑き，魔術その他の超自然的なものによるという考えが再び主流になった。そして法王の奨励で魔女狩りが広く行なわれた。1486年には，『魔女の鎚（*Malleus Maleficarum*）』が出され，人間が正気を失うのは，悪魔憑きの結果であり，その悪魔を追い出す方法は焼き払うしかないと述べている。

　13世紀以降，精神異常とみなされた人の世話を含めて教会が担っていたことを国家が引き継いだ。精神に異常があるとされた者は，裁判にかけられ，狂気と判断されたときは，その領地などは国王の保護下に置かれた（Neugebauer,

1979)。15世紀まで，精神病院は，ほとんどなかった。十字軍遠征が終わるとハンセン病は次第に消滅した。その後，ハンセン病院は精神病院に変わり，そこにものごいをしている者と障害者が入れられて働かされた。

1247年に，ベズレヘムの聖メアリーの修道院がロンドンに設立された。そこに心理的な問題をもつ最初の患者が，1403年まで収容された。その理念は，正気を失った人たちを理性が回復するまで収容するというものであった。1547年に，ヘンリー8世は，それを精神異常者のための病院としてロンドン市に譲渡した。精神異常者は浮浪者で危険なものと考えられ，彼らは鎖を掛けられて拷問を受け，見物人の見せ物にされたのであった。無秩序を意味する'ベッドラム（bedlam）'という言葉は，ベズレヘム（bethlehem）の訛ったもので，それは，この病院で300年続いた非人道的な処遇の結果であった阿鼻叫喚と混乱の光景によるものである。

アメリカの精神医学の父と考えられているベンジャミン・ラシュ（Benjamin Rush; 1715～1813）は，精神病者は瀉血あるいは極度の恐怖に浸すことによって治せると考えていた。それは，彼らに死が迫っていると信じさせたうえで行なわれたものであった。ニュー・イングランドのある医師が，患者を箱に入れて水に沈め，呼吸の泡の上がるのが止まるまで続けたという報告がある。その後引き出されて蘇生されたが，それができないこともあった（Deutsch, 1949）。

18世紀末にかけて精神病に対する理解と処遇は，宗教と迷信と魔法から科学的なアプローチへと代わっていった。精神病者に対する人道的な処遇への先導者としてみられているフィリップ・ピネル（Phillipe Pinel; 1745～1826）は，パリにあるラ・ビセートゥルという大きな精神病院の責任者であった。彼は，その病院に収容されている人たちの鎖を切って，仲間の医師たちの憤慨をかった。

> 精神病患者は，罰を受けねばならない罪人であるどころか，病める人間として当然の配慮に値する気の毒な状態にある病人である。
> 　　　　　　　　　　（フランスの医師 Philippe Pinel, 1801, Zilboorg and Henry, 1941）

精神病者を獣ではなく病人として処遇したことは，多くの人々が正気を取り戻して釈放されることをもたらした。しかし，ピネルの人道的処遇は上流階級

の者に限られ、下層階級の者には処罰と拘禁の処遇が続いた。

同じ頃、英国のクェーカー、ウィリアム・テューク（William Tuke）は、より人道的な処遇'道徳性治療'と後に呼ばれるアプローチを提供するヨーク避難所（York Retreat）を設立した。患者たちは、落ち着いた静かな雰囲気の中で自分たちの問題について話し合うように奨励され、また働くことも奨励された。北アメリカの病院では、このピネルとテュークの影響を受けている。この温情的なアプローチは、比類のないものであった。その後、精神病は純粋に脳の病気であって、医師こそが精神病院の責任者であり、それは将来ともにそうあり続けるであろうといった流れになった（British Journal of Psychiatry, 1858）。道徳的治療は次第に衰退し、情動障害者に対する救済は、すべての精神病が脳の損傷ないし疾病によると考えた精神病院の医師たちの責任に委ねられるようになった。薬物や薬草、水車の渦巻きで人間を回転させたり、電気ショック療法などを含むいくらかの奇妙な治療法が用いられた。1883年には、エミール・クレペリン（Emil Kraepelin; 1856〜1926）による精神障害の分類を述べた教科書が出版された（Kraepelin, 1981）。彼は、自分の観察した諸症状がよく出現するので身体的な原因による症候群としてまとめてもよいと考えた。彼は重症な2つの精神障害症候群として、早発性痴呆（統合失調症の初期の記述）と躁うつ病とを示唆した。梅毒の病原体が精神と身体の退廃を招くという認識が広まったころであり、精神病には身体的な原因があるという考えが一般的に支持されていた。

フロイトと'対話による治療'の始まり

西欧では、すべての精神障害に対して身体的な原因を探究していた時期である一方、心理的な原因を求める医師も多かった。19世紀に催眠術、霊媒術、多重人格状態などの心的な状態に対する関心が高まった。これらの現象はすべて、無意識的な心理の存在を示唆するものであった。

精神病の原因に対する心理学的な理論は、葛藤や人格の二重性など意識的な自我と無意識との葛藤を中心としていた。哲学者フリードリッヒ・ニーチェ（Friedrich Nietzsche; 1844〜1900）は、混乱した思考と感情の領域としての無意識をとらえた結果、科学の理想と人類が何らかの真理に到達する可能性に疑

念を投げかけ,「われわれの感情や態度,意見,行為は,無意識の虚偽の上に基礎を置いている」と人間を自己欺瞞的な存在として述べている。ウィリアム・ワーズワース（William Wordsworth; 1770～1850），サミュエル・コールリッジ（Samuel Coleridge; 1772～1834），チャールズ・ディッケンス（Charles Dickens; 1812～1870）を含めた19世紀の多くの作家たちは，無意識の存在を認識していた。

ジグムント・フロイト（Sigmund Freud; 1856～1939）は，そうした思想的な雰囲気が彼の考えを待っていたかのようなときに生まれた。性的本能，衝動，抑圧，反動形成，快楽原理，および精神的エネルギーなどの概念はすでに流行していた。フロイトは，無意識の心やそれが人格に対して与える強い影響力について真っ先に述べた者でもなく，また夢を解釈し，カタルシスを奨励した最初の人間でもない。彼の主たる業績は，これらの考えをすべて取り上げて，人間の心のきちんとしたモデルを作ったことである。そこから彼は精神分析を展開し，精神分析から精神力動的なカウンセリング／心理療法が発展したのである。第1次世界大戦は，精神分析の発達と普及の上昇気流となった。多くの兵士たちが戦場から砲弾ショック（現在ではPTSDとされている）によって帰還していた。しかし精神科医師たちがその人たちを援助できなかったので政府は，彼らを再び戦場に戻す必要に迫られて精神分析に目を向けた。カウンセリング／心理療法の精神力動的なアプローチは，第2章で説明するフロイトの精神分析から発展したものである。

1940年代の後半まで，精神病に対する処置は，主として精神科医師と精神分析者の手によっていた。精神科医師は薬物や電気ショック療法を用い，ケースによっては，頭蓋骨に穴をあけて脳組織の一部を切断する（ロボトミーあるいはレッコトミーとして知られている）などの精神外科術を用いていた。

行動療法の発達

ここで行動療法の主役たちについて述べていこう。その1人は，1913年に挑発的な論文を著わしたジョン・ワトソン（John Watson）である。ちょうどそのころはイギリスおよびアメリカで精神分析が発展していたときであった。彼は，精神分析を‘唯心論’と見なして，正反対の見解を述べた（Watson, 1913）。彼

は，「心理学は心を研究する学問ではなく，行動のみを研究するものでなくてはならない」と信じていた。心理学は科学であるから，客観的でなくてはならない。しかし人間に関して見ることや測定することのできる唯一のものは，人間が何をするかである。彼は，人々が何を考え，感じるかについては思弁することしかできず，人間のそうした内的な様相を科学的に研究することはできないと考えていた。

次にあげる'アルバート坊や'についての有名な実験は，行動療法の出発点としてよく引用される（Watson and Rayner, 1920）。彼は，白ネズミを見せても恐怖を示さなかったこの1歳の健康な幼児が，その頭の後ろで誰かが金属片を大きく鳴らすと恐怖を見せたことに気づいた。そこでワトソンは，アルバートに白ネズミを見せると同時に大きな音をたてるという実験をした。何回かこの実験を繰り返すと，アルバートはその都度恐怖を示した。ついで彼は，アルバートに白ネズミだけを見せ，その小動物をも怖れるようになったことを発見した。彼は，大きな音との連合（結びつけ）の結果そのネズミを怖れるように学習したのである。この実験は，神経症的行動が学習された行動であることの証明として引用された。アルバートの白ネズミに対するような恐怖は，白いウサギのような似たものなら何でも，あるいはサンタクロースの白い髭に対してさえ起こった。ワトソンと共同研究者たちは，人間の恐怖症も学習された感情反応であると結論した。

1950年代に，南アフリカの心理学者ジョゼフ・ウォルピ（Joseph Wolpe）が神経症的障害者に対する治療において行動的なアプローチの応用を試み始めた（Wolpe, 1958）。彼の方法は，恐怖症の患者を訓練して，リラックスさせることを含んでいる。彼らは，リラックスした状態から，次第に彼らの怖れた情況へと導かれると，不安や恐怖の対象との連合が弱まった。この方法は系統的脱感作法として知られるようになった。ウォルピは，行動療法の発展に大きな影響を与えた。

英国では，ハンス・アイゼンク（Hans Eysenck），ジャック・ラッチマン（Jack Rachman）といった心理学者や精神科医師のアイザック・マークス（Issac Marks）などが行動療法に興味をもちその発展に貢献した（Eysenck and Rachman, 1965 ; Marks, 1987）。一方，アーノルド・ラザルス（Arnold Lazarus ; その

業績は第5章で詳しく述べる）は，アメリカで行動療法の普及に影響を及ぼした（Lazarus, 1971）。実際の'行動療法（behaviour therapy）'としての確立は，多くはラザルスによるものとされている。

現在，行動療法は純粋な形ではほとんど存在しない。むしろ行動療法の要素は，合理情動行動療法（第4章）や多面的行動療法（第5章）など他のアプローチの中に含まれている。

ヒューマニスティック（人間主義的）モデル

1950年代中ごろまでに，心理学を支配する2つの学派が現われた。すなわち，精神分析と行動主義である。これらのアプローチは，どちらも無意識の衝動，あるいは環境の変化によって決定されるというような決定論的なものである。1950年代の終わりから1960年代は，伝統的な考え方から変革を求める急激な社会的変動の時期であった。そのため伝統的な精神医学は，かなりの批判を受けた。心理学の領域では，精神分析と行動主義に対する不満が生じていた。それらの学問流派は，人間存在の最も重要な側面，たとえば，意識された自分，人間の成長への可能性，およびわれわれ人間の選択する能力や実行力を無視しているという理由で批判された。

この不満から，アブラハム・マズロー（Abraham Maslow）が'第三勢力'と呼んだヒューマニスティックな動きが出現した（Maslow, 1968）。精神分析や行動主義と異なってヒューマニズムは，人間の可能性に対してより肯定的な見解をもつ。われわれは成長への生来的な動因をもち，本来的に活動的で資力に恵まれ，自分の人生に責任をもつことができる。それは，無意識あるいは環境の支配下におかれた手足のような存在ではない。今日用いられているヒューマニスティック・アプローチで最もよく知られているのは，カール・ロジャーズ（Carl Rogers）のパーソン・センタード・アプローチであり，本書第3章の主題である。

認知・行動的アプローチ

1970年代までに行動療法は，恐怖症，強迫症状，不安症などの多くの心理的問題に対する治療の選択肢となっていた。かなりの成功があった反面，効果が

ないといった問題もあった。特に，行動療法は，うつ病の人たちには効かないように見えた。改革は行動主義の内部からではなく，当時精神分析を行なっていた2人から生じた。アルバート・エリス（Albert Ellis）とアーロン・ベック（Aaron Beck）は，クライエントの自分自身に対する考えや信念の重要さに注目した。そしてわれわれの考えや認知が感情に大きな影響力をもつという前提を共有するいくつかのアプローチができた。それらは包括して認知的行動療法と呼ばれる。

1950年代にエリスは，「情動障害は本人，他者，および世界に対して不適切な考え方をする結果である」と考えた。「……善も悪も外界にはない，ただ考え方によってそうなるだけである」（ハムレット第Ⅱ幕第ⅱ場）と言っているとおりである。現在では合理情動行動療法と呼ばれており，第4章に述べるカウンセリング／心理療法のアプローチである。

認知的行動療法は，1970年代まで普及したアプローチにはならなかった。ベックも精神分析者であるが，うつ病に対する研究を行ない，うつ病は表出されない怒りが内攻した結果生じるという精神力動的な考え方を検証した（Beck, 1967）。彼は，この考え方の根拠としてはたいしたものを見出さなかった。その代わり，うつ病の人たちが世界，彼ら自身，および将来を非現実的，否定的に見ることを発見した。彼はこれを'ネガティブ3方角'と呼び，現在最もよく用いられている形式を開発した。それは，認知療法として知られているもので，不適応的な考え方を特定して変容することを目指すものである。

エリスとベックがカウンセリング／心理療法に対する認知的アプローチを展開したころまでに，行動療法に満足できなかった療法者たちもクライエントの思考が彼らの行動や感情に影響を及ぼしているらしいと気づいていた。それは，人間の複雑さを行動という単位に還元してしまうことを行きすぎた単純化と考えたからである。そのような中でドナルド・マイケンバウム（Donald Meichenbaum）は，自己指示的訓練と称する一種の認知的行動療法を開発した（Meichenbaum, 1977）。彼は，試験不安に悩む人々について，過去の経験が，その行動に影響を与えていることに注目した。たとえば，試験の場面での彼らの思考は，目の前の課題よりも，これまでいかにうまくできなかったかということに集中してしまう。そこで彼は，クライエントにとって課題に無関係なストレス

的思考を統制するのに役立つ方法を開発した。

認知的アプローチは，今日ではほとんどが行動の要素を含むので，しばしば'認知的行動療法（Cognitive Behavior Therapy; ＣＢＴ）'と総称される。その支持者たちは，治療が成功するためには，クライエントの認知構造だけでなく，行動が変化しなくてはならないと考える。問題によって，行動的な技法のほうが効果的なものもあり，また認知的な技法によりよく反応するものもある。

多様性は人生の香辛料――ではないだろうか？

過去40年間にわたって，カウンセリング／心理療法におけるアプローチが400以上生まれたといわれているように爆発的に発生した。それらの多くは，あいまいであり広く用いられてはいない。アプローチのこの多様性は，門外者だけでなく専門家にとっても混乱の種である。カウンセリングに対するこのさまざまなアプローチのメドレーは，各々の人間，そしてわれわれが生来的に探究しているつもりの真理と人生の意味がユニークであることを反映しているに過ぎないであろう。

もっと皮肉な人ならば新しいアプローチは，主唱者としての名を上げようとしているものだと言うかもしれない。深く吟味してみると，これらの異なるとされるアプローチは，説明する用語が大きく異なるかもしれないが実際は非常によく似ている。'古いものに新しい照明を当てる'というように古くからの考え方に対して新しい用語が当てはめられたにすぎないのである。この分野で影響力の強い研究者であるジェローム・フランク（Jerome Frank）は，「治療の効果は各モデルが本質的であるとする特別な技術によって発揮されるのではなく，共通的で非特殊的な要素による」と論じている（Frank, 1974）。彼は，すべての効果的なカウンセリング／心理療法に共通な様相として次のものをあげている。

・治療的関係
・患者の悩みに対する説明を含む理論
・新しい情報の提供
・救助に対する患者の期待強化
・成功体験の提供

・感情的高揚の促進

　人間が変化するのは，これらの非特別な要因であってよく耳にするような夢の分析や解釈，あるいは信念への問題提起とその変化などの特別な技術によるのではないという画期的な考え方として多くの議論を触発した。

　各アプローチの賛同者たちは，彼らの特別な技術こそ最も効果的であると思わせようとしている。それに対して研究結果は，必ずしも支持していない。つまり特殊な問題に対しては特別な技術や策が必要とされることもあるが，主要なアプローチはすべて等しく効果的であるように見えるのである。

　人間は，特有のパーソナリティと考えをもっているユニークな存在なのだから'オーダーメイド'療法が必要なのかもしれない。おそらく真の課題は，その人，その問題，その社会的および家族的な背景における，そのときにふさわしいアプローチをオーダーすることであろう。たとえば，通常ならば問題を速やか，かつ効果的に解決する人は，精神分析やパーソン・センタード・カウンセリングの成長モデルには，耐えられなくなりがちであろう。そういう人たちは，認知的行動療法のように特別な問題に集約して，まとまりのある指示的なアプローチのほうが援助的であると思うかもしれない。反対に，自分の思考について思考することは難しいと思うような人は，パーソン・センタード・アプローチのほうがうまくいくかもしれない。

統合と折衷への動き──第四勢力

　異なるモデルを統合する方向への動きは，「異なったアプローチも実際に多くの類似性をもつ」という認識から出てきたものとしての試みである。これは，異なるオリエンテーションの間のきょうだいげんかと呼んだ混沌状態を再秩序化する試みである（Norcross, 1986）。統合・折衷主義は，ライバルのアプローチを反対のものと見るよりも，補完し合うものと見る。

　折衷とは，「いろいろなシステムの中から最良と思われるものを選び出す方法あるいは実践」と定義されている。折衷的アプローチは，いずれか1つの治療法に賛同するものではなく，また実際，現存の諸理論で人間行動の複雑さを適切に説明できるとも思っていない。折衷主義的な療法者は，（何であろうと）研

究によって効果的と認められたものを用いることに執心する。その技術がどこからきたかという理論的な考えは，重要でないと考える。

　統合とは，異なる理論からの要素を結合して新しい理論を作ることである。ある意味で，フロイトは，哲学，生理学，医学，それに文学からの概念を統合して新しいモデルを創造したという点で，これを実行したのである。認知行動療法者たちも同様に，認知と行動のアプローチをカウンセリング／心理療法に統合したものである。統合主義は，どちらかといえば理論的であり，折衷主義は，どちらかといえば技術的である。統合主義者は，部分を組み合わせて何らかの新しい全体を作り，折衷主義者は，すでにあるものから取り出す。実際上，それらの術語は，しばしば相互に交換し得るように用いられている。

　折衷主義と統合主義は，認知的行動療法とほぼ同時期，すなわち 1970 年代の初期に発展した。今日の実践者の約 3 分の 1 がみずからを折衷派あるいは統合派と称している（O'Sullivan and Dryden, 1990）。それらの中の最もよく知られたものである，アーノルド・ラザルスが発展させた多面的（multimodal）アプローチを第 5 章で取り上げる。

終わりに

　本章で，カウンセリング／心理療法の歴史的な背景を概観し，それらの活動がどのようなものかを定義しようと試みた。カウンセリング／心理療法の発展ぶりは，本屋の棚をみればよくわかる。かつてならばわずかな棚で足りていたものが今ではかなりのスペースを占めるまでになっている。

　最近の議論の 1 つは，カウンセリング／心理療法がはたして有効かあるいは有害かという問題に関するものである。これは，1 つには，多くの似而非ものが'カウンセリング'を装った実践によって悪い評判を作ったことによる。英国においては，現在カウンセリングや心理療法について国レベルでの規定がない。これは，資格もなくほとんど訓練経験もない人たちが，カウンセラーとして名乗ることが可能であり，また実際に行なっていることを意味している。英国カウンセリング協会（The British Association for Counselling; ＢＡＣ）と英国心理学会（British Psychological Society; ＢＰＳ）の両者が認定機関としての

役割を担っているが国家的な認定ではない。1993年に連合王国心理療法協議会（United Kingdom Council for Psychotherapy；ＵＫＣＰ）が設立され，現在70人あまりの会員組織が作られて，ＢＡＣやＢＰＣと同様にカウンセリングと心理療法の職業を認定する方法を探している。その直後，精神分析者と心理劇療法者からなる英国心理療法者協会（British Confederation of Psychotherapists；ＢＣＰ）が設立された。ＢＡＣは，連合王国カウンセラー登録制（United Kingdom Register of Counsellors；ＵＫＲＣ）を設立し，1996年に発効している。これらの組織には，資格のあるカンセラーと心理療法者だけが登録できる。これらの専門団体のいずれも，法制力はなく，'不適格実践者' に対して法的な制裁を科すことはできない。また，法的規定がないため，イギリス国内で何人の人がカウンセラーあるいは心理療法者として名乗っているか確実なことはわからない（1993年に『サンデー・タイムス』誌は，有料のカウンセラーあるいは心理療法者が約3万人，ボランティアが約2万7千人と推定したているのみである）。

　個人のカウンセラーあるいは心理療法者に相談しようと思う人は，その療法者の受けた訓練，資格，所属団体，経験，および専門家としての勉強を続けているかどうかなどを確認するようおすすめする。

第2章

精神力動的アプローチ

はじめに

……彼は，ただ言ったのみ
詩の練習のように過去を復唱するだけの
　　不幸な現在だが，いずれ遅かれ早かれ
　　読みにくい節に行き当たる。それは
ずっと以前，詮索が始まったあたり，
そして誰に裁かれていたのか，突然知ったあたり。
　　それまでの人生が何と豊かで，そして何と馬鹿げていたことか，
　　そして許されていた人生の，いっそうみじめだったこと。
　　　　　　　『ジグムント・フロイトの思い出（*In memory of Sigmund Freud*）』
　　　　　　　　　　　　　　　　　　　　（Auden, W. H., 1939）より

　カウンセリング／心理療法の精神力動的な技法は，ジグムント・フロイト（Sigmund Freud）の精神分析の理論と実践を基礎としている。それは，人間の精神生活の大部分が無意識的であるという信念を中心としている。人間の心の無意識的な部分は，苦痛や葛藤が生じそうなので避けるために抑圧した記憶

や思考，感情を包んでいる。それらの材料は，ある意味では，'心の外のもの'であるが，それらがわれわれに対して何ら影響を及ぼさないとは言えない。精神力動的なアプローチでは，それらがわれわれの行動や思考，感情に深い影響を及ぼし続けていると考える。

　冒頭の引用は，フロイトの死後まもなく，彼の思い出のために書かれた詩からのものである。それは，精神力動的アプローチの中心的な信念であり，われわれの感情の問題は幼少期の経験に起源するということを言い表わしている。幼少期の経験の中で問題となる考えや感情，記憶は，無意識的な過程で抑圧されているかぎり，手が届かず，理解も解消もされることはない。精神力動的療法は，無意識的なものを意識的な気づきに持ち込むことを目標としている。そのことを「見えない敵と戦うことはできない」とフロイトは言った。

　精神力動は，ともにギリシャ語に起源をもつ2つの言葉の結合である。'精神（psycho）'はもともと魂を意味したが，現在では心，精神，自我として理解され，また感情をも含むものとされる。'力動（dynamic）'は，もともと力，それもしばしば異なる方向に動くものという観念を表わすものであった。フロイトは，われわれの経験が力動的であり，葛藤し合う力や欲望や衝動，観念の所産であるという考えを基礎として人間の心のモデルを作った。

　ジグムント・フロイトは，精神力動的学派の祖父と呼ばれる。その一族は，まとまってはいない。そこには普通の家族のように確執やいさかい，離婚や和解がある。フロイトが生きていた間は，友人や弟子たちの変化し続けるサークルの中心にいた。そのサークルを去った人や後から入ってきた人たちは，人格発達に関する独自の理論を派生させた。精神力動という術語は，フロイトの考えを起源としながら，独自の精神力動的モデルを派生させた多くの学派を総称する，あるいは傘下に含める用語である。それらの多くの学派の間の差異は，主として理論的な強調点の問題である。それらは，それぞれ，フロイトの考えの何らかの側面を軽視したり，別の側面を強調したり，洗練したりしている。療法の実践になるとそれらは，すべてよく似ている。その複雑な事態は，初心者を混乱させるが，異なる学派の間に多くの類似性がある。それらのすべてを結びつけるのは，基底にあるフロイトの業績である。

　本章ではすべての精神力動的理論を理解するための基本前提となるフロイト

の基礎的な考えを紹介したい．本章に出てくる概念のいくつかは，日常語の中に融け込んでいるのですでにご存じかもしれない．たとえば，フロイトのいう口の滑り，ファリック・シンボル，夢の意味，エゴなどである．フロイトの理論は，西欧社会に深い影響を及ぼした．彼の考えの多くがあまりにもわれわれの文化に浸透しているので，もはやその語源に気づかないほどである．

ジグムント・フロイト

家庭背景と幼少期

　ジグムント・フロイトは，かつて，自分の生き様ではなく自分の思想で人々の記憶に残りたいと言って，書簡や日記などの個人的な資料を繰り返し破棄した．彼の『自伝的研究（An Autobiographical Study）』(1925)でさえ個人的な資料は少ない．しかし，彼の考えの多くが自身を理解しようとする努力から生じているので，彼の生き様の話は意味深いものである．

　ジグムント・フロイトは，1856年5月6日，モラヴィアのフライベルグ（現在のチェコ共和国のプリボール；Pribor）で，8人きょうだいの長男として生まれた．彼の父親ヤコブ（Jakob）は，羊毛の商人であり，近寄りがたい権威的な人物であった．両親はユダヤ人であり，長男に対して高い期待をもった．4歳のとき，家族は経済上の理由と，モラヴィアにおいてユダヤ排斥運動が高まったためにウィーンに移った．

　ジグムントは，母親に溺愛され，後年，彼の自信の強さの起源を探っていくと彼に対する母親の愛情と誇りに帰着した．母親の溺愛ぶりは，彼を時に一種の暴君にしたようでもある．たとえば彼は，勉強中に妹たちがピアノを弾くことに激しく反対して，ピアノを売ってしまった．それは，当時のウィーンの若い女性にとって普通のことであった音楽教育を取り上げてしまったことになる．フロイトは，中等学校で常にクラスでトップの優等生であった．

大学時代

　当時，ユダヤ人に対する排斥が強く，ユダヤ人は医師と法律家以外では専門

的な職業に就くのは困難であった。1873年にフロイトは，ウィーン大学の医学部に入学したが，そこでも疎外されたと述べている。

> 私は，ユダヤ人だからという理由で，みずから劣っていて，よそ者だと感じるようにと期待されていることがわかりました。この後段については，断固拒否します。なぜ自分の血統を恥じねばならないのかまったく理解できません……私は，社会に溶け込まずに耐えることを，さして後悔しません。
> 　　　　　　　　　　　　　　　　　　　　　　　　（Freud, 1925: 9）

　フロイトは，特別に医師になることを希望していたわけではないが，「自然的な対象よりは人間に関わることに向けられた一種の好奇心に」動かされていた（Freud, 1925: 8）。彼は，勉強の主題を何回か変えた後，結局エルンスト・ブリュック（Ernst Brucke）の生理学研究室に身を置いた。彼の興味は，神経学的研究にあり，医学の勉強を疎かにした。彼は，1881年まで医師としての資格を取らなかった。

専門家としての活躍そして転機

　フロイトは，卒業後，ブリュックの下で働いたが，昇進の望みがないうえに，結婚するために経済的な貧困状態を何とかしなければならなかった。そこで彼は渋々ながらブリュックの実験室を離れて，ウィーンの総合病院で臨床助手としての仕事を始めた。

　その後3年間，フロイトは，その病院の精神科を含む種々の部門で働いた。彼は同時に神経病について研究し，脳の解剖と神経システムの器質的疾患に関する論文を発表した。そして1885年には，ウィーン大学の神経病理学の講師に任じられ，それは非常に前途のあるものに見え始めた。

　1886年，フロイトは，婚約者マルタ・ベルナイ（Martha Bernays）と長い婚約期間ののち結婚した。彼らは6人の子どもをもうけ，そのうちの1人，アンナは独自の立場で卓越した精神分析者になった。彼は一家を支えるために，神経病の専門で開業した。

　第1次世界大戦の始まるまで，フロイトは，1日に8人の患者を診ながら，

彼の精神分析はもとより，法律，宗教，教育，芸術，神話，戦争，その他の問題について膨大な論文や著書を発表した。忙しい日課の間にも，彼は，友人を迎え，母親を訪ね，会議で意見を述べ，ウィーン大学で講義をするといった多忙な日々を過ごした。

戦争が終わって数年後，彼は顎のガンと診断され，その後数年の間に30回以上の前ガン性増殖の摘出手術を受けた。彼の聴力と発語に障害が現われ，それらはかなりの痛みを伴った。彼は長年にわたって，部分的に摘除された顎と口蓋を補助する当て具を装着しなければならなかった。その痛みにもかかわらず，彼は仕事を続け，著作や論文を発行し続けた。

フロイトの情熱は，文明の本質とか神の存在などを含む広い領域へと拡大していった。1927年には，『幻影の未来（*The Future of an Illusion*）』を発表したが，これは，「基本的に宗教に対する否定的な評価」であった（Freud, 1925: 257）。1930年，彼は『文明とその不満（*Civilisation and its Discontents*）』を発表したが，ここでは，文明のためには性欲や攻撃性などの本能的欲求の抑圧が必要となるが，その不利益は，快適さを維持し，確保するという利益によって相殺されると述べた。

1933年，ヒトラーが権力を握るようになり，ナチス・ドイツの台頭がフロイトとその家族を含むすべてのユダヤ人に大きな脅威を与えた。1934年，彼の書物がベルリンの大衆の前で焼かれた。彼の友人たちは彼に移民を勧めたが，彼が4歳から住み慣れた町を去ってイギリスへ移ったのは，1938年になってからであった。ロンドンでは，彼は大きな名誉をもって迎えられ，王国医学会（Royal Medical Society）の客員となった。彼は，1939年9月23日83歳で死去した。

その人物像に迫る

フロイトは，勤勉で野心家で，好き嫌いの激しい人であった。フロイトの息子は，優しい父親だけれど，自転車や電話などの新しい発明品を受け入れることが困難な人であったと述べている。

彼と同時代に生きた人の中には，「怒らせた相手に対しては恨みや激憤を抱く厳しい人物」「自分の理論の正しさに確信をもち，誰の反論も許さない人物」と言う人もいる。これは，短気とも，あるいは，真理に対する情熱とも受け取れ

る。一方,「親切で教養があり，機知と魅力にあふれた人物」と言う人もいる。

　フロイトは，豊富な語彙，言語に対するすばらしい感性など，偉大な作家の属性をすべて備えていた。彼は，人々に対する好奇心が強く，観察し，その人生や態度を理解することを心がけていた。彼は書くことが好きだった。これは，900 通ものラブレター，膨大な出版物，彼の腹心の友でもあり，よき相談相手でもあった耳咽喉科の専門医ウィルヘルム・フリース（Willhelm Fliess）との間の長期間にわたる文通などで証明される。

精神力動的アプローチの発展

療法への最初のアプローチ

　フロイトの精神病理学（精神障害に対する研究）に対する情熱は，1885 年にパリに行き，神経病理学の教授シャルコー（Charcot）の下で勉強したときに始まった。シャルコーのヒステリーの患者は，おもに女性であり，神経や筋肉の障害がまったくない（あるいは当時としては発見できない）のに，マヒ，健忘，目が見えない，耳が聞こえないなどの種々な身体的症状を示すことに関心をもっていた。それは，子宮（そこから'ヒステリー'の用語が出た）の特殊な障害，あるいはその症状の詐病か想像と考えられていた。シャルコーは，その症状が本当のものであること，そして催眠術によって平常は普通の人がその症状を示し，また同様にそれを除去することもできることを証明した。

　その後フロイトは，精神障害の中には心理的な要因で生じるものがあるという可能性が心に閃めき，成功と名声を期待してウィーンへ帰った。しかし彼の仲間は，この新しい考え方を拒否した。彼は，思い止まることができず，学界を離れ，独自の観察と理論化を続けた。フロイトの患者にはヒステリー患者が多く，必要に迫られて効果的な治療法を探し求めた。彼はシャルコーが行なったような暗示を伴う催眠術を使い始め，いくつかの成功を収めた。

　フロイトはパリに赴く前の 1870 年代の終わりに，ウィーンの医師ジョゼフ・ブロイアー（Joseph Breuer）に出会った。ブロイアーは，彼にアンナ・O という患者のことを話した。彼女は，父親が死んでから身体マヒと精神的混乱の発

作に悩んでいた。彼女は，時々失神のような状態になり，その間にブロイアーに対して過去の経験を話そうとすることがあった。症状がそれらの経験と関係していて，その後消失したことに気づいたブロイアーは，アンナ・Oを人為的に催眠状態に導いたうえで過去の生活について話し続けるように激励した。彼女は，その治療を'話しによる癒し'と呼び始めた。それは，彼女の内面に圧力鍋の中の蒸気のように詰まっていた精神的な苦痛が催眠状態で話すことによって解放されたもののようであった。

フロイトとブロイアーは，暗示をかけるためでなくむしろ感情放出のために催眠術を用い，彼らが'カタルシス（感情の浄化）'と呼んだアプローチを共同で研究し始めた。彼らは，共著『ヒステリーの研究（*Studies on Hysteria*）』(1895)で，ヒステリーの症状は，患者が苦痛のあまり意識から排除してしまった何らかの心的外傷に関係していると示唆した。これらの蓄積された感情は無意識に残留し，そこでエネルギーをもち続ける。このエネルギーの表出が阻止されると，身体的症状に転換される。これが，フロイトの精神分析という考えの展開に関する最初の本である。

フロイトの患者の多くは，催眠の下で幼少期の性的虐待を想起した。女性の患者については，ほとんどが父親からの虐待であった。フロイトは，神経症の根源を発見した，すなわちヒステリーの根本的な原因は，幼児期における性的誘惑の記憶の'抑圧'である，と信じた。これは，'誘惑理論'と呼ばれた。

この時期にフロイトは，患者と医師との関係（後に'転移'と呼ばれるようになった）の重要性について考え始めていた。これは，彼の患者の1人が面接の終わりにフロイトの首に抱きついたという突発アクシデントに触発されたものである。同様のことがブロイアーにもあった。彼の患者アンナ・Oとの関係でそのようなことが生じたときの彼の反応は，治療を中断するというものであった。一方フロイトの反応は違っていて，この問題を科学的な興味をもって分析する必要があると見なした。

失意からの飽くなき探究

催眠術は，フロイトが期待したような成功話にはならなかった。催眠のかからない患者もあり，望ましいだけの深さに至らないものもあり，また彼は，そ

の症状の寛解がしばしば一時的でしかないことを発見した。

彼は，代替策を探して，催眠によらずに過去のトラウマを表出するようにと患者に要求してみた。しかし彼は，これが困難な作業であり，あまりにも押しつけがましいものだと知った。患者の1人エリザベス・フォン・Rは，ある日，彼女の連想の流れを質問で妨害したとして彼と衝突した。フロイトがそのヒントを取り入れ，質問で彼女の邪魔をすることなしに黙って自由に話をさせるようにすると，これが有効と証明された。彼は，患者の表面上は回りくどい言葉が何かしら関連し合っていること，およびその個人の内部には考えを方向づけ，決定するように働く力があることを認識した。彼はこの新しい方法を'自由連想'と呼んだ。

キー事例

1896年，フロイトの父親は長い闘病生活の末他界した。このことをきっかけにフロイトは神経症を引き起こした。彼は「父の死は，自分の内部で幼少期の感情を目覚めさせた。私は，ようやく自立した」(Jones, 1961: 280) と言っている。フロイトは，自分自身の無意識を分析し始め，人間の本質を理解するためには，第一に自身を理解する必要があると考えた。彼は自身がキー事例となり，また最初の精神分析者ともなった。

フロイトの自己分析では，自分の夢を吟味し分析することに多くの時間を費やした。彼はそこから，および彼の患者の夢についての研究から発見したことを，『夢の解釈 (*The Interpretation of Dreams*)』(1900) という1冊の本にまとめた。この本は，彼の主要作（当時まだ有名にはならなかった）の1つである。彼の夢の1つは，姪のヘラについてのものであったが，彼は，それを自分の長女に対する性的な欲望と解釈し，彼の誘惑理論を支える証拠として用いた。

すると，彼の心に疑念が走った。彼は自分の弟や妹の何人かがヒステリーの症状を示していたことに気づいた。それは，もし彼の誘惑理論が正しいとするならば，彼の父親が罪人になってしまうのでこの考えは認めたくないものであった。そこで彼は，次のように考えるようになった。親が子どもに対して近親相姦的な欲望をもつ，もたないにかかわらず，問題の根源は子どもが親に向ける近親相姦的欲望であり，そうした空想は，後年再び目覚めることがある。

彼は，この認識によってもたらされた驚きと当惑をフリースに宛てた手紙に書いている。つまりそれは，子どもは無邪気無垢という考えに背くものであったからである。しかし彼は「私は，負けたとは思わず，むしろ勝ったという感じをもっている」と述べた。なぜならば，そのことの認識から，彼は，幼児性欲の理論を発展させたからである。彼は，自分の幼児期の夢と記憶想起とを通じて，幼児期の深層における母親への情念と父親への嫉妬を発見し，そのような感情が人々に共通であると考えた。彼は，4歳のころ母親と旅行をしたとき，寝台車の中で母親の裸体を見て興奮したことを思い出した。

　この自己分析の間に生じたもう1つの想起は，弟ジュリアスの誕生であった。その誕生前は，彼は母親の愛情を一人占めしていた。その後，ジュリアスが8か月で死んだとき，フロイトは自分の嫉妬からの願望が満たされたと考えた。フロイトがこれらの記憶を分析したことは，彼の考えの発展にとって重要な役割を果たした。

　フロイトの自己分析の期間は，アイディアが湧いては急速に発展した創造的な時期であった。その時期は，2つの重要な発展である「夢の解釈」，および「幼児性欲に対する彼の考え方の進展」までをもって区切られるが，その時期のフロイトは「穏やかで親切なフロイトとして現われ，その後は，容易に動じない態度で自由に自分の研究を進めるものとしてであった」(Jones, 1961: 277)。

変遷

　フロイトは自己分析の時期を'輝かしい英雄的な時代'と'すばらしい孤立' (Freud, 1914, 1957: 22) として述べている。この孤立の感情は，1902年に彼の周囲にアルフレッド・アドラー (Alfred Adler)，サンドール・フェレンツィ (Sandor Ferenczi)，カール・ギュスタヴ・ユング (Carl Gustav Jung)，およびアーネスト・ジョーンズ (Ernest Jones) を含む大勢の若い医師たちが集まったことによって終息した。彼らは，後にウィーン精神分析学派として知られた人々の草創期の顔ぶれである。

　1901年，フロイトは，口の滑り，読み違い，名前のど忘れなど（総称的に，パラプラクシスと言う）について研究した『日常生活における精神病理 (The Psychopathology of Everyday Life)』を著した。同じ年に，彼は，催眠術を用いない

精神分析の方法について明らかにした。代わって，患者が心に浮かんだことを何でも話すことにする自由連想は，抵抗の分析，および夢やパラプラクシスの解釈を伴うものであった（それらの説明については，本章の後述参照）。

その後1905年にも『冗談，その無意識との関係（*Jokes and their Relation to the Unconscious*）』を，続いて性本能の発達について彼の考えを総まとめした『性欲理論についての3論文（*Three Essays on the Theory of Sexuality*）』を著した。この時点まで，フロイトは，無意識の探究者であり夢の解釈者と考えられていた。それ以後は，むしろ性欲理論の唱導者として考えられるようになった。

1908年，第1回国際精神分析大会がザルツブルグで開催された。最初の精神分析雑誌が1909年に創刊され，同年にフロイトは，'精神分析の起源と発展'の演題で講義するためにアメリカに招かれた。それは彼がユングやフェレンツィとともにした旅行であった。また，フロイトが大衆に対して精神分析について話した最初でもあった。彼は，マサチューセッツのクラーク大学から博士号を授与され，彼にとって最高のときであった。つまり，長年の侮蔑の後，彼がついに学会から名誉をもって遇されたのである。

1910年，第2回国際精神分析大会において，国際精神分析者協会が結成された。精神分析は，精神医学の世界に引き続きあった反対にかかわらず，1つの運動となったのである。

最終的発展

フロイトは，晩年においても彼の考えを発展させ続けた。彼にとっては，名声と成功を手に入れた幸せなときであった。同時に彼の最も親しい弟子たちの多くが彼のもとを離れ，別の学派を展開した。その後も，精神分析の運動は発展し続けた。第1次世界大戦はその発展に大きな影響を及ぼした。通常の精神医学は，弾丸ショックで戦場から帰った兵士たちに対してあまり役に立たなかったが，精神分析には，その理論と療法があった。

その大戦中，フロイトの3人の子どもたちや多くの弟子たちが召集され，彼の個人開業は縮小された。彼の考えは死と攻撃性の課題に向かい，考えを『快楽原理を越えて（*Beyond the Pleasure Principle*）』（1920）で公にした。1923年，フロイトは，心のモデルについての初期のモデルを修正した『エゴとイド（*The*

Ego and the Id）』を著した。彼は不安と防衛機制に関する理論を修正して，『抑止と症状と不安（*Inhibition, Symptoms and Anxiety*）』（1926）を著した。

同時代に活躍した人たち

■ アルフレッド・アドラー

フロイトと同様に，アドラー（Alfred Adler; 1870～1937）もウィーンで医師となり，神経症に関心をもった。彼のフロイトとの交際は，1902年，ウィーン精神分析会の創立メンバーになったときに始まった。1911年，特に性欲を最も重要なものとするフロイトの考えをはじめ，多くの意見不一致が決別へと導いた。

アドラーは，個人心理学という学派を創立したが，それは，人格のユニークさを強調し，現実に対して個々人がそれぞれの認知の仕方をもつ点に注目するものであった。彼は，社会的な要因や，たとえば自尊心や自信など人格のエゴイスティックな要因と呼べるようなものに焦点を当てた。

■ サンドール・フェレンツィ

サンドール・フェレンツィ（Sandor Ferenczi; 1873～1933）はハンガリーに生まれたが，ウィーンで医師になってフロイトの追従者になり，ウィーン精神分析会の側近の1人となった。彼は古典的な精神分析から逸脱していたが，フロイトとの友情関係は長年続いた。彼はフロイトが治療技術への関心を失ったことに不満を抱き，精神分析をより効果的にする道を探そうとした。

■ カール・ユング

ユング（Carl Jung; 1875～1961）はスイスに生まれ，他の初期精神分析者と異なってユダヤ人でなかった。彼はチューリッヒで医師となった。彼は1907年にフロイトと出会い，精神分析に興味をもつようになった。彼は，フロイトの'愛息子'と見られ，精神分析運動の中心となる後継者として期待されていた。しかし，1つにはフロイトが神経症の性的な基盤に固執したために，1912年にフロイトのもとを離れた。

ユングは，外向性（外向きに見る）と内向性（内向きに見る）という両極的な人格型の考えで知られている。彼は，人間が生理学的な遺伝と同様に心理学的遺伝をもっていると考え，また人間の身体が長い進化の結果であるように，

精神もまた同様であると考えた。彼は、個人の経験からは得られない要因を含む集合的無意識を唱えた。集合的無意識の中には心的構造体あるいは元型がある。後にユングは、分析的心理学と呼ばれる新しい精神療法の技術を発展させた。

■ メラニー・クライン

メラニー・クライン（Melanie Klein; 1882〜1960）は、初期の精神分析者たちと同様、ウィーンのユダヤ人であった。第1次世界大戦の直前にフロイトの著作のいくつかを読んで、特にその幼児の発達の理論に深く惹かれた。後に彼女はフェレンツィの弟子になり、彼は彼女に対して、子どもに精神分析を用いることの可能性を試してみるようにと激励した。

1926年、彼女はイギリスでのフロイトの忠実な支持者であるアーネスト・ジョーンズにロンドンで働くよう招かれ、そこで彼女のアプローチは広く受け入れられた。クラインは、英国精神分析の'イギリス学派'の発展に強い影響を与え、彼女の考えは、特に'対象関係'学派に深い影響を及ぼした（本章後述参照）。

■ アンナ・フロイト

アンナ（Anna Freud; 1895〜1982）は、フロイトの末娘である。彼女は、父親が好きで、彼の仕事に積極的な関心をもった。フロイト自身、彼女を分析した。これは、非倫理的であるとして今日厳しく問われていることである。彼女は小学校の教師であり、生徒の観察から児童心理学に興味をもった。彼女は児童精神分析の創始者の1人である。

アンナは、1938年、父親とともにロンドンに移民し、常に父親の仲間であり、介護者でもあった。彼女は、1945年までハンプステッド児童治療クリニックで勤務した。第2次世界大戦の間に、彼女は子どもに及ぼす戦争の影響に関する3冊の本を書いた。

1947年、彼女はロンドンに児童治療クリニックを創設した。

精神力動的アプローチの現在

フロイトは存命中、弟子たちからのかなり高度の賛意を期待し要請さえしていた。彼は反論を容認せず、前述のとおり、多くの人がサークルを出てそれぞ

れの会や研修センターを設立した。

　ロンドンでは，アーネスト・ジョーンズ (Ernest Johns) がイギリスに精神分析を導入しようと熱心に努力し，そのリーダーシップの下で1919年にイギリス精神分析学会が創立された。イギリス医学会が1929年に精神分析を認めたのは，彼の努力によるところが大きかった。フロイトや他のユダヤ人精神分析者がロンドンに来たとき，数年前から来ていたクライン，およびその弟子たちとの間にかなりの緊張が生じた。特にフロイトは，娘のアンナと考えの異なるクラインに対して懐疑的であった。フロイトの死後，その対立はエスカレートし，イギリス精神分析学会は分裂しそうであった。しかし，何回も話し合った結果，学会の中に，クライン派とアンナ・フロイト派の2つのグループを作ることで妥協した。その後，独立派として知られることになる'中間'派ができた。

　対象関係学派はイギリスで発生し，乳幼児期における関係性の重要さを強調したクラインの影響を強く受けている。人間は基本的に社会的であり，その第1の欲求は，他との関係をもつことである。クラインは，科学者ではなかったので衝動や本能のシステムを問題にするフロイトの生理学的アプローチに従わなかった。それでも'対象'という言葉を用いた点は，フロイトの本能の対象という考えを引き継いだものである。個人が関係する'対象'は，人間全体であってもよいし，たとえば哺乳時における母親の乳房など人間の一部分でもよい。'セルフ'は，外界にある人々あるいは対象との関係性の影響の下に発生する。同時に，'内的'な関係性にも発達のパターンがあり，パーソナリティのいろいろな側面が他に反応したり，相互に関係したりする仕方がある。われわれの外界に対する経験は，これらの内的関係性によって決定される。

　対象関係学派は，心理療法の世界だけでなく西欧社会に強力な影響を与えた。たとえば，乳幼児期に継続的で親密な関係性が重要であるという考えから，幼い子どもが病院で親から分離されることを避けるようになり，今では子どもたちは，大きな施設よりもできるだけ里親に預けられている。

　精神分析は，1950年から1960年代までにアメリカで主導的な勢力になった。多くの精神分析者がナチズムを逃れてアメリカ合衆国へ移民した。そしてフロイトの一門が徐々に分裂して，フロイトの考えの下にさまざまな学派が発生した。たとえばハルトマンは，適応的なエゴを重要視する'エゴ心理学'を展開

し（Hartmann, 1939），コフートは，イギリスの対象関係学派に似たアプローチで，'セルフ理論'と呼ばれるものを展開した（Kohut, 1977）。これは，セルフの発達を精神力動的理論の中心に据えて，他との関係性という基本的な役割を強調するものである。

　ごく最近，期間制限的，あるいはブリーフ心理療法が発展してきた。フロイトは事実上，短期間の治療で成功していて，たとえば作曲家グスタフ・マーラー（Gustav Mahler）の性的な問題を4回の分析セッションで治したのだが，精神分析が次第に複雑な理論になるにつれて治療は長期間に及ぶ仕事になり，一般的に人々の心には，週3回ないしそれ以上のセッションで何年にも及ぶと思われてきている。フェレンツィは，治療者がもっと積極的な役割をとり，治療にきちんとしたタイムリミットをもうけるべきであることを最初に主張した1人である。後に，他の精神分析者たちがこの考えを推進した。その理由の1つは，第2次世界大戦の後に，情緒障害を伴って戦場から帰った何千もの兵士たちを援助する必要性であった。援助を必要とする多くの兵士たちに対しての長期間の治療は不可能である。集団療法がバーミンガムのノースフィールド病院の精神医学班で開発されたのは，この時期である。今日では，個人開業でも病院場面でも，精神力動的カウンセリング／心理療法は，集団，および個人の両面で行なわれるのが普通になっている。

このアプローチの理論

概観

　多くの精神力動的なアプローチの間には，差異はあっても，共通のキー概念があり，それらの研究を伝えるときにはフロイトの精神分析理論を用いている。フロイトの理論は，当時としても，今日の人々が考えるほど革命的なものではなかった。その概念の大部分は，すでにニーチェ（第1章参照）など他の著名な人々によって提唱されており，彼のモデルは，19世紀という時代の思潮に明らかに影響されている。しかしながら，フロイトの成し遂げたことは，それらの考えや概念のすべてをまとめて，人格や行動という複雑なものを説明するた

めのモデルを1つ作ったことである。

　フロイトに刺激と影響を与えたブロイアーとシャルコーについてはすでに触れた。その他に重要な影響としては，ヒステリーにおける性欲の重要性を考えていたモリッツ・ベネディクト（Moritz Benedikt; 1835〜1920）が含まれる。彼はフロイトと同様に，患者の問題は病原となるような秘密にあると考えて，それをあらわにすることをめざした心理療法で成功を収めていた。また，フロイトは，その理論が本能的衝動（instinct）とか欲動（drive）という生理的な概念を基礎としていた点で，チャールズ・ダーウィン（Charles Darwin; 1809〜1882）の影響を受けていた。

　フロイトの理論は，決定論的である。すなわち彼は，すべての行動には特定の原因があり，その原因は心理の中に探し出せる，と考えた。われわれ人間のすることに偶然なことは1つもなく，すべては無意識の内的な欲動によって規制されている。誰かの名前を忘れるというような出来事にさえ，よく研究すれば特定できるような，心理的決定要因（原因）がある。忘れた理由はその人を好きでないからかもしれず，あるいは，その名前が昔の仇と同じであるからかもしれない。無意識は人間の行動を決定する際の基本的な役割を担っている。われわれの行なうことに対してわれわれの意識的な統制力は限定されたものであるとするこの考え方は，多くの人々から基本的に悲観論的であると受け取られている。

　今日の精神力動的アプローチの多くは，フロイトよりも楽観論的な見方に立っている。エリック・エリクソン（Erik Erikson）はドイツ人でアメリカへ移民した精神分析者の1人であるが，「われわれは確かに自分の未来に対する統制力をもっている，そして'エゴ・アイデンティティ'を発達させることによって人生の危機を克服する術を学ぶことができる」と考えている。ユングは人類をより積極的で前向きな人々と見ており，夢の解釈の中において，フロイトがしばしば縁起の悪い，抑圧された，時に本来的に性的な願望のシンボルだけを見ていたのに対して，彼は美と成長を見いだしている。

パーソナリティ理論

　本章では，人間のパーソナリティについてフロイトの考えを述べた。また紙

面の許すかぎり，他の精神力動的アプローチの相違点も述べてきた。精神力動的な術語の多くは，難しく，またしばしば同じ言葉が種々の学派によって異なる使い方をされている。フロイトの翻訳者たちの使った用語は，しばしば説明がなく難解である。たとえばイド，スーパーエゴ，リビドー，転移などの術語である。本章のこの先の目標は，参考文献を読むにあたって必要な基礎となるであろうフロイトの概念の入門的な紹介をすることにある。

■ 無意識

　無意識の概念は，フロイトの心のモデルに一貫して底流を走っているテーマである。彼はしばしば，精神分析を'無意識の心理学'と定義した。彼以前の時代には，無意識は，記憶する必要がなくなったものを何でも投げ込むことのできる受け身的なゴミ箱のようなものと考えられていた。しかし，フロイトとニーチェはともに無意識を'許された吐け口がなく……情念や夢や精神病に表出を求めている，野性的で野蛮な本能'の居場所と考えた（Ellenberger, 1994）。フロイトは，しばしば'煮え立った釜'という比喩を用いた。これは，もしわれわれの意識の世界に入り込んだら危険であろうような，強力な力をもった心の働きだという考えを述べている。空っぽにすることのできるゴミ箱と違って，無意識の中の記憶は消滅することなく蓄め置かれていて，われわれの意識的な行動に対して見えないながらも強力な動機づけ要因として働くのである。

　意識のレベルは，氷山にたとえられる。氷山の先端は，心の意識された部分，つまりわれわれが現在気づいている思考や感情に相当する。氷山のより大きな部分は海面下にあって容易にとらえられず，それが無意識に相当する。これらの間で海が氷山に波打つにつれて，見えたり，また見えなくなったりする部分がある。心のこの部分をフロイトは，前意識と呼んだ。現在は気づいていない考え，記憶，感情などは，すべてここに住んでいる。前意識的なものと無意識的なものとの境界は，心の中の力関係の変化によって，つまり潮が満ちたり引いたりするのにつれて変わってゆく。われわれの気づいていない思考や感情が行動の中に表われることがある。無意識の内容物は，チェルノブイリの放射線のように，気づかないうちに漏れ出たり害を及ぼしたりすることがある。

■ 無意識の証拠

口の滑り（言い間違い）　　口や筆の滑りは，この漏れ出しの例である。われわ

れ人間が口を滑らせてしまったとき，2つの反対の考えがある場合がある。つまりわれわれが伝えたい考えと，伝えたくないけれど心の底に蓄まっていたものである。たとえば，心理学専攻の学生が統計学のチューターへの電話で，次のチューコリアル（チュートリアル＝担任指導）はいつですか？　と聞いた。意図した考えは明らかであるが，その担任指導のお呼びが煩わしい雑用であることを，その学生は意識して気づいてはいない。

夢　　フロイトは，夢のことをしばしば'無意識への王道'と述べ，その本質は，何か隠された願望の充足であると言った。彼は，'創造的な病'の時期に自分自身や患者の夢を分析していて，夢は2つの次元で活動しているという結論に達した。表に現われる内容は，われわれ人間が思い出すとき，しばしば馬鹿げている実際の事柄である。しかし，無意識は，目に見えた形で夢の中に漏れ出るのではない。夢の本当の意味は，通常，シンボルに転換して隠されている。この夢の本当の意味をフロイトは，秘められた内容と呼んだ。この秘められた内容を'検閲し'，シンボルの形に転換することによって睡眠への妨げを軽減している。夢はまたしばしば，前日のこと，通常は困った記憶に関係のある出来事からの材料を含んでいる。また，そのとき生じている出来事，たとえば寝室の窓に雨が降りかかっていることなどを含むこともある。

■ 欲動理論（Drive theory）

　　欲動（drives）あるいは衝動（impulse）は，われわれの内部から来ていながら，意識的思考に上っていない圧力である。われわれの体に1つの欲求（need）が生じると，われわれは，その欲求の緩和と充足を求めて努力する。この衝動を満足させるために用いるエネルギーは，欲求の強さ次第である。行動の起源である動機の力についてのフロイトの見解は，彼の経験の結果から何回も変更された。彼の最終的見解は，第1次世界大戦に強く影響された。その大戦は，人類の未来について何かしら悲観的にならしめた。『文明とその不満（*Civilisation and its Discontents*）』（1930）においてフロイトは，2つの基本的な欲動であるエロスとタナトス（ギリシャ語で愛と死）について述べた。エロスは，積極的で創造的な力であり，生の本能であって，自己保存，すなわち食物，水，隠れ場所などへの欲求を含む。それはまた，種の保存をも含み，性欲に大きな力を与える。フロイトは，性欲が人間性の中心にあると考えて重視した。彼によ

る性欲とは，大人の性的行動のみを意味するのでなく，すべての身体的快楽を含むものである。エロスのエネルギーの力を彼はリビドーと呼んだ。

タナトスとは，人間を自己破壊的行為を含む攻撃的行動へと挑発する欲動をいう。フロイトは，生物は無生物から進化してきたので，無生物状態に返ろうとする傾向，つまりしばしば死への願望と呼ばれるものがあると考えた。

エロスとタナトスという対立する力の葛藤は，人間の生涯を通じて存在する。この内心的（われわれの内部の）葛藤の存在は，われわれのすべてが多少とも経験するものであり，個人の間で差異があるとしてもそれは程度の問題である。葛藤が強いか弱いか，緊張が高いか低いか，制御可能性が大きいか小さいかである。われわれは，生涯を通じてこの内心的葛藤の種々相を経験する。

生来的な欲動が満たされないとき，われわれは欲求不満と緊張を経験する。フロイトは，普通の健康な行動は，緊張を我慢できるレベルにまで緩和するように向けられていると考えた。たとえば，空腹な赤ちゃんはそのリビドーのエネルギーを得て，授乳を獲得するという目標をもっている。その目標の対象は，母親の乳房である。もし目標が達成されないと，赤ちゃんには緊張が残り，その緊張を緩和する目標をもって，傍にあるものを何でも吸うという行動を続ける。

他の学派でも，欲動に関係した葛藤が中心的な重要性をもつという点では一致しているが，それらをいかに分類するかについては不一致もある。アドラーは，フロイトが生物学的欲動に固執している点に大きな限界があると考えていた。彼は，人間はすべて劣等感に悩んでいるので，人間の主要な目標は，優越性を達成することと考えた。ユングは性の欲動を，たとえば霊魂的，文化的など他の多くの重要な欲動を含むずっと大きな車輪の中の，小さな歯と考えた。クラインは，すでに述べたように，人間の最も基本的な動機は，他の人々あるいは対象との関係を求めることであると提唱した。

■ 心の構造

フロイトのモデルにはイド（id），エゴ（ego），およびスーパーエゴ（super-ego）の3つの要素がある。フロイトは，ドイツ語のEs, Ich, およびÜber-ichを用いたが，それらを字義どおり翻訳すれば，あれ（it），私（I），および超越した私（over-I）である。彼は，人間の行動はそれらの相互作用を通じて決定されると

考えた。その3つの構造体は、脳の解剖のどの部分とも対応しないが、われわれが心の働きを理解するために用いた比喩として受け取るべきである。それらは、彼の無意識に関する考え方と連携している。

イドは、人間のパーソナリティの最も原始的な部分であり、生まれたときから備わっている部分である。フロイトはおそらく、心のこの部分が人々にとって慣れないものなので、'the it（例のあれ）'と呼んだのであろう。イドは、性欲とともに、基本的、生理的欲動、たとえば空腹、乾きなどを含む。それは、'良いこと'と'悪いこと'とを区別できず、現実世界でできることとできないことについての知識がまったくない。それは、自分が何を欲しいのかしか知らず、われわれをその充足に向けて動かそうとする。心の苦痛を避けるために、イドは、'快楽原理'に従って動く。つまりただちに充足を求める。イドはまったく無意識であり、われわれの気づかないままに駆り立てる。

スーパーエゴ（超越的な私）は、生まれながらにもっているのではなく、幼少期に習得される。個体の内部からの要請からなるイドと異なり、スーパーエゴは、親や社会、文化など外部からの要請によって出来上がる。それは、あたかもわれわれの頭の中に叱ったり常に見張ったりしている親がいて、スーパーエゴの司令に同調しないでイドに駆り立てられたような行動は何でも押さえようと待ち受けているかのようである。スーパーエゴは、一部分は無意識的であり、一部分は意識的である。われわれが自分の中に内面化した道徳的判断は、意識していないものもあるが、意識しているものもある。われわれは、自分がどのような人間であるべきかという考えを発達させる。この理想化された基準をさして、フロイトは、自我観念（ego-ideal）という用語を用いた。

原始的なイドと、見張り役のスーパーエゴの間を調停するのは、エゴ（I＝私）である。われわれは、この構造を人間のパーソナリティの大人版と考えることができる。エゴは合理的な思考に従事し、パーソナリティのいろいろな部分をまとめる。それは、自分という感覚を含み、また記憶、知覚、および学習などの機能を含む。

かわいそうなエゴは、3人の主人に仕え、3人の主張や要求をそれぞれ調和させるように

とできる限りのことをする……その3人の横暴な主人とは、外界とスーパーエゴとイドである。
(Freud, 1933: 77)

スーパーエゴは、エゴが命令に背くときは罪悪感や憂うつ感を用いて、その個人の道徳基準を保つ。エゴがたとえば誘惑に耐えるなどスーパーエゴと調和的に働くときは、スーパーエゴは、褒美として自尊心を増大させる。

> **事例**
> メーガンは、級友から授業を抜け出して公園へ行こうと誘われた。彼女の快楽志向的なイドは、級友と一緒に公園へ行くように主張し、一方彼女のスーパーエゴは、それは厳格な両親が厳しくたしなめることだと '言い聞かせた'。彼女は、後で両親の前で罪悪感を味わうのを避けるべく、公園へ行かないと決断して、この葛藤を解決した。彼女の友達が捕まって罰を受けたとき、彼女のスーパーエゴは、優越感という褒美を与えた。

イドもスーパーエゴも現実知らずで、どちらでも一方がそのパーソナリティを支配してしまうことがある。健康なパーソナリティとは、強いエゴが、イドの要請を少なくとも一部は充足しながら、それら3つの力の間を調停して、その個人を現実の世界に適応させているものと考えられる。

■ 防衛機制

フロイトは、エゴは大部分が意識的であると考えた。しかしそれが果たす役割の1つは、おそらく完全に無意識的である。エゴは、3人の主人の間の葛藤から生じる不安感を避けて、われわれが快適な生活を送ることができるようにするために、イドの許されない衝動を抑えるべくさまざまな防衛規制を用いている。防衛機制は、健全な発達において重要な役割を果たし、人間誰もがそれらを用いている。本章で後述するように、それらは心理的な問題の発生やその持続においても役割を果たしている。

抑圧 抑圧は、精神力動的理論の中心的なものである。望まれない、あるいは受け入れられない考え、願望、経験、空想などは、通常あまりにも強い罪悪感、不安、恐怖をもたらすので、意識から無意識へと押し出される。フロイトは、乳幼児期のほとんどすべてのトラウマ的な出来事は抑圧されると考えた。

抑圧は，抑制とは異なる。抑制は，何か苦悩なことを忘れようとする意識的なやり方で人々がよく「それを忘れてしまいたい，心から消し去って，暮らしを続けたい」というようなものである。抑圧は，無意識的な過程であり，多量の心的エネルギーを必要とするので，その分エゴは，他の機能のために使うことができない。

> **事例**
> 　マリサは，7歳のとき兄から性的虐待を受けた。その経験はあまりにもトラウマ的であったので彼女は完全に抑圧していた。彼女は，いつでも兄のいるときはなぜかわからないままに不愉快で恐ろしい感じがしていた。ずっと後，彼女は異性との関係にかなり大きな困難をもち，親しくなるとすぐに関係が壊れてしまった。

否認　この防衛機制は，その名前が示すとおり現実を否認することであり，不安や苦悩の激しい感情を避けるために思考や感情や知覚をゆがめてなされる。

> **事例**
> 　アレッドは，ロンドンの地下鉄の運転手である。ある日，彼の電車がプラットホームに近づいたとき，1人の女性が跳び込んで死亡した。2日後，アレッドは，規則に基づくディブリーフィング（debriefing＝PTSD等に対する初期的な手当て）に招かれたとき，自分は元気であり悩んでいることはないからその出来事について話す必要はない，と言って拒否した。彼は，そのときは本当にそう信じていた。彼は正規の電車運転に戻ったが，大変怒りっぽくなった。数か月後，酔っ払いがプラットホームの端のほうへよろけた。アレッドは大声をあげて，緊急ブレーキを作動させた。この後，最初の事故にまつわる彼の苦悩がすべて彼の意識にあふれ出た。

投射　投射はよく「鍋が釜に黒いという（目糞鼻糞を笑う）」というようなもので，われわれが自身の受け入れがたい感情を他人に帰着させることである。われわれは，こうして自分の受け入れがたい感情を他人に押し付けることによって'厄介払い'する。たとえば，ジェイムズは，彼の妻が彼を憎み，友達に悪口を言っているとなじった。実際には，彼のほうが彼女を憎んでいたのだが，彼はクリスチャンであって妻を'愛すことになっているので'，その感情は受け入れにくかったのである。

合理化　イソップ童話の1つ，上方に甘そうに垂れているブドウに届かな

かった狐の話を読んだことがあるだろうか。狐は，どのみちあれは酸っぱいという合理化で自分を慰め，そこから'酸っぱいブドウ'という諺になった。それと同じように合理化は，生じた事柄に対して，うまく許容されるように取り繕うが誤った説明となる一連の過程である。この防衛機制は，基本的にわれわれの失望，不安，あるいはその他の耐えがたい感情を緩和させるための自己欺瞞である。

置き換え　　われわれは，自分の感情を，それを引き起こした相手に対して表現できないことがある。若い教師は，その部門の主任に対して怒りを感じるが，その怒りを表出して職を失うことを怖れることがある。代わりに彼は，その怒りを生徒に置き換えて，彼らにぶちまけることがある。子どもは，しばしば親に対して抱く怒りや敵意を，玩具に対して置き換える。われわれが，'弱いものにやつあたり'するときは，置き換えの機制を用いている。

退行　　人々はよく病気のとき，普段より涙もろくなったり，要求が多くなったり，子どものような行動をとる。強い不安の感情にエゴが脅かされている患者を扱うときの看護婦たちは，このことに馴れている。また子どもは，家族に新しい赤ちゃんが加わったとき，しばしばかんしゃくや夜尿など幼いときの行動パターンに戻る。この機制は，生活にストレスが少なく，困難が少なかったように記憶されている幼い時代に戻りたいという願望によって促進されている。

昇華　　昇華は，よく防衛機制の中で最も健康的といわれ，受け入れがたい欲動をより受け入れられやすい行動にと路線変えする過程である。フロイトは，文化を，われわれの最も深い要求の昇華と考えた。性的，および攻撃的なエネルギーを，たとえば絵画や音楽などの創造的な仕事に方向転換することができるものである。

抵抗　　われわれが誰かに彼の無意識の過程を気づかせようとするとき，いろいろな困難につき当たる。それらは，混乱させるような事柄が意識へ侵入するのを防ごうとするエゴの営みであり，それによってその人を不安から保護しているものである。よくある例として，人々は，深刻な会話を避けるように楽しい事柄を持ち込んで話題を変えたり，苦痛な事柄から注目をそらすように頭痛やその他の身体的症状を発生させたりする。この抵抗については，精神力動的治療の議論のときにさらに詳述する。

その他の防衛機制　防衛機制はたくさんありすぎて，ここですべてを述べることはできない。その他の機制の中には，固着（発達の早期の段階に停滞する），同一視（他の誰かのように行為，行動する），反動形成（受け入れがたい感情を隠すために反対の極端なことをする。たとえば強い性的欲望を隠すため，あるいは不安を隠すために禁欲・独身主義を奉じる）などがある。

パーソナリティの発達

　人間は，身体的，および感情的に未熟な状態で生まれてくる。したがってわれわれ人間は，他に依存して次第に発達する過程を経なければならない。フロイトは，パーソナリティの基礎構造について後天的なものとして，生後5年の間に作られると考えた。ウィリアム・ワーズワース（William Wordsworth）の言葉で言えば，'子どもはその人の父親' である。正常な発達には，フロイトによれば3つの要素がある。それは，心理・性的（psycho-sexual）発達，エゴとスーパーエゴの発達，およびエゴの防衛機制の発達である。

　フロイトは，生理的欲動を重要視し，彼のパーソナリティ発達理論においては再生産するための欲動あるいは性の欲動を人間性の中心的なものと考えて，そこに焦点を置いた。それら心理・性的な発達段階の基本型は生理的に決定されているが，親が子どもの欲求や衝動に対して反応する仕方も，パーソナリティの発達に強い影響を及ぼすものである。

■ 発達の5つの段階

　フロイトは，発達の5つの段階を説明した。すなわち，口唇期，肛門期，男根期，潜伏期，および性器期である。これらの段階は，性的な現象の心理的な側面に関するものであるから，心理・性的と呼ばれる。それらの各段階をうまく通り抜ける（緊張あるいは葛藤の残留を最小限にするという意味）ためには，適度な充足が必要である。そのためには，親の役にある者の側が子どもの過ごしている段階を認識し，その段階特有の欲求に応えてやる必要がある。

口唇期　口唇期は，出生後から約1歳になるまでの間である。快楽の中心は口であり，その段階の子どもは，ものを食べるためだけでなく，吸ったり噛んだりして探索するために用いる。

　これらの活動から得られた快楽は，フロイトによると性的であるが，ここで

'性的'という言葉は感覚的な快楽ということであって，通常の用法ではないことを覚えておく必要がある。読者は，乳房で哺乳している赤ちゃんを見て，その活動から快楽を得ていることに気づかれたことがあるだろう。

生まれたばかりの赤ちゃんは，純粋にイドに支配されている。フロイトは，新生児には外界と関係するためのエゴがないと考えていた。精神力動派の中の他の学派，たとえば対象関係的アプローチでは，生まれたばかりでも原始的なエゴがあって，その赤ちゃんが環境に反応するとともに発達し始めると考える。イドは，その欲求の即座の満足を求め（快楽原理）あがくうち，すぐに実際にはすべての欲求が充足されるわけにいかないこと（現実原理）を発見し，赤ちゃんのエゴが発達して，その現実化に対応するように，イドの衝動に対して何らかの統制を実施し始める。

肛門期　1年が過ぎると，快楽の中心は肛門に移る，とフロイトは述べている。ここでは，満足は便の排出と保持の過程から得られる。3年目まで続くこの段階の間は，トイレット・トレーニングが子どもの社会的世界の重要な側面であり，それが，イドと現実との間の最初の葛藤をもたらす。子どもは，排泄運動から，また自分の一部と考える排泄物をもてあそぶことから快楽を得る。しかし，両親は糞便について違った考えをもち，臭くて，汚くて，絶対に流してしまうべきものとする。子どもは，人生のうちでそれまでは支配的な勢力だったイドの要請に従うか，両親の要請に従うかの選択を迫られる。子どもは，もしイドの命令を聞けば，両親からの否定的な反応があるであろうという危険性がある反面，もし両親に従えば，イドの要請を拒否しなければならない。

エゴは，イドに対してより強い支配力を行使し始め，この葛藤の解決には少し時間がかかるが，それがトラウマになることは比較的少ない。その場に対する親の扱いによる点が大きい。

これは，子どもが独立した個人になろうともがくので，よく'ひどい2歳'として知られている時期である。子どもは，次第に母親から離れた自分自身として意識し始める。自分という自覚が発達し，子どもは自分の意志を行使しようとし始めるにつれて，争いはトイレット・トレーニングだけでなく，たとえば食事，着衣などの活動にも及ぶ。この両親との争いは，自立と統制の自覚が発達するために大切なことである。

男根期　3歳から6歳までの子どもは，性的なことに好奇心をもつようになる。快楽の中心は性器の周辺に移る。子どもたちは性差を意識するようになるが，それは解剖学上のものだけでなく，男性と女性の役割に関する社会からの期待についてもである。

　フロイトは，この段階を健康な大人のパーソナリティの発達にとって特に重要なものと考えた。子どもは，異性の親に対して性的な感情が発達してくる。彼は，男の子が母親に対して無意識に欲望し，そのために父親を羨望し，父親を取り除きたいと願望することを述べている。父親の死の空想は子どもに不安を醸し，父親に罰として去勢されることを怖れる。この葛藤の適切な解決には，2種類の防衛機制の発達と使用を必要とする。同一視と抑圧である。男児は父親の価値観か規範を取り入れて，同一視する。ほとんど彼のクローンになろうと努める。この同一視の過程を通じて，感情や思考，行為について何が適切であり不適切であるかの規則を集大成することによって，スーパーエゴが発達し始める。同時に男児は，母親に対する性的な願望を抑圧し，受け入れられる愛情に変容させなければならない。もしこの問題がうまく解決されないと，後に問題が生じることがある。

　この大きな葛藤はエディプスと呼ばれた男性についてのギリシャ神話に因んでエディプス・コンプレックスと呼ばれる。'コンプレックス'という言葉は，簡単に言えば，心の中の抑圧された要素のことである。エディプスは，父親を殺して母親と結婚するであろうという予言のために，ギリシャの国王と妃である父母に捨てられた。その子は，別の国で羊飼いに育てられた。後に，彼は，自分の出生を知らないままに生まれ故郷に帰り，父親と口論して殺し，次いで母親と結婚した。

　フロイトは，一般にエレクトラ・コンプレックス（エディプスの妹）と呼ばれるエディプス・コンプレックスの女性版を展開した。この場合は母親がライバルで，魅惑は父親に対してであるが，同じような魅惑とライバル関係とが経験される。母親は，子どもの経験の中でもともと非常に大切な愛の対象であるから，愛情と嫉妬と憎悪が葛藤をもたらす。男児の場合と同様，女児も同一視と抑圧によって葛藤を解消する。女児は，父親がペニスをもっているのに，自分は母親と同様にもっていないことに気づく。女児はしたがって去勢不安では

なく，むしろすでにペニスを失っているという感情を経験する。フロイトはこれをペニス羨望と呼んだ。自分も母親も去勢されたと信じることで母親に同一視することができ，母親をモデルに性役割行動を取り入れる。同時に，父親に対する感情は抑圧される。フロイトは，このコンプレックスの解消は女児のほうが難しく，その結果として従順性が大きく，自己尊敬が低くなると考えた。この考え方が女性に関してけっして広く支持されたものでなく，特にフロイトのペニス羨望の考え方がかなりの反論を招いたいことは驚くに当たらない。

大部分の個々人は，イドと，常に見張っているスーパーエゴと，外界環境の圧力からの衝撃の間のバランスを保てるような発達を遂げる。

潜伏期　フロイトは，発達のこの段階と次の段階についてはあまり述べていない。約6歳から12歳までを，彼は性的欲動が比較的不活発だと見た。エディプス・コンプレックスの解消にはイドの欲動に対する抑圧が必要であり，エネルギーは新しい活動に向けられる。子どもたちは，他の人々に対してますます関心を向け，社会的，および知的技術を発達させる。このころは，学校，友情，スポーツその他のレジャー活動が，イドの欲動を満足させるものとなる。

性器期　思春期の始まりとともに，イドの性的衝動が体のホルモンや生理的な変化を伴って再び浮上し始める。イドとエゴとスーパーエゴのバランスが乱され，性的欲動の満足する資源の中心は，自分自身の体から他者との相互満足を伴う関係を求めることへと移動する。そこで人は，幼少期の利己的な吸収から，他者に対する世話や責任感へと転向する。これは，社会的発達において重要な段階である。

現在ではほとんどの精神力動的アプローチにおいて，フロイトの心理・性的な段階理論は軽視され，代わって家族関係の質が重視される。たとえば，対象関係理論においては，幼少期の関係（対象関係）は，性的衝動の満足よりも，パーソナリティの形成にとって重要であるとして強調される。それらの関係とは，幼児と，自分の体，たとえば指など，母親（あるいはその他の養育者）の体の一部分，また柔らかい毛布など人間でない対象との関係などである。これらの考えは複雑でここで完全な論述はなし得ない。フロイトの考えは，すべての精神力動的思考の基盤であり続けている。精神力動的，および精神分析的カウンセラーないし心理療法者は，大人のパーソナリティを理解するためには，

その人が幼少期を通じて，いかにそのパーソナリティに発達してきたかを理解する必要があると考えている。

問題はどのように発生し，われわれはそれをどのように持続させているか

われわれは，人生の中で数々の葛藤を経験するので，あらゆる場面で心理的な障害を患う可能性をもっている。健康なパーソナリティとは，イドとスーパーエゴや外界の間の反発し合う力関係に調和とバランスを保って，適応し続けられるほど十分に発達したエゴをもつものである。問題は，エゴが弱すぎて葛藤を処理できないときに生じる。

葛藤と発達段階

心理的な障害は，厳しい心的葛藤の結果である。フロイトは，神経症は6歳までに経験した葛藤の結果としてもたらされるが，症状は人生のずっと後まで出現しないことがあると考えた。われわれが，人生の中で特に他人に依存しているのは最初の6年間である。もしエゴがイドの強い動因と処罰的なスーパーエゴとの間の緊張で負担加重になると，破局に陥ることがある。イドの動因が表面にまで上がってくると，症状という形に変装して表われる。それらの症状の特徴は，どの種の思考や衝動が抑圧されているか，およびその個人の生まれつきの強さや弱さによる。

大人になってからの障害も，幼少期の発達過程を妨害した経験に起因している。発達のいろいろな段階をうまく通り過ぎると，イド，スーパーエゴ，および現実外界の3人の主人の要求に対処することができるほどよく発達したエゴをもつ，成熟した大人になる。そのような人々は，通常生活につきものの内的な葛藤に対処する力をもっている。

それぞれの段階の葛藤の解決に失敗すると，その子どもは，その段階に停滞することになるかもしれない。フロイトはこれを固着と呼び，過度のフラストレーションないし過度の満足のどちらからでも生じると考えた。いずれも，子どもが次の発達段階へ進むことを困難にする。各段階に結びつくパーソナリティ特徴を特定することはできる。ただし，それらはしばしば反対のものを含むので混乱させる。たとえば，口唇期に固着した人は，過度に消極的で依存的

であるか，あるいは，過度に独立的である。

　口唇期には，イドの衝動の充足は完全に他者に依存的である。早すぎる離乳を強いることは，口唇的満足のフラストレーションに通じ，それは，大人になってから自己中心的で要求がましいパーソナリティをもたらすことがある。'口唇期固着 =oral fixation' という言葉は，緊張や不安を緩和するためにパイプ煙草を吸うなどの口唇的な嗜癖に依存しすぎる人を描写するのに使われる。

　肛門期には，トイレット・トレーニングが厳しく処罰的であることがある。子どもは，親の愛情を失うことよりも親の要求に応じることを選ぶが，この場合，親が統制してしまうのであって子どものエゴの発達によるものでないため，自分という自覚が脆弱になることがある。そしてエゴは，排泄物を自慢すべき生産物として大事にしたりもてあそんだりしようとする考えと，排便は何かしら汚いもので，隠さなければならないという考えとの間の葛藤を解決することを学ばずにいてしまう。また，子どもはうまく排便したことで誉められると，親に贈り物としてプレゼントしさえするが，それは嫌な顔をされるだけである。子どもは，清潔と几帳面さに過度の関心をもつようになり，親からの褒め言葉や注目を気にするようになることもある。'肛門期的な律儀さ' という言葉は，几帳面さに強迫的なこだわりを示す人に対してしばしば用いられる。この段階への固着が，乱雑さへの志向となって表われることもある。

　フロイトは，エディプス・コンプレックスがほとんどの心理的問題の根源であると考えていた。われわれは，自分のコンプレックスの存在に気づいておらず，それはわれわれの統制下にはない。コンプレックスは抑圧されてはいるが，感情的な負荷はかかっており，依然として活動的で，活火山のように，予告なしに表面に近づいて問題を起こすことがある。

　エディプス・コンプレックスの中心には，イドとスーパーエゴの緊張がある。そこにもう1つ入り込んでくるのは，子どもが異性の親に性的な憧れを経験するにつれて生じる，同性の親からの，現実的ないし想像的なものであるかもしれない懲罰的な反応である。子どもの衝動は無意識へと追いやられるが，そこから影響力を行使し続ける。この葛藤が解消しないと，後になって，性の葛藤，不安，および罪悪感の問題が生じるかもしれない。エゴが，その緊張を処理できず破綻すると，抑圧された感情や願望が表面に上がってくる。しかし，それ

らの禁止された願望はまともに表われることが許されず，変装した形で症状として出現する。

　このコンプレックスの解消の失敗は，時に，大人になっても親から離れられない人間を作ることがある。上司や医師あるいはその他誰でも権力をもっていると思う人に対して常に主張がやかましかったり，楯突いたりするように見える人は，男根期への固着を示すものである。彼は，いつまでも父親像に打ち勝とうとしているのである。反対に，男根期に父親に挑戦することのできなかった人は，大人になってからの人生で従順すぎるようになるかもしれない。この時期に固着した女性は，年配の男性を好むこともあり，あるいは男性を支配し，自分を拒否した父親を象徴的に去勢しようとすることもある。

　最近の精神力動的な学者たちは，次第に子どもの発達の性・心理的な性質を軽視し，むしろ子どもが親や家族との間で営む関係の性質をより重視する傾向にある。たとえばエリクソン（Erikson, 1965）は，最初の1年で子どもは，その欲求が満たされるか否かによって，世界に対する信頼を学ぶか，あるいは世界に対して基本的な不信感を獲得するかになるであろうと示唆している。そして，この学習経験が後々の人生で営む関係性の型を左右する。ボウルビー（Bowlby, 1969）は，子ども時代における愛着の喪失の効果をより重視した。愛着は，その人の人生の親密な関係を営む素質を形成するものであるとした。

事例
　ジェニファーの両親は，彼女が2歳のときのある夜，彼女を伯母に預けて外出した。そして，両親は大きな交通事故のために2か月帰宅できなかった。ジェニファーは出来事を理解するには幼すぎた。後年，彼女にとって重要な人物が休暇で，あるいは一晩だけでも出かけるたびに，彼女は耐えがたい悲痛を経験し，しばしばパニックになるほどであった。

■ 不安

　われわれは不安な時期を経験するが，それが病的になるのは，エゴがその不安に警告されてもなお状況を処理できず混乱してしまったときである。

　フロイトは，3種の不安を類別した。現実不安，神経症的不安，および道徳的不安である。環境には時々実際的な脅威がある。ある程度の不安を感じない

と，われわれのエゴは警告を受けることがないので対応することができない。というわけで現実不安は，われわれの生存のためにぜひ必要なものであるが，もしある人がそれに適切に対応できないと，不安は過度になり，その人の能力を削いでしまう。

神経症的不安は，イドの衝動がパーソナリティを支配してしまい，乗っ取ってしまいそうな脅威を与えるときに生じる。当人は，統制を失うことやスーパーエゴあるいは親など外界の機構に罰されることを怖れるようになる。イドの動因は，多分に無意識的であり，当人は不安の原因に気づかないので，全般的な恐さの感情になってしまう。

道徳的不安は，スーパーエゴが強すぎて，強い罪悪感や恥の感情を生じるときに感じられる。この不安は自分の良心に罰される恐怖に関係している。

■ 防衛機制の役割

不安から自分を守るために用いている防衛機制についてはすでに述べた。防衛機制は，誰もが必要とし用いており，それらはわれわれの存在に欠かせない要素である。しかし，それが極端にまで走ったときはわれわれに害を及ぼす。防衛機制は，葛藤を除去するのではない。苦痛を与える考えを意識から排除するだけである。葛藤を意識の外に置くことは，問題の解決を避けたままに保持することである。心理的障害とは，さまざまな症状という形でその葛藤の表出口を探し求めるものである。

事例

マリナの母親は，ある日倒れて，失禁と嘔吐していた。彼女は中風を患っていた。彼女の父親が母親を病院に連れていった間に，マリナは，母親の汚れ物を片づけなければならなかった。彼女は，病院へ面会に行って母親に触れたとき，拒否感を感じて，抱き締めることができなかった。数日後母親が死んでから，マリナは，喪失感や，母親を愛していたことと母親の死ぬ前に触ることができなかったこととの葛藤から生じる罪悪感を処理することができず，それらの感情を抑圧した（これは無意識の過程であり，マリサは自分のしたことに気づいてはいなかった）。その後，彼女は，重い強迫症状を呈した。彼女は，家のあらゆるところを繰り返し掃除し，自分の手を再三洗い，誰かが彼女にぶつかったりしたら，シャワーを浴びて，衣類をすべて洗濯しなければならなかった。

彼女は，罪悪感を緩和するために悪い心を洗い落とそうとする内心の突き上げを，何回も手を洗い，家を掃除する欲求に置き換えた。なぜそれほど手を洗わなければならないと感じるかを聞かれたとき，彼女は，自分や家を清潔にするたびに，それが新しい出発だと感じるけれども，またすぐに汚されてしまうので繰り返さなければならないと答えた。抑圧と置き換えの防衛機制は，彼女が解決しなければならない葛藤を，彼女から分離していた。彼女は，自分の本当の感情から分離されていた。それで彼女は，自分がどのような'罪'を負っているかについての考えをもつことは免れ

> たが，ともかく洗い流さなければならないという考えは続いた。母親の死について聞かれたとき，彼女は，いなくなって淋しいという感じ以外に何らの感情も残っていないと言った。

　フロイトは，防衛機制によってもたらされた利益によって心理的な問題が持続されると述べている。彼は，第1次的利益と第2次的利益をいう言葉を用いた。第1次的利益とは，完全に内心的なもの，すなわちその個人だけに関したものである。マリナの防衛機制は，母親の喪失，および不快感を抱いたことによってもたらされた罪悪感への直面を避けることを可能にした。強迫的行動の苦痛は，根底にある葛藤を意識することに比べれば，耐えやすいものである。このように，当初彼女の苦痛を和らげるのに役立った防衛機制が，障害を持続させている。

　第2次的利益は，後から生じる。症状が確立するとそれは外界と関係する。マリナのケースでの強迫症状は，周囲から仕事を休むように勧められることになり，彼女は金銭的にパートナーに依存する口実を得た。彼女は，もしそれを放棄したならば，外界における責任とも対決しなければならなかった。

このアプローチの療法

　精神力動的アプローチは，時に'ほどき出し'療法と呼ばれる。その種のアプローチはすべて，クライエントが釜を覆っていた蓋を取り除いて，無意識の内容物を意識に取り出すように援助することをめざしている。その考え方は，われわれが自分を脅かし，動転させているものが何であるかを知り，その基盤となっている葛藤を理解することができたならば，われわれは自分の行動を変えることができるというものである。過去と現在を結びつけることによりクライエントは，以前には気づいていなかった自分の内面を現在，および将来の自分に結びつけ，それによってより統合した個人になるようにと援助される。

特徴的な様相

　このアプローチの特徴は，無意識の重要性に対する強調ぶりである。療法期

間を通じてカウンセラーは,クライエントの過去と現在の間やクライエントと療法者の間,そしてクライエントの内的,および外的'世界'の間の,無意識の結びつきを理解しようと努める。クライエントの内的世界は,心の内部のセルフと呼ばれる諸部分の関係から成り立っている。外的世界は,他者との関係にかかわっている。

無意識の重視は,療法中に生じることがすべて意味のあることという信念に結びつく。つまり偶然なもの,あるいは取るに足らない些末事などは一切ないということである。クライエントが紹介されてきた経緯やそれに対する彼らの反応,カウンセリングへの期待,時間の守り方,着衣の様子,姿勢,それらのすべてがその人に関する重要な資料であり,療法者は注意して考察すべきものとされる。

このアプローチのもう1つの特徴的なことは,無意識的なものを意識化するための方法として,療法者が解釈を用いることである。心理治療的関係の中での転移,および抵抗過程が療法者によって分析,理解され,それがクライエントに対して解釈される。夢の解釈も,この解明過程に役立つ。

見立て(アセスメント)

クライエントに対する見立ては,精神力動的アプローチにおいて大切な過程と考えられている。それは,2つの目的に役立つ。1つは,カウンセラーが「そのクライエントがそのアプローチに適応するかどうか」を判断するのに役立ち,またカウンセラーが,クライエントの問題に対して当座的な仮の理解を得るための貴重な情報となる。

クライエントの問題の原因や現在の葛藤についてのできるだけ完全な画像を完成するために,カウンセラーは第1回目の面接をできるだけ多くの情報を得るために用いる。以下,カウンセラーが把握しておく必要のある情報の項目をあげる。

1 事実的な資料。家族歴,クライエントの現在の生活情況。
2 主訴と病歴。クライエントがカウンセリングを求めた問題は何か,そしてそれは,どれ

ほど続いているのか？
3 挫折に陥った要因。クライエントは今どうして援助を求めてきたのか，最近何があったのか，引き金になったのは何か？
4 現在もっている葛藤，その後の面接でしばしば起こる問題。
5 底流の葛藤と過去の問題。現在の問題に関係のある過去の出来事。
6 目標。クライエントは，何をしたいのか。
7 紹介の道筋。どのようにカウンセリングに来ることになったのか，誰かに言われてきたのか，自分の考えでか，近親者を喜ばすためにか？
8 クライエントの身なりと所作。

(Jacobs, 1988)

　得られた情報から，カウンセラーは，そのクライエントに関わるか，他に紹介するのが適当かを決定する。この決定は，見立ての過程で得られた知見，自身の経験，および時間的余裕を考慮して行なわれる。精神力動的心理療法への適合性についての考察において，もう1つの重要な要因は，クライエントが心理学的な見地から問題を理解する能力（よく心理学的マインドをもっている人と呼ばれる）である。もしこれがあれば，成功への見通しは大きなものになると考えられている。心理学的マインドというものの定義は困難である。たとえばクライエントが，自分の生い立ちをあまり催促されなくても，そのことが現在の問題に関係していることであるという理解をもって容易に述べることができるならば，心理学的マインドがあると考えられる。無意識的な精神生活の存在に対する何らかの気づきとその受容も，また1つの要因である。第1回目の面接において心理療法者は，簡単な解釈を提供してみて，クライエントが振り返ってその解釈を自分の自己理解に用いることができるかどうかを見立てることもある。

ゴール（具体的な達成目標）

　無意識の考えや感情を意識にもちこみ，気づかせることは，その人が現在の問題や記憶，夢を意味づけるのに役立つ。問題の原因を理解することによって，現在の葛藤を解決することができる。その人が他者，および自身の中のいろいろな部分と関係するあり様について納得のいく理解が得られるようになることが治療のゴールとなる。われわれがこれまで気づいていなかったことを意識に

上らせて気づくようになると，その疎外されていた部分を自己の感覚の中に統合できる。

　成功的な心理治療とは，必ずしもその人の感情的な問題が'解決'することを意味するものではなく，当人がより深く理解することを促進して，その問題に対してより直接に対処できるようにすることであると考えられる。フロイトはかつて精神分析者の仕事について，神経症的な悲惨を通常の不幸に置き換えることだと言った（Breuer and Freud, 1895）。「イドのいるところ，必ずエゴがいなくてはならない」（Freud, 1933: 80）。つまり無意識を意識化すると，それまでイドの欲動の支配下にあった葛藤と抑圧された記憶が新たにエゴの統制下に入ることを意味する。

　心理治療の一部分として，エゴを強化し，防衛機制の不適応な使い方をしないように再教育する目標もある。たとえば，防衛機制としての抑圧はエゴが弱いときに生じる，すなわち，エゴが強力になりさえすれば，抑圧はいろいろな経験に対処するうえでもはや必要なものでなくなる。精神力動的カウンセリングは，またスーパーエゴをも変容して，それがあまり厳格な道徳的基準にならないようにする。

治療的関係

療法者の姿勢

　精神力動派カウンセラーの役割は，見立て過程の記述をはじめあらゆる場面からできる限りの情報を拾い集め，解決へと集約していく点で，どこか捜査官に似たものがあるかもしれない。心理治療者ともなれば，誰しもが相手の無意識の中を探し回って賢明な解釈を行なわなければならない。この印象はある程度は当たっているが，しかし心理治療者の役割はずっと複雑である。

　療法者は，クライエントが彼らの無意識の精神生活の内容を披瀝し，探索することを安全だと感じられるような治療的関係を確立しなければならない。精神力動的アプローチの説明で，カウンセラーの態度と姿勢を導くものとして以下の3つの法則がある。最初に'抑制の法則'とは，熟慮に基づいたうえで通常の社会的交流と考えるような仕方でクライエントに反応することを差し控えることである。次に'匿名性の法則'とは，クライエント自身の考え方に合わ

せて（いかようにでも）カウンセラーを見ることができるように，カウンセラーが自分について一切を秘匿しておくこと。最後に'中立性の法則'とは，クライエントのために彼らの真理を発見するように心を使い，そしてクライエントの独立性に対する尊重を示すという意味で，心理治療者がすべてのクライエントに心を配ることをいう。したがって，精神力動的治療者はクライエントの発言を回想吟味し，助言を与えず，クライエントが自身をより完全に理解するように援助しようとする。自由連想過程は，中立性を保ち，クライエントに影響を与えないことによってうまく運ぶことができる。

　精神力動的カウンセラーは，クライエントが実際に何を言っているのか（表現内容），何を言わずにいるのか（潜伏的内容），話題に対して何かの抵抗があるのか，またクライエントのボディ・ランゲージなど，面接であらゆる側面に注意力を集中できるように，常に意識を清明に保つ必要がある。フロイトは，これを，「満遍なく注がれた注意力」と表現した。

■ 転移

　転移とは，誰かに対して，過去に出会った別の人に対するときの仕方で対処する場面をさしてフロイトが用いた言葉である。'匿名性の法則'は，転移を発生させやすい。クライエントは，匿名的な心理療法者を父親あるいは母親的人物像として，また兄弟姉妹など過去の人生で意義の深かった人として見る。

> **事例**
> 　ケイティの母親は支配的な女性で，着物，食物，それに友達の選択にいたるまでケイティの決断を自分で行なってしまった。ケイティは10代に達したとき，これに反抗し始め，16歳で家出した。ある日，彼女の友人が彼女の練り歯磨きを見て，フッ素化合物を含んでいないとコメントした。ケイティは，即座にそれを批判と受け取り，友人に「どうして私の買う練り歯磨きにまで口出しするの」となじった。ケイティは，母親への深く埋もれた恨みを友人に転移していたのである。

　当初フロイトは，転移をクライエントと療法者との間に生じるものだけと考えていた。しかし彼は，それがすべての人間関係に存在すると認めた。転移には，ポジティブなものもある。われわれが恋愛に陥るとき，しばしば相手を完全なものと見るが，それは初期の母子関係を反映した強い感情のようである。通常は，次第により現実的な認知に変わって関係が破綻するか，より本物の関

係になっていく。

■ 逆転移

クライエントが過去の人間関係からくる無意識の感情や態度に影響されることがあるとすれば，カウンセラーや心理療法者も同じである。フロイト派の理論では当時，逆転移とは，治療者がクライエントを誰か他の人のように扱うことを言った。当時は，療法者の神経症的な混乱と考えられていた。療法者自身の感情的な問題や無意識の葛藤は，効果的な心理治療の実践を妨げると信じられていた。

> **事例**
> ある心理療法者が，彼女のクライエントの1人であるジョージに対して明らかな理由もないのに強い怒りの感情を経験していた。その後彼女は，スーパーバイザー（指導監督者）との討議で，ジョージの顔立ちが支配的だった彼女の父親を思い出させるものであったことに気づいた。彼女は，自分の怒りがジョージに対するものではなく，彼女の父親に対する感情のまだ解消されていないものであることを認識した。

現在，逆転移は，クライエントに対する理解を促進するようなカウンセラーの感情をもいう。その感情は，クライエントの発する何らかの無意識のコミュニケーションを通じて引き起こされる場合もある。カウンセラーが経験するそれらの感情は，クライエントと接触をもつようになった他者も同様に感じることがあり，そのクライエントが他者に対してどのように関係するかについての重要な情報源になることがある。

> **事例**
> ジェイムズは，親しい友人関係を保つうえで自分が抱えている問題について心理療法者に話していた。彼がそれを非常にゆっくりと考えながら話すので，心理療法者はイライラした感情を経験していた。心理療法者は，治療関係にいるのでなかったら，感じているイライラを口に出すか，会話を中断させてしまうところであることを自覚しながら，ジェイムズが他者にどのような感じを与えるかについての洞察を得た。

精神力動的カウンセラーは，内的な感情や葛藤に注意を払い，クライエントの問題によって引き起こされたものと，自分自身の未解決の感情的問題による

ものとを区別する必要がある。

■ 療法者の責任

　精神力動的カウンセラーや心理療法者は，療法過程のさまざまな側面を重要なものと考え，自分の責任と考える。

場面設定　クライエントが室内の物や室外の騒音などで気を散らすことなく，自由に話せるような物理的環境を整備することが重要である。人々は，フロイトや精神分析をカウチ（寝椅子）と結びつけて考える。現在，精神力動的カウンセラーの多くが中立的で余計な刺激のない家具や装飾品をしつらえ，クライエントとカウンセラーが直接対面したときクライエントにとって脅威にならないように椅子などを置いて，自然な場面を設定するように心がけている。しかし常に理想的な設定ができるとは限らない。たとえば病院で働くカウンセラーは，薬品や看護婦や医師や患者の発する一般的な雑音などに囲まれた状況で面接を行なわなければならない。カウンセラーはそのような状況においてでも，その状況下でのクライエントの反応を情報の1つとして注意して診る必要がある。

　あるクライエントが，常にカウンセラーに右側を向けるように椅子を動かしていた。これは，カウンセリングの過程で，カウンセラーに内的世界を見られることを嫌がる気持ちを象徴していると解釈された。彼女が自分の強迫症状の根源に対して理解を得るにつれて，療法者と対面するように椅子を向け始めた。

契約の範囲　クライエントが与えられた時間をどのように使い，定められた範囲に対してどのように反応するかは，このアプローチにおいて重要なことである。突発的とみなされることについては，面接の中で検討して解釈することもある。たとえば，もしクライエントの到着が遅れたりあるいは早すぎる場合，そのことが意味をもつことがあり，療法者はそれを伝えることもあるだろう。しかしフロイトが，かつて「煙草は煙草に過ぎないこともある」と言ったように，必ずそうしなければならないわけでもない。

　契約は，療法の期間についてクライエントとの間で合意しておく。面接数，終了の期日などである。期間を定めない設営をすることもあるが，その場合でも療法の終結あるいは終了については，厳密な計画を要する。

　精神力動的カウンセラーは，時間契約の遵守に大きな注意を払い，クライエ

ントが毎週決まった時間が自分のものであるという認識をもてるようにする。面接時間は始めも終わりも定刻で，正規の設定に対する何らかの変更の際は，クライエントにできる限り通知する。こうした変更に対するクライエントの反応の仕方は，彼らの過去と現在とのつながりを理解するために活用することができる。また，精神力動的カウンセラーは，クライエントとの関係に関する契約に注意を払う。クライエントがそれらの契約を破ろうとするとき，たとえば個人的な質問を繰り返したり，わざと問い合わせ電話をかけまくったりするなどしてカウンセラーをもてあそぶようなときは，そのことを面接の中心話題にして治療的に利用することもできる。

　契約範囲の尊重は，クライエントにとって感情を探究するための安全な環境を提供するものでもある。療法者がクライエントのために作り上げる環境ないし空間は，しばしばホールディング環境と呼ばれ，その機能の最たるものは，人間の処しがたい感情を溜める器を提供することである。これは，母親がむずがる子どもに対して与える抱っこに一種似たものと考えられる。安全な心理的環境を提供することによって，クライエントが自分を混乱させていた感情や思考を，避けたり抑圧したりすることなく容認できるようになると期待される。クライエントの育った環境は，しばしば，何が起こるか見通しが困難で，母親が子どもに必要な器を提供しないようなところであったものが多い。

技術

自由連想

　自由連想は，クライエントに対する基本的なルールである。彼らは頭に浮かんだことを何でも，それがいかに些末なこと，苦痛なこと，あるいは不合理的なことに思えようとも，話すように奨励される。それは，思考，感情，空想，記憶，イメージなどを含む。その考え方は，心に自由な走路を与え，出てくるものを検閲するようなことをしないことで，抑圧されたものが意識に気づかれるであろうというものである。通常の会話でわれわれは，自分の考えを抑え込み，時にそれを意識的に行なうが，そのことが起こってしまった後で，抑え込んでいたことに気づくまで自覚しないこともある。精神力動的カウンセリングにおいてクライエントは，自分の内的な経験に対して率直であるように奨励さ

れる。精神的な出来事は無規則ではなく無意識の過程によって決定されているので，心に浮かぶことは何であろうとわれわれの気づいていない思考の結果であるに違いない。自由連想の過程を通じてそれらの隠れた無意識的な思考は，徐々に意識に上ってくる。

この過程を通じて，カウンセラーは，中立性の法則を守ることによってクライエントの発言に影響を与えないように努める。時にカウンセラーは，クライエントに自由連想を促すなどの基本的な技術を用いることはある。たとえば，腹立ちげに'催眠術は嫌い'と話すクライエントに対する反応として，カウンセラーは，「催眠術とあなたとはどういう関係があるのでしょうか」などと言って，その言葉につながる自由連想を激励することがある。時には，単に'催眠術？'と主要な単語を繰り返すだけで十分な促進ができる。

自由連想の過程を通じて，カウンセラーは，注意深く聴き，同時にたとえば椅子の上でそわそわしたりするなどの非言語的な兆候を観察し，クライエントが伝えようとしているが表現できないらしい思考や感情を特定しようとする。

■ 解釈

見立てのための面接，自由連想過程，夢，口の滑り，およびカウンセラーとの転移関係などから得られた情報によって，精神力動的カウンセラーは，クライエントに関してその行動を説明する一連の考え方あるいは理論を形成し始める。解釈は，このアプローチになじみのない人たちからは，しばしば魔術的，神秘的な洞察であるかのように考えられるが，実際には，単にクライエントに対して提供される説明であり，クライエントが無意識的にコミュニケートしていたものを意識への気づきに持ち出すことを狙ったものである。カウンセラーは，クライエントの問題の原因について熟考し，試案の形でクライエントに提供することもある。たとえば，カウンセラーは，「あなたはご自分の椅子を私に向き合わないように回しておられますが，もしかして，あなたのお母さんに対する感情に向き合うのを避けておられるのではないでしょうか？」ということもある。

■ 抵抗に対する対策

解釈は，クライエントが抵抗を含めた防衛機制をいかに用いているかを理解するために使う。クライエントは，しばしば自由連想の過程に抵抗する。それ

は，苦悩や痛みを伴う事柄を開示することが容易なことでないからである。たとえば，スーザンは，幼いころ弟に性的虐待をした。彼女の深い罪悪感は，この真実を表出するまでにかなりの期間抵抗させたものだ。彼女にとってこれに直面することは，あまりにも苦痛であった。彼女は，それをすればどうなるか，カウンセラーの反応はどうであるかについて怖れてもいた。

　自由連想の間カウンセラーは，'執着のある点'について注意を払う。つまりクライエントが急に嫌な記憶から逸れる，あるいは不快そうに見える点である。通常これは，無意識的で苦痛な思考が表面に近づいたときに生じる。カウンセラーがよい捜査官であるためには，通常'フリー・フローティング・アテンション（自由に浮き回れる注意力）'と訳される，フロイトの'glechschwebende Aufmerksamkeit'の態度で聴く。カウンセラーは，クライエントが何を言っているかについて意識的に回顧する努力はせず，しかしすべての情報を沈殿させ保留する。このようにしてクライエントの自由連想を聴きながら，カウンセラーは抵抗の存在を意識するようになる。そこで彼らは，'自由に浮き回る'状態から，クライエントが抵抗を行使しているかもしれないのはなぜか，クライエントが守り固めているのは何か，を考えることに集中する。カウンセラーは，こうかもしれないという解釈を考えついたときは，それをクライエントに提供し，どうしてその解釈にいたったかを説明する。それが明確であって適切なタイミングに与えられるならば，抵抗は減退する。抵抗は，ゼロか100かの現象ではなく，自転車のブレーキのようにかけられたり，徐々に緩められたりするものである。

　解明と理解への動きを妨げるものは，何でも抵抗と見なされる。抑圧された事柄を開示することへの抵抗については，すでに述べた。抵抗は第二次的な利益が絡むことがある。すなわちクライエントが，彼らの問題に関係した利益，たとえば注目や世話を得ているのを放棄したくないだけでない。時にはスーパーエゴが無意識で強力な罪悪感を引き起こして，処罰しなければならないと迫り，そしてクライエントが「自分はそれに価する」と感じているので，病気のままでいたがる。これは，克服の非常に困難な種類の抵抗である。

■ 転移への対処

　もう1種の抵抗は，転移の情況に関するものである。カウンセラーの中立性

や匿名性とは，カウンセラーが実際に何者であるのかについての明確な人物像がクライエントにわからないようにすることである。これは，彼らが他者に対して抱いている感情や考えをカウンセラーに転移できやすくするものである。そこで，彼らは，実際に営んだか，あるいは願望した親子関係を再現することができる。クライエントは，親の一方あるいは両方に対して抱いた悪い経験をカウンセリング関係に転移することが多い。精神力動的カウンセラーは，その転移を観察し，激励し，クライエントとともに探究する。そのようにして，クライエントは過去からの感情，たとえば拒否に対する怖れ，敵意などを再び経験して，それを療法者に帰着させたり，あるいは療法者を脅威的なものとして認知したりする。そのようなネガティブな転移感情は，カウンセリング過程の後半に表われることが多く，対処は常に重要である。

　ポジティブな転移と療法者を理想化することとは異なる。後者は，治療の妨げになることがある。たとえば，クライエントが，療法者は立派な人たちだと見なして祭り上げ，喜んでもらい，あるいはへつらわなければならないと考えるなどである。そうした反応は，そのクライエントの一般的な人間関係の現われであることが多く，探究と理解が必要である。

事例
　ポールは，子どものとき母親が大病で，近くに住んでいた祖母が母親代わりになった。母親が不安定であったので，ポールは祖母に依存的になり，小さなことでも困ったことがあると，泣いて祖母の家へ駆け込んだ。何の問題でも祖母に頼ることは，20歳代の前半まで続いた。祖母がガンで死去すると，ポールは，悲嘆に暮れて精神力動的カウンセラーを訪れた。
　彼は，最初，カウンセラーが信頼できそうだとみて「自分を完全に理解してもらえる」とポジティブな転移感情を募らせた。彼は，カウンセラーに対して強い依存性を募らせ，毎週カウンセラーに以前祖母に話していたように小さなことまですべて話して，カウンセラーが慰めや助言を与えてくれることを明らかに期待したように，あらゆる問題を持ち込んだ。彼は，カウンセラーを自分の神経症的な依存様式にはめ込もうとした。職場では，祖母の死後，依存感情を職場仲間，特に彼の直属の上司に転移しようとした。彼らは，最初同情的であったが，まもなく彼の纏わりつく行動にいらだって拒否し始めた。カウンセラーとの初期の面接で，彼は自分を失望させた職場仲間に対する怒りを表現した。その後，母親の表面的な拒否に対する怒りをカウンセラーに転移して，怒りを表わした。彼女は，この転移を激励し，結局ポールにそれを解釈してやることができた。しばらくは，現実に生じていたことを拒否して，彼女の転移の解釈に抵抗していた彼は，徐々に感情の再体験によって理解し，その依存性に対処できるようになった。彼は，気づかないままに，カウンセラーに対する態度の中で過去を生きていたのであるが，カウンセラーの分析と解釈によって，無意識に抑

圧された要因を明るみに取り出したのである。

　この話題において，ポールと他者との間には，3つの関係リンクがある。すなわち過去における彼自身と母親との関係，および祖母との関係，現在におけるカウンセラーとの関係，そして職場仲間との関係である。これら他者との関係点は，三角形で表わすことができる（Malan, 1979）。これは，しばしば'洞察の三角'あるいは'人間の三角'と呼ばれて，起こり得る結びつきの明確な図式となる（図2－1参照）。ポールのカウンセラーは，彼の母親や祖母との過去の関係と，カウンセラーに対する転移関係のつながりを解釈することができた。すなわちTとPの結びつきである。この例で，彼が仲間との関係を，かつての祖母との関係と同じようにしようとしたのは，明らかにOとPの結びつきを表わしている。最後に，彼のカウンセラーに対する怒りに中に私どもは，OとTの結びつきの実証を見ることができる。ポールは，これらの関係をある程度は自分自身で，あとはカウンセラーの解釈によって納得することができた。結局，彼は自分を理解し自分の経験を処理することができた。

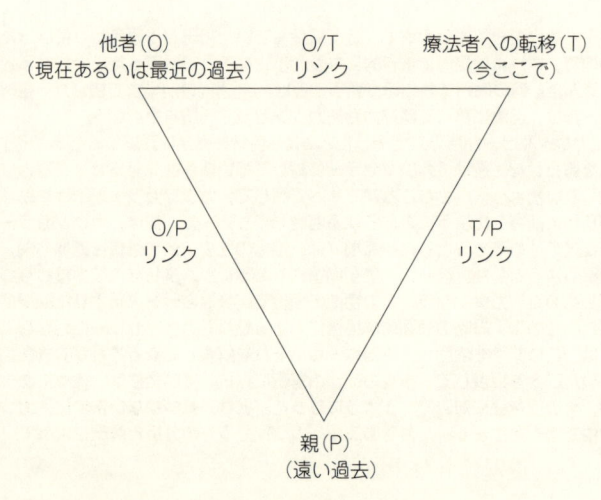

```
他者(O)              O/T         療法者への転移(T)
(現在あるいは最近の過去)  リンク        (今ここで)

        O/P                    T/P
        リンク                  リンク

                    親(P)
                　(遠い過去)
```

図2－1　人間の三角図式（出典: Malan, 1979）

■ 夢の解釈

　すでに論じたように精神力動的カウンセラーたちは，夢のことを「無意識を垣間見ることのできる窓である」と考えている。クライエントたちは，夢に表われた（実際の）内容を述べるように求められる。そこで，夢の言葉やイメージを焦点づけることができ，その潜在的な（底に埋まった）内容を探すために，クライエントは，焦点の各々について順に自由連想するように求められる。療法者はその自由連想を用い，クライエントがそれまでの面接で述べた他の資料との関係からその夢を解釈する。夢の解釈は，多くの人々が認識している以上に人間的な事柄である。つまり，それは単に書物でシンボルを調べ出す過程ではない。

　夢は，ユング派の治療において特に意義深いものである。ユングは，夢は抑圧された願望だけでなくそれ以上のものを表わすと考えた。彼は「夢は，覆いがたい真実，哲学的主張，幻想，野性的な空想，記憶，計画，予想，非合理的経験，それにテレパシー的な映像さえも，その他にも天のみが知っているものを含んでいる」と言った（Jung, 1931: 147）。彼はまた，夢は，どこかで極端な意識の態度を補償するように働くと考えた。たとえば，父親のことを親切で，考え深くて，あらゆる面で完全で，理想的な人間と見る人は，その父親が敵意をもった破壊的な人間であるという夢を見ることがある。また夢は，その当人が現在直面している問題にも関連している。たとえば，会社員が重要な会合の前にその場面を夢でリハーサルすることがある。

■ 継続過程

　解釈の過程を通じてクライエントは，自分の問題や経験に対してかなりの洞察を得る。彼らは，次第に無意識の中に抑圧されていた要因や力に気づくようになる。クライエントはしばしば，「アー，あなたの言われることがわかりました」とか「ハイ，やっとすべてがはっきりしてきました」などと言って，彼らの力動的な精神過程に対して感情的な気づきと洞察を遂げたことを療法者に示すものである。彼らは次第に，以前には無意識に潜伏していたさまざまな要因や力に気づくようになる。

　しかし，1つの解釈から生じた洞察が永久的な変化をもたらすことはあまりない。精神力動的な療法者たちは，解釈を一貫して継続することの重要性を認

識している。もし解釈がクライエントにとって'ベルの音'だとすれば，心理療法者は，クライエントに対して面接中に新たな例（解釈）が提供されるたびに，それを継続して示すことになるであろう。そのようにしてクライエントは，それまで遮られていた要因に気づき，それを統合するように繰り返し援助される。反復される解釈は，記憶に残る'破られた記録'のように出されるのではない。療法者の仕事の1つは，考えを証明するために，たとえば，用語を変え，見方を変え，クライエントが面接中に述べる例証の材料を変えるなど，解釈を提供する新しい方法を探すことである。このようにしてクライエントは，同じ葛藤を現在や過去の多くの異なった状況において認識するように援助される。療法者にとって反復の過程は，面接で次第に多くの情報が示されるにつれて，解釈をさらに洗練させることにもなる。最初の解釈は，デッサンのようなものである。継続的な過程を通じて，クライエントの態度や感情についての情報が得られるにつれて，そのデッサンが発展し磨きがかけられ，結果としていっそう高度で明確な解釈が得られる。

前述の例では，クライエントは転移の解釈を繰り返し与えられ，熟考し洗練する機会を何度も与えられた。

■ 療法の終結

フロイトは，死の直前の1937年に'終結のある分析, ない分析 (Analysis Terminable and Interminable)'という論文を書き，その中で，精神分析が果たして完了し得るものであるかどうかを論議している。理論的には，それはけっして完了し得ないが，実際的には時間やカウンセラーの技術，クライエントの抵抗，経済的なひっ迫などの制約によって，療法の終わりは生じる。このことは，当然あいまいな終結があるであろうことを意味する。つまり現実の人生の反映である。決定的に最後の面接という日取りは，通常クライエントにとって多くの問題が持ち上がる。それは，悲しかったり困難であったりした過去の終結や喪失の思い出の引き金をひくことになるかもしれない。そのとき，クライエントは，不安や憂うつなどネガティブな感情から守るために過去に用いた行動パターンや防衛機制を繰り返しながら，過去のいろいろな終結をカウンセラーとの間で再現することもある。

先ほど例にあげたポールは，最終セッションの約束が決まると，カウンセラー

の時間に対して要求がましくなった。彼は、悩みがぶり返し、面接の追加を求め、毎回の面接で最後の数分に悩みの問題を取り出して長引かせようとした。精神力動的アプローチは、このような問題の処理を療法の重要な部分と考える。ポールが祖母との間で用いた行動様式を繰り返していることがわかって、カウンセラーはその彼の行動を説明し解釈することができた。その解釈は、ポールの行動に対して洞察を得るように助け、その反復を通じて彼がその依存性に対処することを可能にしたということである。

どのような形で子どもが次第に分離し、母親に対する完全な依存から自立的な存在へと移るかは、その後の人生で離別や喪失がどのように経験されるかに対して重要な役割をもつ。療法の終結は、クライエントが喪失と終結に対する反応について探究し、対決し、理解し、変化させるための機会を提供するものである。

終わりに

フロイトは、当時他の人たちが'恐れて入らなかった'ところへ入り込んだ。彼は、彼の理論を展開し、洗練するのに多くの年月を費やした。精神分析の理論と実践は、今日の社会、およびカウンセリング／心理療法の発展に足跡を残した。しかし、フロイトが述べたことの多くは、その理論の豊富さと複雑さのためであろうが、無視されるか誤解されてきた。多くの人が、フロイトの教えの断片を、その思想や分析のまとまった体系にいかに位置づけられるかを理解しないままであった。

本章では、精神力動的な実践の根底にある原理や概念に対して要約的な説明を行なっただけで、フロイトの複雑な理論を掘り下げたり、彼から派生した多くの学派について述べることはできなかった。精神力動派のアプローチについては、図書館や書店の書架においてその過去や現在のメンバーによる著作でいっぱいである。

第3章

パーソン・センタード・アプローチ

はじめに

私が何もしないと人々がみずから変わる
私が静止を好むと人々がみずから調整する
私が世話焼きでないと人々がみずから成長する
私が欲望に囚われないと人々がみずから原石のように素朴になる
　　　　『道徳経（*Tao Te Ching*）』（Lao Tzu, BC 551～497／Lau, D. C. 英訳, 1963）

　上記の引用は，'パーソン・センタード（人中心的）'・アプローチの創始者であるカール・ロジャーズ（Carl Rogers）の好んだ格言の1つである。彼は，「人は，誰でも自分の内的な資質を発見し，発展させる生来的な能力をもっている。またわれわれはその資質を身体・精神ともに健康な人として成長・成熟するために活用することができる」と信じていた。われわれは，自分の発達のために何が最善かを誰よりもよく知っている。'パーソン・センタード'という言葉は，療法の中心が療法者の技法や専門性ではなく，常にクライエント本人にあることを示すものである。そのために療法者の感受性，およびクライエントとの関係のあり方が重要とされる。この関係の中に特定の重要な要素（本章の後で述

べる）の作用が存在すると，クライエントは自分で進む道を探すことができ，また現在の問題はもとより将来起こる問題も克服できるようになる。

　パーソン・センタード・カウンセリングは，クライエント自身が改善の道を発見するためにみずからが持っている生来的な能力を開発することを目標とし，それを邪魔する束縛や妨害物から解放するように援助する。この文脈における'束縛'の考えは，エドマンド・ゴス卿（Sir Edmund Gosse）の自伝『父と子（*Father and Son*）』の中に表現されている。彼は，基本主義宗派（Fundamentalism）の中での自分の育成について，次のように書いている。

　私の知性のある部分は，十分な活動のないままに育成し，また他の部分も妨害されるか，あるいは，まったく目覚めることさえなかった。私は，上に鉢を置かれた植物のようなものであり，その結果，芯は押し潰され，押さえつけられながら，若枝が光の方向へと八方にもがいていた。父は，そのことをわかっていながら，発作のようなやり方で私の考えを規制しようとした。しかし，彼のしたことは，押さえつけていたその鉢を取り除くことなしに，若枝をまっすぐにしようとしただけであった。　　　　　　　　（Gosse, 1974: 146）

　パーソン・センタード・アプローチは，その鉢が除かれて他の諸要素が再生すれば始めから束縛がなかったかのように成長し発達するものだという。

　カウンセリング／心理療法に対するこのアプローチは，幾度かの名称変更を経てきた。ロジャーズは最初，カウンセラーが助言者というよりは促進者であるという役割を強調して非指示的アプローチと呼んだ。後に彼は，そのアプローチをクライエント中心と呼ぶようになり，次いで，そのアプローチが教育など他の領域にも応用されるようになるとパーソン・センタードという用語を使うようになった。今日でも，実践家の中には，このアプローチを他の領域に応用したものと区別するために，クライエント中心派の療法者という名称を好んで用いている者が多い。

カール・ロジャーズ

家庭背景と幼少期

　エドムンド・ゴス卿と同様，カール・ロジャーズは，信仰に基づいた厳しい養育を受けた。彼は，1902年にシカゴ郊外の小さな村で6人兄弟の第4子として生まれた。両親はキリスト教の基本主義（Fundamentalism）を熱心に信仰していた。ロジャーズの母親は，よく「人間が精一杯の正義を尽しても，神様，あなた様の目には汚れた雑巾でしかないでしょう」（Isaiah, 64: 6）の言葉を引用して，人というものが基本的に罪深く，その最善の努力といえども無価値なものだという考えでいたので，パーティ，演劇，ダンス，トランプ，それに炭酸飲料までも邪悪なものと見なしていた。また憩いと興味のための読書も，彼女にとっては自己陶酔的で罪深いものであった。

　ロジャーズは，両親について「巧妙で愛情に満ちた多くの方法で私たちの行動に対して口うるさかった」と述べている（Rogers, 1961: 5）。両親は，自身を神の選民で他とは違うと見ていた。ある種の行動や思想，感情は，許されないものだった。そこでロジャーズは，常に彼の思想や感情は批判されそうだと恐れて，両親にすべて打ち明けることをしなかった。また，両親は地域の人々と交わらなかった。そして「彼らの中から出て，汝は離れて居よ」（2 Corinthians, 6: 17）という教えのもと，彼が12歳のとき，都市生活の堕落から家族を守るということを理由に農園を買い引っ越した。ロジャーズは，このような両親のもとで育ったので，'無意識的に尊大な自己隔絶' の姿勢が彼の学生生活を通じての行動特徴であったと述べている（Rogers, 1980）。つまり，ゴスのたとえで言えば，ロジャーズの幼少期の発達をゆがめるものとして，宗教と両親の教えという2つの重い鉢があったようなものである。

　彼は，無価値で劣等なものとして生まれたと教えられ，もう一方では，その信者でない人たちより何かしら優れているので，信者以外の人たちと交わってはいけないとも教えられていた。彼には友人が少なく，常に本を読んで冒険と刺激に満ちた空想の世界を作り上げていた。

両親は，農園の雑多な仕事を子どもに分担させた。ロジャーズは，自分で練った計画で，植物や穀物をいかによく育てることができるのかの実験をするなどして，農業に興味を抱いた。そして農業に関する科学の本にまで読書を広げ，そこから実験を構想し，実施する方法を学んだ。彼はまた，まわりの森で発見した多くの種類の蛾に興味をもち，捕獲して飼育までするほどの相当なエキスパートになった。これらの科学的な探求における幼少期の学習は，後年の彼のカウンセリングと心理療法に対するリサーチの基盤となった。

大学時代

ロジャーズは，1919年に農業を勉強するためにウィスコンシン大学に入った。しかし，1年生の終わりまでにキリスト教の牧師になることを決意した。そして，その人生計画の変更にとってより有意義なことと考えて歴史の勉強に熱心に取り組んだ。大学時代の彼は，初めて両親からの束縛から自由になり，キリスト教の観念からの判断を含まない，より個人的な真の友人関係を作り始めた。それは彼の内的発達にとってまさに‘鉢’が取り除かれ始めたことを意味した。

1922年，彼は世界学生キリスト教連盟の国際会議に出席のため中国へ行った。この旅行で彼は，キリスト教徒でも子どものときに教わったこととは非常に異なる見解をもち得る人たちと出会った。彼にとって，学問だけでなく，感情的にも知的にも，新しい世界が開けた。彼は，その旅行を‘目からうろこの落ちるような’ものだったと述べ，またそれは，「信じよと期待されるものを信じるか否かの悩みを払拭する大変な救いであったと話している（Kirschenbaum, 1979: 25）」。

1924年，ロジャーズは歴史学を卒業してまもなく幼なじみのヘレン（Helen）と結婚した。またその年に，ユニオン神学セミナリーに入学した。ロジャーズと仲のよい学生たちとで，自分たちの信仰について自由に疑問や疑念を探究することのできるセミナーを設立し，これは，ロジャーズの人生観をさらに展開させた。そして彼は，神学を勉強しているうちに，ユニオン神学セミナリーから道路の向かい側にあったコロンビア大学の教職学部で開かれていた心理学コースに魅力を感じるようになった。彼は，そのいくつかのコースに出席して興味を惹かれ，1926年の秋には，教職学部で学ぶことを決心し，臨床・教育心

理学での学位をとるための勉強を始めた。

　その後ロジャーズは，ニューヨーク児童相談所の奨学金を与えられた。これは，貴重な経験になると同時に，子どもが誕生した彼にとってありがたい収入源になった。

専門家としての活躍そして転機

ロッチェスター時代（1928～39）　1928年，ロジャーズは，ニューヨーク，ロッチェスター児童虐待防止協会児童研究部の心理職として招かれた。そこでの仕事は，裁判所や学校その他から送られてくる非行児や親のない児童の診断と処遇指針の設定であった。彼は児童や少年問題の権威者としての名声を得て，1931年，コロンビア大学から博士号を受与された。

オハイオ時代（1940～44）　1939年ロジャーズは，最初の主著となる『問題児童の臨床的処遇（*The Clinical Treatment of the Problem Child*）』を発表した。この業績からオハイオ州立大学教授の職を得た。そこで彼は，講義やワークショップを行ない，多数の論文を書き，キャンパス内でのカウンセリング・サービスを設立した。第2の著作『カウンセリングと心理療法（*Counseling and Psychotherapy*）』（1942）では，斬新的な考え方の他にもう1つ驚くべき点として，その内容の3分の1以上がハーバート・ブライアンというクライエントとの面接をテープ起こしした逐語記録であったことである。今日の携帯容易な録音とは大違いのもので，800枚以上のレコードで録音するという大がかりな作業の末に転筆されたものである。これらの記録は，ロジャーズとその学生たちにとって，療法過程の詳細な研究をするための貴重なものとなった。

シカゴ時代（1945～57）　1945年彼は，シカゴ大学の心理学教授として転任し，そこにカウンセリング・センターを設立した。そして『クライエント・センタード・セラピー（*Client Centered Therapy*）』（1951）が出版されて，ロジャーズは心理療法の世界で，療法者，理論家として，また研究者としての尊敬される指導的な人物となった。1956年，彼は「顕著な科学貢献に対する賞（Distinguished Scientific Contribution Award）」というアメリカ心理学会（American Psychology Association）で最高の栄誉ある賞を受賞した。彼はまた，アメリカ心理療法アカデミー（American Academy of Psychotherapy）の初代会長に選

任され，多くの権威ある大学にも招聘教授として招かれた。

ウィスコンシン時代（1957～63）　1957年ロジャーズは，心理学，および精神科医学の教授としてウィスコンシン大学に転任した。この時点まで彼は，そのアプローチを軽度の障害あるいは'神経症的'な人々に対して用いていた。ウィスコンシンでも彼のパイオニア精神は衰えず，クライエント・センタード・アプローチ（当時そう呼ばれていた）を，統合失調症を含む，より重度の人々に対して用いる可能性を探求した。

　1961年には，『人になることについて（*On Becoming a Person*）』が出版された。当時は，心理学における第三勢力（第1章参照）に対する関心が発展し，女性やエスニック集団の権利のための運動が注目を集め始めた時期であった。その時期に人々の可能性を最大限生かすことを援助しそれを強調するクライエント・センタード・アプローチの理念は，それらの運動の展開した社会状況にもうまく適合した。

カリフォルニア時代（1964～87）　1963年夏，ロジャーズは61歳で学究生活を離れ，西部行動科学研究所の住み込み給費生としてカリフォルニアのラ・ジョラに行くことを決心した。ここで彼は，大学世界の煩わしさから自由になった。1968年，彼は，人間研究センター（Center for the Studies of Person）を設立し，1987年に85歳で亡くなるまでそこの住み込み給費生であり続けた。

その人物像に迫る

　カール・ロジャーズは，療法に対する理論，およびアプローチに対する考え方を，生涯をかけて実践に移した人である。学生たちにとって彼は，偉大な傾聴者であり，彼から教わることと同じだけ，彼も学生から学んだようだと述べている。彼のもとで働いた人々は，教示されることを期待するのでなく，自身の内的な力量を発達させるようにと激励された。彼は非常に温厚な人で面倒もよく見たが，他人と距離を保つ控えめな人とも見られていた。それは，子どものときの孤独と抑制が影響しているのだろう。彼が，対人関係で当惑を感じることからまったく逃れることは結局できなかった。「私は'指導者'とか'扇動者'として期待されるときが最も嫌なとき」と言った発言は，彼の姿勢をよく表わしている（Kirschenbaum and Henderson, 1990: 187）。

子ども時代からの植物への愛好は生涯を通して続いた。彼は植物をよく成長させるための環境を整えることを楽しみとし，まさに人々への対応姿勢と同じであった。「私の庭園は，私が心理療法を通じて対処しようとしたのと同じ困難な問題を出してくる。それは，成長のために効果的な条件は何かということである」(Rogers, 1974: 115)。ほかにも彼の趣味は，写真，および技巧的でめずらしい自動車を作ることを楽しみとしていた。

ロジャーズは，彼の業績が心理療法／カウンセリングの分野に及ぼした強い影響に対して，驚きを表明している。彼は，かつて，「それが何ら私の才能によるものでないことは確かであり，またもっと確かに言えることは，私の先見の明などによるものではない」と言った (Rogers, 1974: 115)。彼は，クライエントに対してより効果的であろうとした試みが，カウンセリングとしてこれほど大きな影響力をもつアプローチになるとは，まったく考えていなかった。またロジャーズの学習過程が無期限に続いたことを考えると，彼は，このパーソン・センタード・アプローチが彼の死後も成長と発展を続けると信じ，また願望したに違いない。

パーソン・センタード・アプローチの発展

療法への最初のアプローチ

ロジャーズは，大学で人の研究と理解の方法として心理テストを重視する行動理論に基づく心理学を学んだ。このアプローチは，彼の科学的な興味を惹いた。しかし彼は児童相談所で働いたときに，それらとは非常に異なった考えに出合った。それがフロイトの力動的な考え方であり，「当時主流をなしていた厳密で，科学的で，冷たく客観的，統計的な立場と大きく対立する (Rogers, 1961: 9)」ものであった。

彼は，それらの根本的に異なる見解を結びつける道をロッチェスターの児童研究部において発見した。彼は，クリニックをガレージに似たものと記述したように，問題のある児童が連れてこられ，専門家が科学的，行動的アプローチを用いて診断が下され，次いで問題をどうしたら矯正できるであろうかの決定

がなされた。彼の療法の第1段階は，セラピストがフロイト流に問題を解釈するものであった。すなわち人は，過去と現在の行動を理解すれば，変化が生じるものであるという理論に基づいたものである。

失意からの飽くなき探究

ロジャーズのおもな関心は，クライントを援助するより効果的な方法を探すことへの飽くなき努力にある。そのような考えへと導くための転機となる事例がある。それは，彼のクライエントに若い放火犯がいた。当時，非行は性的な葛藤に基づくと考えられていたことから，彼はその少年の放火への願望がマスターベーションという性的衝動にまで遡ることを突き止めた。ロジャーズは，この解釈がなされた以上，そのケースの問題は解決したと考えた。しかしその少年は保護観察になったが，まもなく再び放火を始めた。この出来事は，精神力動的なやり方での解釈が効果的な援助の方法でないという認識に転じることになった。

キー事例

ロジャーズは，もっと気遣いのある優しい解釈ならばクライエントに受け入れられると期待して，その実験を始めた。ある日，彼は，非常に問題のある少年の母親に面接していた。

彼は，彼女の発言から息子を幼少時に拒否したことが問題の原因であることを理解させようと努めた。しかしその母親は，その解釈を受け入れることを拒んだためにロジャーズがさじを投げて，相談を終わりにすることを提案した。そして母親は同意したが，立ち去る前に，彼に大人の問題でカウンセリングをしたことがあるかどうかを尋ねた。彼が，「ある」と答えると，彼女は座り直して，自身の結婚に対する失望と失敗感について話し始めた。そしてその中で語られた息子についての生育歴が，今まで語られた内容と違っていることに驚いた。彼は会話の流れを彼女に任せ，解釈をしようとしなかった。このアプローチは成功し，その経験は，ロジャーズの考えに深い衝撃を与えた。

変遷

> 何が苦しめているのか、どちらへ行くべきか、どの問題が最も重大なのか、どの経験が深く埋もれているのか、それを知っているのは、クライエントである。私は、自分の賢さや学識を披瀝する必要がない限り、援助過程の動向はクライエントに任せているほうがよい、ということに気づき始めた。
> （Rogers, 1961: 11-12）

　診断と解釈から単に聴くことだけに集中した決定的な第1歩が踏み出された。1940年12月11日、ロジャーズはミネソタ大学で「心理療法におけるいくつかの新しい発想（Some Newer Concepts in Psychotherapy）」と題する発表を行なった（Rogers, 1942）。彼はミネソタで用いられていた指示的なアプローチを批判し、対比的な方法を述べた。すなわち、より大きな比重を感情に、また過去よりも現在に、そして個々人が持っている健康に向かうための動因に大きな信頼を置くということである。彼は、成長が生じ得るような経験としての治療的関係を強調した。当初彼はそれを非指示的カウンセリングと呼んだが、後に、パーソン・センタード・カウンセリングはそのとき生まれた、と言っている。

　ロジャーズが驚いたことに、その発表はかなりの騒ぎを起こした。彼は、批判と称賛を同時に受けた。彼は自分が何かしら新しいアプローチを作り出しているという認識のもと、その考えを『カウンセリングと心理療法：実践における新しい発想（Counseling and Psychotherapy：Newer concepts in practice）』でさらに発展させた（Rogers, 1942）。そしてロジャーズは、援助を求める人を呼ぶのに'クライエント'という言葉を用いた最初の人であった。彼は、クライエントたちが問題に対してみずからが責任意識をもつことを望んだ。'患者＝patient'という言葉では、彼らが病人で専門家の助けを必要とすることを示唆するものであった。またカウンセラーを'専門家'として仕立てることは、より依存的にするだけであった。それとは違って、'クライエント'はチームワークと対等性を示唆し、その人が狂気であるとか劣っているという考えを取り除くものであった。

　この本の最初の発刊は、彼の生徒たち、およびその大学の外の人たちからロ

ジャーズに対する尊敬をもたらしたが，彼の所属する心理学科の中におけるいっそうの批判もあった。「クライエントは彼の内的な自分に対して心理学者よりもよく理解できる」とするこの考えは，専門家たちに対してはアピールにならなかった。ロジャーズは，そのような否定的な反応にひるむことなく，クライエントたちに対する自分や他の非指示的カウンセラーの経験に基づいて彼の考えを発展させ，修正し続けた。

最終的発展

パーソン・センタード・アプローチの発展は，3つの決定的な段階を経てきた。

第1段階—非指示的カウンセリング　最初の段階は，非指示的カウンセリングとして知られているものである。クライエントは，自分の問題について話すとき，感情を表出することを奨励される。解釈や助言を与えることは，避けるべきこととされた。ロジャーズは，得られた洞察はクライエントによって成し遂げられたものでなくてはならず，他の誰からも押しつけられるべきでないと信じた。

このことは，常に両親から抑圧されてきた子ども時代の苦い経験も影響しているであろう。セラピストの役割は，感情の反射を通じて'受容'と'理解'を伝えることによってクライエントの成長が生じるための適切な条件を提供するというものであった。後にロジャーズは，それを'無条件の厚意'と呼んだ。

第2段階—療法者の態度の重要性　その後ロジャーズは，そのアプローチが普及するにつれて技術としての意味合いが強調されすぎてきたことを懸念した。彼を信奉する療法者は，一連の法則である'解釈するな''助言を与えるな''クライエントの言ったとおりに繰り返せ'に追従しているように見えた。そのような状況の中で彼は，受動性を意味する'非指示'の代わりに'クライエント・センタード'の用語を使い，クライエントを中心に考える態度が最も重要であると気づき始めた。変化のための手立てと束縛からの解放はクライエント次第であって，押しつけることができないことを療法者は認識しなければならないと気づいた。そのうえで療法者はクライエントの内的世界に入り込み，理解に努め，思いやりのある寛大な心で受容をすることである。後に，ロジャーズは

これを'共感'と呼んだ。

第3段階――療法者の感情　しかし，もしある療法者が特定のクライエントに，恒久的にせよ一時的にせよ，真の受容と理解を感じることができなかったらどうなるか？　ロジャーズは障害の重いクライエントを見ていた。彼は，彼女の依存性の罠にはまったと思い，彼女を好きでないと感じた。結局彼は，「私の'セルフ'を彼女の'セルフ'から切り離せないところまできてしまった。私は本当に，自分の限界域を失ってしまった」(Kirschenbaum, 1979: 1912) と言うにいたった。彼は，この患者との関係が破壊的であり，彼女に対して非援助的であることを認識したが，この束縛的関係を打破することができなかった。最終的に，彼は自身が破局の淵に立っていることに気づいて，彼女を精神科医師に紹介した。

ロジャーズは，仲間からの治療的援助によって，彼の中の未解決で深い問題を発見した。彼はそれまでの人生を通じて，誰かが自分を見守り，受容し，称賛してくれると感じることが困難な性格であったと認めざるを得なかった (Rogers, 1980)。それは，彼が母親から「あなたの正義などは，すべてボロ布のようなものよ」と言われながら，憎いとか復讐するとかいう感情を意識の表に出せず埋めてしまったことに起因していた。この難しいクライエントとの接触が，この古傷を再び開いてしまった。仲間からの治療的援助を通して，彼は自身を受容し，自分の価値を認められるようになった。彼は，もはや恐れることなく愛を受けたり，与えたりできるようになった。

このことから，療法者は治療的関係における自身の感情に注意を払わねばならない，という認識が得られた。事実ロジャーズは，クライエントに対して理解し，受容したと装うことによって，実際上彼女を傷つけていた。療法者は，その関係においては，心のありのままに反応することが必要であり効果的である。ロジャーズは，後にこれを'一致性'と呼んだ。

晩年，ロジャーズは，パーソン・センタード・アプローチのより広い社会的な関係に興味を抱くようになった。たとえば，北アイルランドのカトリックとプロテスタントの紛争など，異人種，および異文化集団の諸問題に介入した。クライエント中心というアプローチは，その影響を，教育，組織改革などの社会全般にまで広げた。その結果，ロジャーズは，これらの場面ではもはや'ク

ライエント'と呼ぶのは適切でないと感じて，日常生活にまで拡張するのを正当化するために'パーソン・センタード'という言葉を用いるようになった。

1987年のロジャーズの没後，徐々に，この領域で働く専門家たちの変化が起こっている。このアプローチは，アメリカ合衆国の特に大学や専門家のでは勢力が衰退している。その理由の1つには，その他のアプローチが急激に増加した結果としての競争によるものであろう。また，医療保険の支払いのための正式な査定や診断は，このアプローチの基本理念に反するからでもある。

しかしイギリスをはじめヨーロッパの諸国の高等教育機関やボランティア機関のカウンセラーたちの間ではこのアプローチは，隆盛を保っており，パーソン・センタード療法のための協会や機関で多くの訓練課程を設けている。その治療的関係への強調は，他のアプローチにとっても基軸として尊重される傾向がある。受講者は，まず基本的なパーソン・センタードの考えである一致性，無条件の厚意，および共感という核心的な3つの条件を教えられる。この後に，たとえば認知行動的，多面的，精神力動的など独特の流派の理論や技法が加えられる。もちろん，そうなった瞬間に，これらの受講生たちは，もはやパーソン・センタード療法を学ぶのではなくなる。実際，彼らは，「何が最善であるかはクライエントが知っている，また変化に対する必要にして十分なものとは例の核心的な3条件の提供である」という，このアプローチの基本的な信条から離れていくのである。たとえば，パーソン・センタードな精神力動的カウンセラーという考えは，言葉においてすでに矛盾しているのである。

このアプローチの理論

概観

カール・ロジャーズは，もともと理論に対しては懐疑的であったため，精密で明確な理論を整備する必要を感じてはいなかった。人を理論に当てはめようとすることは，クライエントの経験と認知が無視され，誤解されることを意味した。しかし，パーソン・センタード・アプローチの継続的発展を促進するためには，ある程度の理論化が必要だと認識していた。そして理論のすべてが暫

定的なものであると見なし，彼の理論を新しい研究や臨床的経験の資料に対応して誰か他の人が発展させるものと期待していた。パーソナリティと心理的治療についての理論で彼は，常に他の人々に負うことを認めており著作の中で，「私たちの理論的な思考」と述べるなど，彼とともに働いた人たちの膨大な貢献があることを認識している。

理論は，さらなる創造的思考を触発するが，それは，何のためのものであるかがよくわかるときに限られる。「つまり，細い糸から蜘蛛の巣のネットワークを張るような，壊れやすく，変化し続ける試みであって，将来に確固とした事実を包んでいこうとするためのものである」(Rogers, 1959: 191)。

彼には特別な師匠がいなかったが，フロイトの弟子であったオットー・ランクから影響を受けたことを認めている。ランクはフロイトのもとを離れて独自のアプローチを展開していた。ロジャーズはランクから，治療的関係の重視と，療法者が'指示者'であるよりも'支持者'であるという考えを取り入れた。

パーソン・センタード・カウンセリングに関するロジャーズのキーワードやキーフレーズがいくつかあるが，これらを彼の真意から離れた単なる専門家的用語にしてしまわないことが重要である。

パーソン・センタードの療法は，人間主義的なアプローチの1つである。クライエントがもつ問題の幼少期の起源に焦点を置くのではなく，現在すなわち'今，ここで'の経験に焦点を置く。重要なことは，その人の人的成長，気づき，感じていること，潜在力の可能性である。

パーソナリティ理論

ロジャーズは，人間の本性は腐っていて価値がないと信じるように育てられた。人々がよいことを成し遂げたときでも，それは，彼の内部から生じたのではなく，そこで神が働いていたと教えられた。この人間性に対する悲観的な見解から，このように積極的で楽観的な人格理論が展開したことは注目すべきことである。彼の考えは，宗教的な考え方のみならず，人間性が破壊的で非合理的であるとしたフロイトの考えに対する真っ向からの挑戦であった。

■ 実現化への傾向

植物は，種子から成長して，開花，結実という潜在力のすべてを実現化しよ

うとする生来的な傾向をもっている。ロジャーズは，人に対しても同じことが言えると信じた。パーソン・センタード・アプローチは，この本能的な動因を'実現化への傾向'と呼ぶ。実現化という言葉は，現実のものにする，存在をもたらすことを意味する。この強い動因は，生涯を通じて続き，われわれは，成し遂げ，成ろうとする可能性のすべてを果たそうとする方向へ動くのである。われわれの完全な可能性を知るまで生き長らえたものはいないが，常に'そうありつつあり，そうなりつつある'状態にいる。

　この実現化の傾向は，すべての生物に普遍的である。それは，生き物を'維持し強化'（ロジャーズ，および彼のアプローチについて書く人たちのよく用いるフレーズである）する。

　維持は，命を守って存続するという考えを含んでいる。最も敵意ある，悲惨な条件の中で生き長らえている植物，動物，および人間の驚くべき例がある。強化は，成長，発達を示唆する。人間にとって，それはパーソナリティの創造的な達成であり，身体的，および心理的な欲求の充足である。

　ロジャーズは，子ども時代の植物や動物にたとえて考えを説明した。たとえば彼は，子ども時代に見た倉庫の中のじゃがいも貯蔵箱の様子を例にした。水も土も光もない絶望的な状態の中にもかかわらず，じゃがいもは，青白く，ひょろ長い根を伸ばしていた。正常で健康な植物になる可能性がない中でも，じゃがいもは成長しようと必死の努力を続けた。ロジャーズは，精神病院の病棟で出会った人たちからこのじゃがいもの例を思い出した。見かけ上奇妙で，異常な行動を，彼らの本能的なもがきとして見た。

　リオ・デ・ジャネイロのストリートチルドレンも，同じように生き残りと人としての欲求を成就させたいがための人間の動因の例であり，残飯をあさってでも生きている。彼らが生き続けようとし，そして人生のより完全な状態に到達しようと決心するのは，この動因の結果の顕著な例である。ところで，実現化とは，肉体的な成長と生存以上のものを含んでいる。それは心理的欲求，すなわち安全や愛情への欲求，学び，創造的になりたいとする欲求の充足を含む。ロジャーズは，実現化への傾向を空腹を満たすこと，子孫を残すこと，独立して健康になることを含め，われわれのすべての行動を説明するために必要な唯一の動因であると考えた。

■ 感情

感情には2つの主要なグループがある。不快あるいは興奮的な感情と、そして安静で満足した感情である（Rogers, 1951）。第1のグループは、人々が欲求の満足を探し求めているときに経験され、行動を現在の目標に焦点づける働きをしているように見える。

> 事例
> マシューが遊んでいるとき、一匹の大きなアルサティアン犬が近づく。かつて犬に噛まれたことがあるので、彼はその動物を危険なものと認知し、恐怖を感じる。この感情は、彼が安全への欲求を満たそうとする反応を速め、彼は逃げ出す。彼は、安全だと認知するとただちに、第2のグループからの感情である安堵を経験する。われわれの経験する感情の強さは、行動と、'維持し強化'しようとする欲求との関係において、われわれが認知したものに左右される。もしマシューが、逃げるという行動が生と死を分けるものと認知したら、彼の恐怖感の強さと逃げ出すときの満足は、彼がひっかかれる不快から逃れると認知したときよりも強いであろう。

■ 経験と認知と行動

ある瞬間を取り上げてみると、経験の中で意識に上り得るものは、ある範囲の中に限られている。読者がこの本を読んでいる間にも、太陽が照っているかもしれず、集中して頭痛を起こしている人もいるだろうし、隣室であなたの子どもが笑っているかもしれない。読んでいる内容に熱中して没頭し、それらの経験のいずれにも気づかないかもしれない。それでも、それらは、潜在的にあなたの意識に上り得るものであり、子どもの笑いが泣き声に変わったりして、あなたの注意が向けば意識されるものである。潜在的に意識に上り得る経験の範囲は、'現象の場'あるいは'経験の場'と呼ばれることもある。われわれは、各自がこの個人的な経験の世界に生きていて、しかもある瞬間に意識して気づいているのは小さな部分にすぎないのである。

ロジャーズは、行動を理解するために現実に対する各々の認知の仕方が異なっていることを認識しておく必要があると主張した。そうとすれば、絶対の真実というものはない。たとえばレイシット先生は、それぞれの生徒たちから異なった見方をされるであろう。アンジェラは、彼を確固として理性的と見るかもしれないが、バーリーは、ボス的で不公平と見るかもしれない。そこで、

これらの生徒の先生に対する行動は，アンジェラが友好的で，宿題をやったり，教室で質問に答えたりしがちである一方で，バーリーは，議論がましく，無愛想で，質問に答えたがらないようになりがちであるというように違ってくる。これらの生徒にとっての真実は，過去の経験と将来に関する考え方に基づいた個人的な認知の問題である。レイシット先生に対するバーリーの認知は，別の先生が彼に不公平であった記憶によってゆがめられているかもしれない。彼は，先生たちはみな同じであり，レイシット先生も彼を不公平に扱うであろうという考えをもっているのかもしれない。

　認知は固定したものではなく，絶えずそれを自分の経験に照らして変更し続けている。もしレイシット先生がアンジェラを罰し，彼女がそれを不公平と経験したならば，彼女の彼に対する認知は当然変わり，バーリーに近くなるであろう。先生と生徒がともによく知り合うにつれて，認知も変わり続ける。偏見とは当初の認知が経験と矛盾するときでも，当初の認知に固執する過程と定義できるだろう。心理的に健康な人は，その認知を経験に照らして変更し，適合させるものである。そのようにすれば，われわれの認知は'真実'へのガイドとしてより信頼の置けるものになる。

　われわれの行動を決定するものは，客観的な真実（それが何であろうと）ではなく，周囲の世界や自身に対する主観的な意識である。バーリーもアンジェラも，真実ととらえた彼らの認知にしたがって反応し行動している。

■ 内的世界の枠組

　人の主観的な世界とは，記憶，感覚，認知，そして意識に上り得る意味づけのすべてから成るものであり，それは内的世界の枠組みと呼ばれることがある。ロジャーズは，この個人的な世界を完全に知り得るのは当の本人だけであると強調している。この本を呼んだ経験をどのように認知するかを真に知り得るのは，あなただけである。他人はあなたの経験したことを推察することはできても，認知の深さや厳密な実態は，あなたにだけしかわからないだろう。パーソン・センタードという言葉は，この個人の主観的見解に対する重視を反映している。他の人の行動を理解するためには，その人の内的世界の枠組みで世界を見るくらい近づいていることが必要である。

■ 有機体としての価値判断過程

　実現化（身体的，および心理的に成長しようとする動因）への傾向を充足するために，私たちは，自分の成長にとって何が価値をもっているかを知る必要がある。パーソン・センタード理論では，人間は経験を秤にかけ，プラスになるもの，あるいはマイナスになるものと価値判断する。この能力を，有機体としての価値判断過程と呼ぶ。有機体という言葉は，個人の全体性，つまり'部分の集積以上のもの'に言及している。人間主義的な心理学者は，すべて，たとえば行動，思考，感情などの諸部分を分離してしまうのでなく，全体としての人間に焦点を当てる傾向がある。この'有機体としての価値判断過程'に耳を傾けるならば，われわれは，何に可能性があり，役に立つかが容易にわかるであろう。たとえば，もし空腹であれば，食物を高く評価しそれに向かう。空腹が癒されると，食物は，高い価値の地位を失う。

■ セルフ（自分／自己）と自己概念

　'セルフ（self）'という概念は，ロジャーズの人格理論の中心的なものである。彼は，自己（self）と自己概念（self-concept）との区別を明らかにしたことはないが，彼の著作中に含蓄されている。ロジャーズは，クライエントが彼らの問題を自分という言葉との関連で述べることが多いのに注目した。たとえば，彼らは「自分が誰かわからない」「自分になりきれていないような気がする」，あるいは「本当の自分を誰にも見られたくない。私は自分が嫌いです」などと言う。この自分は，その人の真の内的な人生であり，シェイクスピアの「汝自身の自分に対して真実であれ」（Hamlet I. iii. 78）に反映されている。それは，生まれたときから在り，その人が，自身で経験すること，つまり楽しいこと，苦痛なこと，興奮すること，できること，できないことなどの意識である。幼児は'真実の自分'について自身の経験から学ぶ。たとえば，床で遊んでいる子どもが初めて自分の足に気づき，'自分には足がある'として，それを意識の中に取り入れる。この自分（自己）についての知識は，他者との相互作用に関係なく発達する。

　自己概念は，内的な本当の自分と異なって「君は勇敢な少年だ」「あなたはいい子でしょう」「どうしていつもそんなに悪い子なの？」など他者との相互作用を通じて発達する。後でこの自己概念がどのように獲得されるか，そして自己

と自己概念との葛藤がどのようにその人の問題を生じさせるかを論じることにする。自己の発達は，しばしば自己実現にも関係するため実現化傾向の1つのサブシステムである。

パーソナリティの発達

　ロジャーズは，パーソナリティが何らかの段階を経て発達するとか，あるいはその発達がいつか終息するものなのかについて何ら示唆していない。彼は，われわれが潜在力の実現に向かって絶えず展開していく可能性を強調している。われわれは，進歩するようにあらかじめプログラムが組まれていて，条件さえよければ，それを生涯にわたって続ける。パーソン・センタード・アプローチでは，パーソナリティの発達はある種の生来的な特質の結果であるが，その個人の経験と社会的な環境によって個々の変容が生じる，と考える。

人間の幼児の生来的な特徴

　ロジャーズは，実現化傾向も有機体としての価値判断過程も，生まれたときからあると考えた。彼は，子どもは本当に'何が最善か知っている'と信じていた。幼児期には，他者の言うことや自己分析に影響されない。子どもを観察すると，たとえば外界の探検，対象の操作，大切な他者との社会的コミュニケーションとして泣いたり，バブバブ言ったり，あるいはキャーキャー言ったりするなど，実際，成長を強化するような行動なら何でも好んで求めていることがわかる。反対に実現化傾向の役に立たない経験は何でも拒否する。

　子どもは彼が認知したとおりの環境に反応する。孫をかわいがる祖母が優しく抱き上げたとしても，彼が彼女を見慣れぬ恐い人と見るならば，それが彼の真実である。子どもは安全への欲求をもっていて彼自身の認知した真実に反応し，実現化への傾向に動機づけられて苦痛を表わし，母親に手を差し伸べるのである。しかし祖母との経験を通して，彼は彼女に対する認知そして行動を改めることもある。真実を検証し，認知を変更する過程は，生涯にわたって続く。

　本当に生来的な自己は生まれたときに存在するが，乳児はそれを分離した存在としては意識しない。彼らは，自分の体がどこまでで終わり，どこから世界が始まるかわかっていないようである。また，自分と周囲の物や人々とを区別できない。彼らは，環境や周囲の重要な人々と相互作用するにつれて，徐々に

分離したものという感覚を獲得する。この気づきは，はじめは言語化されていないが行動を導く。その後，子どもは，たとえば「私それしたくない」「それ私のおもちゃ」，あるいは「私にやらせて」などと言って，自分への気づき（self-awareness）を述べる。そこには，身体的，および感情的な分離の認識がある。これが，自己実現過程の始まりである。

■ 自己概念の発達

　子どもは，関係深い他者と相互作用するうちに，人々からの評価を意識するようになる。その評価は，「賢い子」など肯定することや「悪い子」など否定的であることもある。このようにして得られた自分に対する認知は，自己概念（self-concept）として知られている。自己概念は，その人の内的な自分の感覚と一致することもある。しかし，不一致もしばしば生じる。自己概念を実現化（発達・維持）したいという欲望が，本当の自分を実現化しようとする欲求と矛盾すると，不一致ひいては葛藤が生じることがある。

■ 厚意を求める欲求

　自分という意識が表面化すると，子どもは，愛と受容への欲求として他者からの厚意（positive regard）を得たいという欲求を発達させる。この欲求が生来的か学習されるものかは，ロジャーズにとって関係のないことであるが，事実それは存在し，子どもの発達に強い影響を及ぼす。子どもの行動は，承認への欲求によって作り上げられる。すなわち子どもは，自分の内的な感情を無視してでも，親を喜ばすためのことをするようになる。

　ロジャーズは，弟を殴ることに満足を覚える幼児の例をあげている。最初のうちはそのことから得られる快楽は，愛されるものとしての自分という感覚と両立しているかもしれない。その幼児には，弟の内的枠組み（すなわち弟が殴られるときに経験すること）に対する認識がまったくないからである。しかし，この行動を見た両親は，それを承認せず，その行動が悪いことで，その子に愛されなくなるというメッセージを与えるであろう。これは，自身の（その行動を価値高く判断する）価値判断過程と両立せず，愛されるものとしての自分という感覚とも両立しない。これは，内的な自分（私は愛されるもの）と自己概念（私は悪いことをするので愛されないもの）との葛藤がいかに生じ得るかの一例である。

■ 取り入れ

　子どもがこの不一致を解消できる1つの道は，弟を殴ったことから得られた満足の意識を否認し，それによって，愛されるものとしての自分という感覚を維持することである。両親の態度は，あたかも子どもの経験に基づくかのように受け継がれる。重要な他者の価値基準や信念の内面化は，取り入れ（introjection）として知られている過程である。上記の例では，両親の価値基準を取り入れる（言い換えれば，あたかも自分のもののように乗り込ませる）ためには，自身の経験と満足を否認し，歪曲しなければならないであろう。

■ 完全に機能する人

　子どもは，身体的，および心理的な欲求を満足させることによって成長への傾向に従う動因に駆動されるが，同時に厚意も欲しいという微妙な均衡がある。もし，これら2つの欲求を調停でき，獲得された自己概念が真の内的な自分と同調しているならば，子どもは'完全に機能する人'に成長していくであろう。これは，理想的な概念であり，可能性をすべて達成した仮説的な人間像である。

　完全に機能する人とは，経験に対して開放的な人である。それは，他者の意見を必要以上に気にすることがなく，すべての経験を意識して認知することができる。その人は，自分の成就（実現化傾向）への道について明確な考えをもっているので，その行動は自分の利益（維持）を守り，身体的，心理的目標（向上）を探すことに対して完璧に効果的であろうとするものである。その人たちは，真に自分であることが許されることだけしか行なわない。そして，自分の発達のために何が良くて，悪いか（価値判断過程）を知る能力を信じているので，自分の行動に対して責任をもつであろう。そのような人は，自分が誰であり何であるかを完全に受容し，その受容が他人の称賛や意見に基づくものでなく，みずからの価値判断過程に基づいているものである。この自己受容は，その人が防衛的になる必要がないことを意味し，また他者をあるがままに受容し，それが他者とのよい関係を導くのである。自分，およびみずからの進む健全な道に対するこのように明確な認知と理解は，利己的であったり反社会的であったりすることはない。完全に機能する人は，相補的で価値高い性質をもつものであるから，羨望や競争に捕われることがなく，他者の権利を尊重するであろう。

問題はどのように発生し，われわれはそれをどのように持続させているか

　完全に機能する人などいないことは明らかであるが，この目標により近い，あるいは遠いように見える人はいる。われわれはすべて，心理的に健康になる潜在力をもっているが，それが常に生じるとは限らない。子ども時代に，大切な人が必要なものを与えてくれず，それによって発達が阻止されたり，ゆがめられたりすることもある。ロジャーズにおける貯蔵庫のじゃがいもは，水や光の遮断によって正常な発達が阻止され，エドムンド・ゴスの幼木は，鉢による制止と抑制によってゆがめられた。

■ 実現化傾向の阻害

　実現化傾向の妨害は，パーソナリティの正常な成長をゆがめ，抑止する。そうした阻害は通常，厚意を求める絶大な欲求から生じる。もし厚意が'良い'行動への報奨として条件づけられれば，それは，自分と自己概念との葛藤を引き起こすであろう。それは，不安と混乱に導く。ロジャーズは，厚意を求める欲求が'普遍的で永続的'と記述した（Rogers, 1959: 223）。この欲求は非常に強く，その充足は，有機体としての欲求を上回ることがある。

　ジェインは3歳で，両親とともに小さなアパートで暮らしていた。ある日，彼女は，本棚から本を引っ張り出すのを満足のいく経験と発見した。有機体としての価値判断過程で，彼女はそれを高く価値づけ，それはよいことであった。しかし彼女が引っ張り出した本の果てしない片づけに疲れた母親の考えは彼女と異なっており，子どもを叱った。ジェインは，そこで葛藤にさらされた。その行動は彼女の外界探求への欲求を満足させるものであったので，彼女の実現化傾向は，それを続けるように駆り立てた。ジェインの（愛されるものと認知された）自己と，母親から押しつけられた（その行動のために愛されないという）自己概念との間の葛藤は，一種の不一致感と混乱させるチグハグさを与えた。母親の愛と承認は，彼女にとって，この楽しい経験をみずから放棄するための条件を設定しているように思えた。

■ 価値を認めてもらうための条件

　ロジャーズは，人が両親や大切な他者からの賞賛を得られたときにのみ自分に対しても厚意をもてるという在り方を言い表わすのに'価値を認めてもら

ための条件（conditions of worth）'というフレーズを用いた。もしジェインに対する母親の愛情や承認が，本を投げ出す行動をやめたときに限られるという条件が科されるならば，ジェインは，母親の価値基準を取り入れ（あたかも彼女自身のもののように受け継ぐ）なければならないであろう。彼女は，本を棚から引き出すときの快楽を否定し，あるいはゆがめることによって，その後に，自分に対する厚意（自分自身の価値に対する認識）を維持することができそうだと思う。この葛藤を解消するための健康的な方法は，ジェインが自身に対する評価を維持するものでなくてはならない。すなわちこの場面では，「私はこれをするのが楽しい。でも私はお母さんを喜ばすことも楽しいし，私がこれをするときのお母さんの困惑は，私にとって楽しくない」ということになるであろう。そのため彼女の行為は，一方で母親を喜ばしたいという欲求を満たすように行動し，他方，時々は本と戯れるという彼女自身の欲求を満たすこれら2つの欲求を調和させるものになるであろう。

■ 有機体としての価値判断過程の制御

もし，ジェインが厚意を得たいために彼女自身の経験をゆがめなければならないならば，結果的に，彼女の内部の真の自分の声は制御される。これが生じたときは，彼女は，有機体としての価値判断過程（彼女にとって何が最善かを知っている内部の本能）を信じなくなりパーソナリティ発達は停滞する。

他者の価値基準や信念を内面化するとき，そこに設定される基準は高すぎて現実性に欠けるのが通常であるから，否定的な自己概念へとつながる。自己価値感と内的な力量を一部削ぎ取られた個人は，彼らに必要と感じられる条件付きの厚意を求めてもがき続ける。彼らは，他者の視覚を意識した行為を始める。たとえば，もしジェインが母親から言い聞かされ続けて，母親の愛情がよい行動の報奨という条件付きだと認知すると次第に萎縮し，結果として，恐がり屋になるであろう。彼女は，自分が次に行なう行動や発言が母親からの叱責を招くか，称賛を招くか不安になる。学校に行くようになると，彼女はみずからを失敗者と見て，それに相応して行動するであろうから学業も芳しくなく，彼女の自己無価値感をさらに強化するであろう。

彼女は行動を規制するものとして，'有機体としての価値判断'の過程と'価値を認めてもらうための条件'の過程という2つの価値判断過程をもつことに

なる。人々は，後者による決定を実際にみずからの価値判断過程に基づいたものと信じるように騙される。もし価値を認めてもらうための条件として重要なものが多く科されるならば，心理的な結末は厳しいものになるかもしれない。

■ 取り入れられた価値基準

ロジャーズは，取り入れられた価値基準（あたかも自分のもののように取り込まれた他者の信念，価値観，および態度）が家庭，学校，教会などにおいて，また広く社会全般からさえも学習されると述べている。たとえば学校で子どもたちは，A評価を取ったときのみ受け入れられ，人として価値があると教えられる。また社会から取り入れられた価値基準は，'真っ先に私が，次も私が，残りも全部私がもらう' という弱肉強食の競争社会の教えであろう。ゴスやロジャーズのように育った子どもたちは，信仰に厳格に追従することによってのみ，自己価値感をもてるという信念を内面化する。

■ 問題の持続──経験の否認と歪曲

みずからの価値に対する自覚について他者からの評価に大きく依存する人は，その自己概念を何としてでも維持しようとするであろう。もし彼らの自己概念と内的な経験との間に葛藤があれば，'不一致'（チグハグ）の状態が生じることになる。そのときその人は，不安と混乱を感じて防衛規制を用いるかもしれない。その状況によって，経験は，選択された一部のみが意識に受け入れられるか，否認されるか，ゆがめられるか，である。

> **事例**
> エリザベスは，心理学専攻の大学生である。親や学校の評価判断は，彼女に低い自己価値感を与えた。彼女の自己概念は「私は知能が高くなく，親の体面を保つように大学に入っているだけである」というものである。よい成績を得ても，彼女は「先生が採点するとき疲れていて，本気で読まなかったに違いない」といってその経験をゆがめる。しかし，点の低い論文は心の焦点をとらえ，彼女の認識している自己概念を強化するのであった。このように彼女の低い自己価値感と経験との間に葛藤を生じるようであり，そこで，エリザベスは，それらをゆがめたり無視したりする。彼女は最高の賞を得たときでも，「これは，他の学生たちが勉強しなかっただけで，私だからではなくて何人かにはこの賞が与えられてしまうものだ」と言って，この不一致に対処した。

この種の否認は，一部分について意識されている。もっと深刻なもので，経験が意識に上って気づかれないことも起こり得る。それは，知覚が心の中に表

象されることを禁止されているようである。フロイトは，これを抑圧と呼んだ。ロジャーズは，期待過剰の家庭で育った思春期の少年の例をあげている。彼の自己概念は，親を愛し，感謝しているというものであった。しかし実際には，親からの支配に対して強い怒りを感じているかもしれないものであった（ロジャーズが自分の子ども時代のことを例にあげているように思われる）。その少年は，生理的な変化を，怒りを伴いながら経験するが，彼の意識している自分は，それらの変化が知覚され，意識に上ることを妨げる。それはあたかも，心が「これを感じることを許すわけにはいかない……。それが何であろうと……。なぜなら僕は子どもであることに感謝していて，愛と感謝しか感じないのだから」と考えているかのようである。その少年は，自分に対する厚意と他者からの厚意を維持するために，自分の怒りを放棄する。このようにして，身体的な変化に対する意識は否認され，混乱と不安が避けられる。もう1つの方法として彼は，知覚を歪曲させ，親を愛し感謝しているという自己概念に一致するようにして，その感情を'頭痛'のようなものとして認知することもある。

　防衛機制は，当人を苦痛から守るが，また，心理的混乱を持続させもする。それは，当人が有機体としての自分とその実現化過程に無頓着でいるのを持続させるからである。人によっては，それが非常にうまく行なわれるので，心理的混乱がまったく意識化されず，ましてや心理療法家のもとを訪ねてくることなどほとんどない。彼らは，自分に確信と自信をもつように見えるが，内的な自分との接触が完全に失われているのが通常であり，パーソン・センタード・アプローチでは，彼らを，問題を抱えた人という分類に入れる。彼らと同じような人が，'本当'の感情を失っているとみずから訴えることもある。それらの人々の多くは，たとえば大火や爆発事故などトラウマ的な出来事の後に深い苦痛に悩む人たちである。それらの状況のもとでは，丹念に建造された心の内部の構造物が崩れ落ちる。それまで彼らは，自分自身のことを常に自己統制をもち，感情的でなく，しかし敏感で物静かな人と見ていた。突如として，彼らは，内的な自分との接触に追い込まれ，おそらく子ども時代以来の恐怖や混乱，怒り，絶望を感じる。彼らは，文字どおりバラバラに砕けて心のバランスを失うのである。

このアプローチの療法

> 心理療法とは，その人との共同作業で，何かをしてやるというようなことではない。それは，その人が正常な成長と発達に向けて前進できるように，自由にすることである。
> （Rogers, 1942: 29）

ゴスもロジャーズも，彼らを抑圧した家族から離れることによって，この自由を獲得した。パーソン・センタード・アプローチでは，実現化傾向に対する障害物からの解放が治療的関係によってもたらされる。人は，障害物から解放されるにつれて，自身の内的な声（有機体としての価値判断過程）に耳を傾けるようになり，他者から押しつけられた '価値を認めてもらうための条件' を拒否することができるようになる。すると，真実の自分と自己概念との間の食い違いが解消する。ロジャーズは，「クライエントは，その治療的関係においておそらく初めて，評価ではない，受容と理解を経験する。すると彼らは，自由になり，真実の自分を認識するようになる」と考えた。

特徴的な様相

パーソン・センタード・アプローチは，専門家主義に反対し，療法者の人間的な資質が学位や資格よりも重要であると主張する。療法者を特別な知識をもつエキスパートとして崇めることは，療法者が権威者像になるので力関係の不均衡を意味する。パーソン・センタード・アプローチでは，個々人が自身の経験や認知の妥当性を信じられるものであると認識することが最も重要と見なす。クライエントが，「カウンセラー／心理療法者は，すべてを知っていて，すべての答えのエキスパートだ」と認知するのはよくない。

このアプローチの特徴は，技術ではなく治療的関係の質である。それは，過程を本質と考えるアプローチである。特定の必要条件が備われば，クライエントに変化が生じ，成長への過程が起こるはずである。ロジャーズは，'治療的人格変化のための必要にして十分な条件' として以下のことをあげた。

1 2人の人が心理的に接触している。
2 われわれがクライエントと呼ぶ第1の人は，自己と自己概念の不一致の状態にあり，傷つきやすく，不安である。
3 われわれがセラピストと呼ぶ第2の人は，その関係の中で一致し，統合している。
4 セラピストがクライエントに対して無条件の厚意を経験する。
5 セラピストがクライエントの内的世界の枠組みに対して共感的理解を経験し，その経験をクライエントに伝えようと努力する。
6 セラピストの共感的理解と無条件の厚意をクライエントに伝えようとするコミュニケーションが，少しでも伝わる。
(Rogers, 1957: 95)

　最初の2項は，療法が始まる前に確立していなくてはならない条件である。次の3項はすでに紹介したがさらにあとでも説明する。最後の条件は，カウンセラーの態度に対するクライエントの知覚に関係しておりこれもあとで触れる。

見立て（アセスメント）

　パーソン・センタード・アプローチでは，形式的な見立ては用いられない。クライエントはすべて，実現化傾向から逸脱したものと見なされるので，それ以上の診断は必要がないと考えられている。ロジャーズは，規定されたアセスメントの手続きを行なうことでクライエントの経験に基づいた原因が何であるかを見失うと考えた。このことは，ロジャーズが，前に述べたキー事例で母親の経験していた困難を見失ったことで証明されている。形式的な生育史を聞き出す場合，カウンセラーが重要だとか関係深いと思うことだけを問題にする。これは，クライエントが治療的関係の中心であるという信念に反する。ロジャーズは，たとえば抑うつとか不安といった心理学的診断は専門家の側から評価がなされる点で有害だと考えた。それは，クライエントが自己理解への責任を引き受け，自身の価値判断過程に立ち戻り，そこから変化に向けて作業することへの妨げになりがちである。
　他の多くの心理療法と異なり，クライエントとの最初の面接で公式な診断を下すために生育歴を聞いたりすることはしない。とはいっても，パーソン・センタードの療法者は，目の前のクライエントに対して援助できるかどうかを慎

重に考慮する必要は当然ある。ブライアン・ソーン（Brian Thorne）は，パーソン・センタードの療法から最も効果を受けやすいのは，真に変化を求めている人，療法過程における自分の責任を認める態勢のある人，そして感情的危機に対処する態勢のある人であると考えた（Thorne, 1996）。カウンセラーとクライエントがひとたび共同作業に合意したら，ただちに療法は始まる。カウンセラーは，何も計画はもたず，クライエントが面接の内容を決めるのを許容する。

　パーソン・センタードの療法者は，みずからをエキスパートとして構えることをせず，クライエントのすべての問題に対して答えをもっているかのような態度はとらない。パーソン・センタードの療法者は限界をわきまえており，そうした限界は，アプローチそのものよりもむしろ自分の側にあり，変化と成長に必要な条件を提供する能力の限界であることを認める。最初の面接の間にカウンセラーは，果たして自分がこのクライエントを援助するために適当な人であるかどうかを自問するであろう。もしそうでないときは，他のカウンセラーに紹介することもある。

ゴール（具体的な達成目標）

　クライエント・センタード・アプローチでは，心理的な問題は主として実現化傾向（維持と成長への生来的な動因）に対する阻害によって生じると考えられていたことから，心的治療の主たる目標は，拘束，抑圧する何らかのものから解放するということになる。カウンセラーのめざすものは，治療的関係を通じて，その解放が生じるために必要な条件を提供することである。それが成功すれば，クライエントは，彼の自己概念と一致せず長い間否認されゆがめられてきた内的な経験を，安心して探求することができる。最終的な結果も，終結の状態もなく，あるのは療法が終結した後も，その人がより安定した人になるように継続していくことが期待される変化過程である。実現化傾向の解放は，クライエントが問題を解決できるように道筋をつけることであるから，問題についての特別な目標もない。

治療的関係

■ 療法者の姿勢

　パーソン・センタード・アプローチにおいて，クライエントとカウンセラーの関係は対等と考えられる。セラピストは，診断や評価，セッションの内容の指示，あるいは何らかの専門的な方法での介入によって，クライエントに対する支配力や権威を求めようとするものではない。関係の焦点は，常にクライエントの関心事に置かれる。

　パーソン・センタード・カウンセリングの批判家は，それを'単に'聴いて適当なときに何かぶつぶつ言うだけの意見の柔弱さと指摘した。おそらくその人は，パーソン・センタード・カウンセラーたちが，その過程においてどれだけクライエントと向き合い忍耐強く打ち込まなければならないことかを理解していない。パーソン・センタード・カウンセラーは，診断技術や冴えた介入手段や'癒し'を提供する専門家としての役割に頼ることができず，また専門家という権威にすがることもできない。それどころか，クライエントの観点から理解するためにその世界に没入するしかない。そして，クライエントがみずから導き出す価値と判断を信じなければならない。ロジャーズは，セラピストについて「クライエントが内的世界の探求に入る旅行の付添い人である」と認識していた。

■ 一致性

　心理療法者が内面でいらだちや嫌悪，退屈を感じているならば，受容や暖かさからの理解を提示しても何の価値もない。ロジャーズは，面接においてそれらの感情が続くようならば，心理療法者は面接でそのいらだちや，退屈さを表現するほうがよいと考えていた。クライエントは，いずれにしても敏感にそれを感じ取るので，隠すことは治療的な過程を妨げるものと考えた。相似の三角形が形においても大きさにおいてもぴったりと一致するように，カウンセラーの表面に出た反応は，内面的な感情と一致しなければならない。カウンセラーは，面接の間中，みずからの感情に素直に'みずからもその感情を生き'，それらをクライエントとの関係からわき上がっていることとして，それを伝えることが適当なときには伝える必要がある（Rogers, 1962: 417）。

一致性（congruence）という用語と同様に用いられたものとしては，純粋性，真実性，開放性，本当さ，透明性などが含まれる。これらの言葉はすべて，この状態のいずれかの側面をとらえている。ロジャーズは，'透明'という言葉を特に好んだ。クライエントが，そのカウンセラーを見透かすことができるほど完全に開放的な状態である。カウンセラーも真実な自分であることによって，クライエントに対して「そのようであることがよいことである」というメッセージを伝えるものになる。クライエントは，またカウンセラーを信頼でき，どのような反応も正直に受け止められるとわかってくるであろう。この信頼は，カウンセラーがその関係において純粋であり，何らかの'専門的技術'によって見下すようなことをしないことによって，達成されるものである。当惑した，絶望的な，いらだった，あるいは誤解されたときにこれらの感情をオープンにする心構えができていることによって，カウンセラーは，それらの弱点を抱えながらもクライエントを受容していることを示し，それはクライエントに強力なメッセージを与える。一致性は，クライエントから'自分勝手に仕事をしているだけ'としか受け取られないような距離のある一方的な関係でない，対等な協力関係の経験を実地に提供するものである。

　不一致性（incongruence）は，療法者が自分の底にある感情に気づいていないために生じることもある。

　ロジャーズは，これを，'忍び込む不一致性'と呼び，時にカウンセラーにとって事態を極めてわかりにくくするものであると述べた。彼は，これに対処するための方策として，スーパーヴィジョン，および療法者の人間的な成長の重要性を強調した。また一致的であることに対するもう1つの困難性には，カウンセラーがクライエントの問題と同じような事柄での問題をもつ場合である。カウンセラーは，常に安定していて，熟練した療法者というイメージをもちたがるためであろうが，自身のそのような感情は認めたがらない傾向がある。

　一致的であることには，治療的関係に深く没入するにつれて，クライエントの恐れや欲求がカウンセラー自身のものと混同されてくるかもしれないという本質的な危険がある。ロジャーズは，一致性とはカウンセラーが'次々と経過していく感情のすべてを衝動的に口に出さなければならない'という問題ではないと強調する（Rogers, 1962: 418）。それでは，パーソン・センタードどころ

か，カウンセラー・センタードになってしまう。一致性とは，そのあり方・姿勢のことであるので，かなり強い持続的な感情があるとき，またその伝達が治療過程の役に立つときにのみ表出することが必要である。

■ 無条件の厚意

カウンセリングを求めてくるクライエントの多くは，自分が'正しく'行動し，考え，感じる場合にのみ，まわりの人たちから愛され，承認されると考えている。つまり，条件付きの厚意しか経験したことのない人が多い。無条件の厚意（Unconditional positive regard）とは，カウンセラーが，誰であろうと，またその人生のどのような時点であろうと，その人に対して尊敬と受容と世話を提供するということを意味する。それは，価値を認めるための条件の正反対である。また，その人たちの態度や行動に関係なく，あるがままに高く認めることを示す，評価のない態度である。ロジャーズは，'賞賛する'という言葉を用い，単なる受容以上のものを伝えるとしている。

事例

ジョンは極度の不安を経験していた。家族について話していたとき，彼が何年も妹に会っていないことが明らかになった。彼は，そこで，妹が子どものころに性的虐待をされたといって家族中の前で彼を非難したことを語った。このことを話しているうちに，彼は，その非難に対して立腹してきた。というのは，彼から見れば，「子どもたちが誰でもやっていることではないか？」というような普通の性的冒険をしていただけであったのだ。カウンセラーは，子どもの性的虐待に対する自身の考え方にかかわらず，ジョンに対する尊重を述べ，彼の行動の何によらず受容すると明言した。妹との間に起こったことに対して批判を受けることがないとわかるにつれて，ジョンは次第に，本当に起こったことに対する彼の否認と歪曲を払い除けることができるようになった。彼は，その性的虐待を見据えたことから，結局，家族，特に妹に真実を告白し，結果的に彼らの許しを得た。

この例において，もしカウンセラーがジョンに対して無条件の厚意を与えることができず，反対に批判的であったとしたら，彼がその葛藤を解消することはなかったであろう。パーソン・センタード・カウンセラーの受容は，クライエントの価値体系がカウンセラー自身のものと完全に異なっているときでさえ，クライエントの態度，感情，および行動のすべての範囲にまで及ぶ。ジョンのような人たちがみずからを'維持し強化'するための潜在力を再び取り戻すためには，他者からの尊敬と受容が必要である。ジョンに対して，拒否されるこ

とがないとわかった安全な場所を提供したことによって，彼は自分の暗黒な側面を見つめることができた。カウンセラーも人として完璧ではなく，限界をもっている。もしジョンのカンセラーが彼に尊敬と受容を与えることができないならば，彼を他のカウンセラーに紹介するべきである。無条件の厚意は，純粋でなければならず，クライエントとカウンセラーの信念体系の違いに影響されてはならない。

　無条件の厚意は，クライエントが「周囲の他者たちの要請どおりに行動したときにのみ価値を与えられる」と考えている信念体系の根底を覆す点で重要である。それはまた，クライエントの防衛行動の悪循環に割り込み，それを不必要なものにする。すなわち，クライエントにとって内的な自分から逃げる必要がないようにする。彼は，本当の自分に出会うと同時に，受容されることを知る。カウンセラーは，クライエントの信頼を獲得して，防衛のカーテンの陰で許しを得るまでしばらくの間，クライエントの価値を認めながら辛抱強く待たねばならないこともある。ジョンが子ども時代に何が起こったかを探求するようになるには，「このカウンセラーは自分の'酷い事実'を知ったとしても自分を拒否することは絶対にない」という確信をもてることが必要であった。

■ 共感

　友達が，飼い猫が死んだといって涙を流しながらやってきたら，あなたは，彼女の気持ちを分かち合って，なんとか慰めようとするであろう。同時に，たかが猫のことでとか，飼い始めて3週にすぎないのにと彼女の悲嘆に当惑するかもしれない。この種の反応は，その友達の悲嘆に対する理解を欠いているので同情（sympathy）と呼ばれる。それは，その出来事を自身の個人的，主観的世界観（内的枠組み）から判断している。共感（Empathy）はそれとは違い，他者が認知している主観的な世界に入り込んで理解することである。ロジャーズは，これを非常に重要なものと考えた。

　その要点は，目の前のこの他者の中で感じられている，感情の変化，また恐怖，激怒，愛情，混乱，あるいは何でもその他者が経験しているものに対して，その瞬間に，感受性をもって存在することである。それは，一時的に他者の人生の中で生き，その中で評価しないように気をつけて動き回り，その他者がほとんど気づいていない意味をも感受する。一方で，他

者がまったく気づいていない感情を掘り出すことはあまりにも脅威であるから避けることを意味する。 (Rogers, 1980: 142)

　先の例で，あなたが友達に共感的であるためには，その猫の死が彼女にとってどれほどの意味をもつか，またその喪失をどのように認知したかの理解をしようと努めることであろう。たとえば，その猫が，彼女のまわりの人たちと違って，無条件の厚意を与えてくれたので多大な愛情を注いでいたかもしれない。その友達を理解するためには，自身の世界観ではない仕方で感じたり反応したりできるようにする必要があろう。
　共感は，あたかもその人になったかのように理解する過程である。ロジャーズは，そこで偏見をもつことなく他者の世界に入り込むためには，自分のものの見方や価値体系を伏せておくことだと説明する (Rogers, 1980: 143)。もしこの'あたかも'という性質が失われたときは，その過程が自身の価値体系と同一になるかもしれず，そのときは，カウンセラーは，もはやその出来事をクライエントの内的世界の枠組みから理解するのではなく，類似した出来事に対する自身の経験から理解するものになる。

> **事例**
> 　スーザンの父親は，長い闘病生活の末に死亡したところであった。スーザンは，その次の面接でこのことに焦点を当てず，彼女の夫との問題について話すことを選んだ。そのカウンセラーは，自分も同様の事態で父親を亡くしたところであり，スーザンの喪失に同一視して，彼女も悼みと悲しみを感じているに違いないと示唆した。しかし，これはスーザンの内的世界の枠組みからではない。スーザンは，喪失の悲しみを感じてはいたが，父親の闘病の間にその感情を処理してしまい，彼にさよならを告げることができた。彼女は，やっと父の痛みと病苦が終わった解放感を感じていた。共感的なカウンセラーとは，'スーザンを完全に理解する'ことができ，この出来事に対して彼女が感じていた感情を感じ取ることができるものである。スーザンの立場から見れば，その悲嘆の反応がないことは理解できる。

　クライエントがカウンセラーのことを深く共感的だと経験したときに，彼らは自身の内部をより深く探究するように援助され，建設的な変化が生じがちなことは研究により明らかにされている。長い間疎外されてきたと感じていたクライエントが，突如として他の人，それも本当に理解しようとしている人とつ

ながっていると感じることができる。そのクライエントは，自分の'慣れない，異常な'感情や思考が心理治療者に理解されたことを確認するにしたがって，疎外された感じが減少する。これは，さらにその奥の'奇妙'な思考をさらけ出して探究するのを助勢する。時にそれらの発見がクライエントを不安定にさせることもある。「私が何事かに対して勇気を感じることができるなんて，これまでに思いもしなかった」という，新しい信念が受容されるにしたがって，クライエントの行動が変化するであろう。

　共感は，無評価的である。猫の喪失に対する友達の悲嘆を理解するのに，その間にも「彼女はどちらかといえば感傷的だったから」と考えているようでは，無理というものであろう。そのような評価は，共感的な状態に在ることを阻害するであろう。クライエントは，治療的関係の無評価的な本質を感じ取るにつれて，以前は否認し，ゆがめていた自分の側面を見つめるように激励される。クライエントがなぜある種の行動をとるのかについての偏見や個人的な理論，クライエントに好かれたいという欲望，あるいはクライエントが毎回向上するのを見たいという欲望なども，共感の展開を阻害するものになり得る。

　共感的であることには，本質的な危険がある。カウンセラーは，時にクライエントと同じ感情を経験していることに気づくことがあるが，そのときでもその感情を統制下に置けるように，'あたかも'を留保する必要がある。クライエントの内的な生活がどれほど混沌としているように見えても，カウンセラーは信頼できる仲間であり，かつその混沌を見て動転したり，崩壊したりするものでないことを知らせる必要がある。つまり，パーソン・センタード・カウンセラーは，クライエントの世界に入り込むときに自分を失わないように，自分のアイデンティティの十分な安定を保つことが必要である。

　カウンセラーとして，クライエントが現在意識して何を感じているかをとらえ続けられることはある。しかしそうでないときでも静かにクライエントの世界に入り込み，感受性をもって'意識化に近い'感情の微妙に隠れた発言を聞き取ろうと努める。ロジャーズの教え子であり，後にパーソン・センタード・アプローチを統合失調症に適用したユージン・ジェンドリン（Eugene Gendlin）は，この共感的な過程の解明に大きな貢献をした（Gendlin, 1981）。彼は，底に隠れている感情をとらえることや，クライエントがまだ気づいていないものに

対する反応を感じ取るという考えを強調した。ここでも危険が生じる，つまり，もしこの底に隠れた感情があまりに早く表現されすぎると，クライエントは怖れてしまう。ロジャーズは，これを'突っ込み治療'と呼び，建設的であるよりも，むしろ破壊的な結果を招くとした。

■ 3つの基本的条件の相互作用

われわれは，一致性，無条件の厚意，共感という3つの条件のそれぞれを別々のものであるかのように論じてきたが，実際には，それらは必然的に結びついている。無条件の厚意は，たとえば共感の過程によって促進される。共感も無条件の厚意も療法者が純粋に感じるものでなくてはならない。条件のそれぞれが，他の条件の発達を促進する。

■ 治療的関係以外では成り立たないものか？

以上のことは，この基本的な3条件がすべてのクライエントに対して，常時，完全に整っているという理想主義的に響くかもしれない。確かに現実は，そうなってはいない。100％純粋であったり，共感的であることは誰にもできない。パーソン・センタード・アプローチが唱えることは，心理療法者がこの目標に近づけば近づくだけ，変化と成長が生じるであろうということである。

またロジャーズは，これらの基本的な条件は，日常の関係でも重要であると考えていた。つまり，それらは治療的関係の中にしかないというわけではないが，治療的関係においては格別に重要なものなのである。

これらの核心的な条件を伝達する

これまでも述べてきたが，パーソン・センタード・カウンセラーは特別な技術を用いるものではない。したがって，ここでは，ロジャーズの'変化のための必要にして十分な条件'リストの第6の条件である，「療法者から提供される基本的条件がクライエントに伝達されること」を検討する。訓練では，たとえば感情や内容の反射とか，クライエントがそれまでに述べたことの要約など技術のカテゴリー化が試みられているが，それらの態度を伝達するための出来上がった，あるいは確立した方法はない。それらの技術は，パーソン・センタード・カウンセラーだけが使っているのではなく，他の多くのアプローチでも使っている。

ここでは3つの基本的条件のそれぞれを伝達する方法の説明をすることにした。読者は，これらの諸条件の間に大きな重複があることを再確認してほしい。

■ 一致性の伝達

もしクライエントが，家族から不誠実さ，閉鎖性，あるいは混乱したメッセージを与えられることなどを長期間経験してきたとすれば，そのクライエントにとって，誠実で，正直で，表裏のない人がこの世にいると信じることは大変困難であろう。治療的関係において一致性を保つということは，カウンセラーにとって極めて危険が多いという感じもある。クライエントに対して嫌悪や退屈を感じている場合に何と言うか？　カウンセラーの言葉が，温かさと関心を伝えようと意図しながらボディ・ランゲージや声のトーンがマッチしない場合の混乱したメッセージを感知することに，クライエントは敏感である。

事例
　　アイヴォーは，最近妻と離婚していたが，3回の面接にわたって親や友達，職場の同僚が悩んでいる問題の話に費やしていた。その心理治療者は，他人の生活のことを長々と話すのにイライラして退屈している自分の感情を自覚した。そこで，彼に離婚した妻や子どもについて質問した。

アイヴォー　　具合いいですよ。子どもたちとは隔週末を一緒していますし，今では妻と私とはけっこういい友達です。

　　その後彼は，子どもたちが学校で何をしているかの長い説明に戻った。カウンセラーのイライラした感情は続いた。

カウンセラー　　ちょっと待っていただけませんか……。私にはこのあたりが何か……。あなたのまわりの人たちの話でいっぱいのような感じですね。私は少しイライラしていると思います，というのは，その話の中であなたの立場はどこにあるのか……と考えなくてはならないからです。
アイヴォー　　（考え深そうに中断した後，頭を振りながら）本当に，あなたの言われるとおりです。まるで私が存在しないようで，私がこれらのことをどう感じているかに無頓着で，一種の，私がそのことを考えないように逃避しているような……。本当はあの子たちなしでは耐えられません。

　　この時点では落ち込みながら，その後アイヴォーは，離婚とそれに伴う子どもたちの喪失に対して彼がどのように感じているかを探究することができるようになった。彼は，この自分の感情を無視するパターンは，彼がこれまでにいつも人々と関係してきたやり方であったこと，そして人々がそうした強い彼を好み，彼が感情を口に出さないことを好むという信念からそうしていたと認めるようになった。

カウンセラーが「あなたは，とてもイライラさせる人」とは言わずに，「私は

少しイライラしていると思います」と言って彼女の感情に対する責任を自分で引き受けたことに注目してほしい。日常生活においてわれわれは，自分の感情について他人を非難する傾向がある。「彼がこんなに私を怒らせる」あるいは「悪いと思う気をなくさせる」が典型的な例である。われわれは，他者がうんざりしているか，イライラしているか，あるいは混乱しているかを知ることができず，他者と話をしていて自分がどう感じるか，またどのように知覚するかしか知り得ない。アイヴォーがうんざりしているということが絶対に真実とは言い得ないが，彼は，ある時点でうんざりしているかのように行動するかもしれない。カウンセラーは，その感情を自分のものとして認めているので，アイヴォーは批判されたとは感じないで，むしろ彼女のコメントによって自分の行動を見つめるように促進され，自分が何をしていたかを理解する。

　カウンセラーは，自分の感情の理由の可能性をすべて十分に気づいている必要がある。次の例では，カウンセラーが混乱に気づいて，クライエントをさえぎる。

　大学生のインディラは，カウンセラーに対して，両親が決めた結婚に固執するという問題についてすべてを話していた。実のところ，彼女にはボーイフレンドがいたが，それについて両親には話してなかった。

インディラ　両親はまったくわかってくれないと思います。ご存じのとおり，私の本国ではそれで普通なんです。でも私は，なぜかわからないけどピーターを愛していて……。だけど宗教のためには両親の希望に沿わなくてはならないと思います。というのは，彼らは，私が教育を受けて，何か社会に役に立つことをするのを願っています。だけど，私は，インドへ帰ったら，両親の決めた結婚に納得するとわかっています。おわかりでしょう，それが私の信仰です。だけど私は，ここで暮らしていると，勉強も容易ではないのに，そのたびにピーターが出てくるのです。成績も危ないんじゃないか心配です，チューターも言っていましたから……。

カウンセラー　ちょっと待っていただけませんか。私は，少し混乱しているようです。あなたの言われることがよくわかりません。私は，その根本的な部分に集中したら，私たち両方にとって都合がよいのではないかと思うのですが。どうでしょう？

インディラ　ハイ，私も少し混乱しているように思います。多分私は，両親とのことや，彼らとの関係を始めから言わなければなりませんね。

　この例示では，カウンセラーの混乱に対する別の説明としては，疲れていて集中できないので，というものである。そうすれば，違った反応に導くかもしれない。

カウンセラー　ちょっと待っていただけませんか。私はとても混乱しているようです。言いにくいことですが，私は疲れてきました。もし1つか2つのことに絞って説明してくださるとわかり

このアプローチの療法　101

やすいと思います。

クライエントは非常に敏感であり，インディラは，カウンセラーの集中力が欠けていたのに気づいていたことが考えられる。もしカウンセラーがそれに気づかずに，取り繕おうとし続けたとしたら，インディラの信頼を損なう効果をもったであろう。

■ 無条件の厚意の伝達

これは，おそらく保持も伝達も最も難しい態度であろう。人々は，時々「自分の子どもを虐待したような人に対して，どうして無条件の厚意を感じられますか」と質問する。この質問の背後には，誤解がある。無条件の厚意は，クライエントの行動の是認を意味するものではない。無条件なのは，関心を寄せ，理解しようと願うことについてである。パーソン・センタード・カウンセラーは，クライエントの行なう，あるいは信じる何事かが好きである必要はなく，その人を価値あるものとして受容しようと努める。クライエントとしては，おそらく生涯にわたって，他者からの厚意は何を行ない，考え，感じるかによると信じてきたあとであるから，無条件の厚意は非常に信じがたい条件である。

カウンセラーは，それぞれ独特の反応のレパートリーをもっており，それは言語的，あるいは非言語的なものでもあり得る。優しく手に触る，目線を離さない，あるいは温かいスマイルなどは語られた言葉よりも，多くものを言う場合がある。

事例

イアンは，強い抑うつを感じてカウンセリングに来た。初期の面接の間，彼は繰り返し「どうしてここへ来たのかわかりません。僕はとても醜くて，僕を見ていることはいやに決まっています。私の悪いところがみんな出ています。このことに議論の余地はありません。僕が醜いのは事実です。これは変わりません。僕のこの顔を受け入れられる人などいません。この顔が僕のすべてを語っています」と言っていた。

このとき，カウンセラーは「私はとても悲しく感じます。あなたは自分が醜い，全部ダメだと言って，私に同意を求めているかのように感じます。私は，あなた自身が自分をそのように見ていることは認めますが，それに同意はできません。私は，あなたを醜くて悪い人とは見ません。あなたは本当に価値ある人として受け入れられたことがない人だと見受けます」と言った。

この反応の後にイアンは，そのカウンセラーを数秒真っ向から正視した。カウンセラーも彼を見つめて，イアンの目に涙が溜まると，彼女は，彼のほうに身を傾けて優しく手を伸ばした。驚いた

> ことに，以前に子どものときでも親にも手を触れさせなかったと言っていたイアンが彼女の手を握った。彼は「どうやらあなたは気にかけてくださるように聞こえます。これまで誰にもなかったことです。あなたは僕の酷い顔を見つめてくれ，それでも嫌わない」と言った。
> その後彼は，手を引っ込め，考え深そうに頭を深く下げて，しばらく沈黙して座っていた。カウンセラーも黙って座っていた。彼は，やがて顔を上げて言った。「僕はあなたを本当に信じてよいかどうかわかりませんが，多分，信じられるような気がします」

■ 共感の伝達

　このアプローチが広まった初期のころに，共感を伝える方法としての感情の反射が強調されたことから，これがパーソン・センタード・アプローチで用いられる特別な技術であるかのように知られることになった。カウンセラーが，クライエントの感情がどうであるかを反射して返しさえすれば，パーソン・センタードであると見なされていた。この考えは，残念なことに今日でも残っている。以下の事例のように，カウンセラーはクライエントの感情と話の内容を取り出し，それを反射したことで，理解したことを伝達していると信じていた。しかしそのクライエントは，本当に自分が理解されている，あるいは，自分の言っていることに興味をもとうと努力してもらっていると経験してはいなかった。カウンセラーはまるで'自動操縦'に乗っかっているかのようであった。

> **マリヤ**　　私，本当に，上司にうんざりしています。彼は私に下品な言葉，おわかりでしょう，しつこくかけてきます。
> **カウンセラー**　　（内容と感情を反射しようとして）それであなたは上司の，そうしたしつこさにまったくうんざりしているんですね。
> **マリヤ**　　（うんざりしたように）それは，たった今私が言ったことです。

　より共感的な反応としては，

> **カウンセラー**　　（試みに選んで）下品な言葉？　性的なですか？
> **マリヤ**　　ハイ，性的な挑発，気を惹くようなものです。この間もショートスカートだったら「あなたが今日どんなに感じているか，私にはわかるよ。君も望んでいるに違いないよ」と言って，ご存じのあの顔，独特な流し目をしたんです。まるで私がみだらか何かを感じて，わざわざそのスカートをはいたとでも言うようでした。
> **カウンセラー**　　あなたは，出来事を話している間，拳を握っていましたね。うんざりしたっていうようなものではなく，本当に怒って，傷つきさえして，彼があなたをどんなに侮辱したかを示

> すように。本当にそうですか？
> **マリヤ**　ハイ，そう，それです，侮辱です，本当です。私は大げさに言っているのではありません。どうして彼は私をあんなふうに見るのでしょう。確かに傷ついています。私は本当にこの職場で続けていきたいし，仕事は得意ですし，そこで働くことは好きです。しかしこれが続くようなら，どうして居続けたらいいかわかりません。

　'下品な言葉'というのを取り上げ，'性的な'という言葉を試しに出してみたことによって，このカウンセラーは，クライエントを悩ませている事態の本質について深く追究できるようにした。またカウンセラーは，侮辱されたことで傷ついたことを見抜いて，再びそれをクライエントに試して確認した。パーソン・センタード・カウンセラーは，自分がどう感じるかをクライエントに告げはしないが，どのように感じているかについての理解を試みとして話し合ってみる。もしカウンセラーが完全に理解していたら，クライエントの反応は，'ハイ，そうです，まさにそのとおりです'が多い。試み的であることによって，カウンセラーは，感情や考え，思いを次第に深く探究することができるという点でクライエントを中心としている。

　この会話をもう少し深く取り上げると，最後の反応にマリヤの声は沈んで，「私は，どうして居続けたらいいかわかりません」と言ったときには，ほとんど呟きになっていた。これに気づいてカウンセラーは反応する。

> **カウンセラー**　居続けられるかどうかわからない……。あなたはそれを考えるのを怖れているように感じられます，違いますか。
> **マリヤ**　（思慮深く）怖れてというか……。ちょっと違います，絶望感に近いものです。私にはどうにもできないような気がします。他の職場につくことができそうもないというのではありませんが，怖れるというよりは，寂しさだと思います，本当にそのためにこれまで働いてきたものを失うことになりそうですから。
>
> 　ここでマリヤは，怖れるという言葉を自分で繰り返しながら試した後に，それを退け，むしろ絶望感，そして寂しさのほうが当たっているとした。もしカウンセラーが「あなたは怖れています」と決めつけたら，クライエントが反対することは極めて困難であり，「私は，怖れていたに違いない。専門家がそう言うのだから」と考えて，カウンセラーを信じさえしたかもしれない。

　事態をクライエントの目を通して認知することは，非常に困難なことかもしれない。読者は，「彼女がなぜ困っていると言ってしまわないのか」「彼女は，

なぜ職場を替えないのか」などの考え方をされたかもしれない。そのような考え方は，あなたの内的世界の枠組みからのものであり，彼女のそれからではない。共感的な考えは，「あなたにとって，この上司に何かを主張することは，本当に難しいことでしょう」「ほかの職場を探すのは，当面の煩わしさが大変と思えます」という種類のものであろう。本当に共感的であるためには，果たして彼女を正しく理解しているかどうかを確認するために，これらの考えを試しに表現してみる必要がある。

終わりに

　本章は，パーソン・センタード・アプローチの最も重要な理論的，実践的な側面と，それを発展させた人物の生涯について述べてきた。まさに，ロジャーズが彼の内的な世界をキリスト教基本主義派の拘束から解放したように，このアプローチは，人々が1人の人としての成就に向けて自身を見つめるための旅を進める際の障害物から解放されるように援助しようとしている。この旅において，カウンセラーあるいは心理療法者は，ガイドとしてではなく，仲間として活動する。本人は，それによって力づけられ，療法中に生じることを統御し，それに対して責任をもつ。カウンセラーの機能は，クライエントが現在の，混沌としているとしても，少なくとも慣れている不快な人生のあり方から脱出して，自身の中の未知の場所へと入り込むことを安全と感じられるだけの条件を整えてやることである。ゴスの比喩を少し変えて，植物の上の鉢を一団の石と見ると，療法の目標は，本人が内的な自分，および完全に機能する人となるように駆り立てる動因との接触をし直す方向へと動きだすために，それらの石を自分で1つ1つ取り除くようになることである。

　われわれは，このアプローチの概観を紹介しただけである。カール・ロジャーズが，療法の世界だけでなく，たとえば彼が晩年に展開したパーソン・センタード・エンカウンター・グループなど人間存在の広範な領域のために貢献したことをさらに探訪していくことは可能である。エンカウンター・グループは，お互いの人生経験を分かち合い，探訪し合うために集まった人々の集団であり，そこには'ファシリテイター'がいて，その役割は自己理解と自己変容を促進

するために安全な心理的雰囲気を提供するというものである。

　ロジャーズは晩年，世界平和と国際的理解の推進に専念した。パーソン・センタード・アプローチは，われわれの社会に定着している権力の想念，すなわち男性の女性に対する，白人の黒人に対する，ヘテロセクシュアルのホモセクシュアルに対する，大人の子どもに対する優位性を否定する。また彼は，世界中の緊張と葛藤のあるところ，たとえば北アイルランド，南アフリカ，ロシアなどへ広く旅行した。著作『存在の仕方（*A Way of Being*）』（1980）は，未来の世界がどのようであろうかについての彼の展望を述べた論文を含んでいる。この点に関する彼の最大の功績は，「中央アメリカの挑戦」と題してオーストリアで開かれた会議に17か国の指導者を集めたことである。ロジャーズは，本人の知らないうちに，1987年のノーベル平和賞候補になっていたが，最終決定の前に逝去した。

第4章

合理情動行動的アプローチ

（訳者注：このアプローチの基になるのは Rational Emotive Behavior Therapy であり，REBT の語も普及している。論理療法，論理情動療法，あるいは理性感情行動療法などの訳語も普及している。）

はじめに

人を悩ますのは物事ではなく，その物事に対するその人の見方である。
(Epictetus, AD 55-135)

　合理情動行動療法の創始者であるアルバート・エリス（Albert Ellis）は，カウンセリング／心理療法へのアプローチの基本前提を強調するのに，よく上記の哲学者エピクテタスの文章を引用する。合理情動行動療法では，われわれの情動障害の問題やそこから派生する問題行動について'曲がっていて'役に立たない考え方による点が大きいと主張する。つまり，われわれの問題の原因は，出来事ではなく，それに対するわれわれ考え方にあるということである。エリスは，役に立たない考え方のことを'不合理な信念'と呼び，多くの情動障害の核心にはそれがあると言っている。一方，合理的な信念は弾力的で，役に立つ考え方であり，われわれが心理的に健康であることを可能にする。

われわれは，意識的あるいは無意識的に，不合理な信念（思い込み）をもつことによってみずから障害に陥ることを'選択している'のだ，とエリスは主張する。もしわれわれが，自分の問題に責任を取り，その底にある'曲がった'考え方をより合理的な考え方に変えるように懸命に努めるならば，自分の問題を解決する可能性を高めることになる。冒頭のエピクテタスからの引用の続きは，

「困難に出合って，不安になったり悩んだりしたときは，他者のせいにせず，むしろ自分，すなわちわれわれの，物事に対する考え方のせいにしよう」

である。

> **事例**
> ある女性が重要な会合に行くために列車に乗っており，列車はかなり遅れている。もし彼女が「この会合に遅れてはならない。もし遅れたらものすごく大変なことだ。私は大変なまぬけだ。絶対にもっと早く出発すべきであった」という無益で不合理な信念を持っていれば，彼女は強い不安を感じて潰れてしまい，会合でうまく立ち回れないであろう。それとは違って，もし彼女が「間に合うほうがよいけれど，絶対にということではない。それで世界が終わりということにはならないのだから」と考えれば，彼女は気がかりに感じるだけであり，会合ではよりよい対処ができるであろう。鉄道会社は遅刻についての責任はあるが，彼女の不安感についてまでの責任はない。

アルバート・エリスの先駆的な研究は，カウンセリング／心理療法に対する認知・行動的なアプローチの発達に大きな影響を及ぼした。合理情動行動療法は，認知行動諸療法の最初のものであった。1955年にエリスがこのアプローチを用いたとき，彼は，情動障害の発生やその対処における思考の役割を強調して，'合理療法（Rational Therapy=論理療法という訳語で紹介された）'と呼んだ。彼の反対派たちは，それを18世紀の合理主義，すなわち人間の経験の多くの側面の中で理性と知性の重要性をとりわけ強調し，感情の役割を無視した思潮の流れに従うものだとして彼を非難した。彼はこれに対抗して，1961年，その療法の名称を'合理情動療法（Rational Emotive Therapy）'と変更した。エリスは最初から，心理的な問題の取り扱いや療法における行動の役割の重要性

を重視していた。彼は，話し合うだけで人間が態度や信念を変えることはないとして，変化を実践する必要があると考え，1993年に次のように書いている。「そこで私は，これまでの過ちを訂正し，記録を正しく設定し直して，それが従来から実際にそうであり続けたとおり'合理情動行動療法（Rational Emotive Behavior Therapy）'と呼ぶことにする」（Ellis, 1993: 258）。

アルバート・エリス

家庭背景と幼少期

　アルバート・エリスは，1913年9月27日にペンシルヴァニア州のピッツバーグで生まれた。彼が4歳のとき一家はニューヨークに転居した。彼は，自分の幼少期の出来事がパーソナリティを形成したとは考えないが，幼少期のいくつかの要因が後の合理情動行動療法における発展の種を蒔いたと認めている。彼は，幼少期にかなりの不遇を経験した。

> 私は，終始，自分が不幸なときに，より不幸にならない方法を考え探そうと努めるような種類の人間と見られてきた。ある意味で，私は心理治療者向きに生まれついていた。
> 　　　　　　　　　　　　　　　　　　　　　　　　　（Palmer et al., 1995: 55）

　アルバートは，弟と妹がいる貧しい家庭に育った。両親はともに子どもたちに無関心であった。父親は行商をしており，家にいるときでも子どもたちのことをほとんど気にかけなかった。アルバートの母親は物理的には存在したが，情緒的には不在であった。エリスは，彼女のことを「結婚や育児のやりくりには，まったく不向きな人で，自分の子どもたちを理解したり世話をしたりするよりも，多分に自分の楽しみに浸っていた」と記述している（Ellis, 1991: 2）。アルバートは，弟妹の世話をし，家事全般をよく手伝った。母親がしばしば社交で家を空ける間，彼は1人で留守を守った。エリスは後に，この両親からの放任が彼に大きな不遇感を与えることはなかった，と言っている。「私は，母親

の怠惰を恨まないことに決め，むしろそれを利用して母親を自分の意のままに操り，ある意味では母親を支配していた」(Ellis, 1991: 3)。アルバートが12歳のとき，両親が離婚し，経済的な支援をほとんどしなかった父親を見ることはますます少なくなった。彼が5歳のとき，扁桃腺炎にかかり，激しい連鎖球菌感染症を患い，救急手術のため病院に入院した。彼は5歳から7歳までの間，その手術の後に発生した腎臓炎のために頻繁に入院した。入院中，両親のどちらの面会もなしに何週間もが過ぎるありさまであった。彼は，その長い療養期間中，ホームシックとか淋しいという感情を自覚しなかったことに驚嘆して，まるで古代ギリシャにおけるストイック哲学の厭世主義のようであったと述べている。しかし，彼は自分の健康のことを気にかけるようになり，子どもらしいゲームを避け，その代わり知的な活動に浸った。彼は読書に熱中するようになり，8歳までに百科事典『知識の本 (*Book of Knowledge*)』の全巻を読み終えていた。16歳までには，エピクテタス，スピノザ，カント，バートランド・ラッセル等の本の多くを読み終えていた。

エリスは，学校では成績優秀で楽しい学園生活を送っていたが人前でしゃべるように言われると「汗が出て，不安に動転し，必死になって何とか逃れる道を探し（時には賢く探し当て）た」(Ellis, 1991: 3)。彼の内気さは，ずっと後まで続いた。その代わりに，彼は，社会的な問題に邪魔されないような自分の世界を作り上げていた。

エリスは，12歳で有名な小説家になろうと決心した。彼がこの目標に向かって尽力する間，生計をいかに立てるのかが課題になった。そこで彼は，会計士になるための勉強に励むことを決心した。16歳でニューヨーク商業高校を卒業後，バルチ経営・行政学校に入学し，経営学の学位を得て1934年に卒業した。しかし，1929年に始まった大恐慌が彼の計画を粉砕した。彼の母親は貯蓄をすべて失い，家族が極貧に落ちたため，エリスはできることは何でもしなければならず，安い報酬でいろいろな仕事をした。

会計士になるための仕事を勉強していたときに，彼は，精神病理学に興味をもってフロイト，ユング，アドラーなど心理学や哲学の本を読んだ。その後エリスは，政治活動にも参加し，リーダーの1人として戦争やファシズムに反対していくと，苦手であった人前で話すことをしなければならなくなった。彼は，

恐れていることをあえて行なうようにみずからを追い込めば，恐怖を克服できる（'実生活における脱感作法'として知られている）ことを本で読んでいた。そして，人前で繰り返し話すようにみずからを追い込んで，恐怖を克服でき，自分が人前で話す真の才能をもっていたことに気づいた。これは，エリスが自分をクライエントとして，合理情動行動療法家となった最初の経験と見ることができる。彼は，後にみずからの経験について次のように述べている。

> かつて私は，わざとみずからを不快に追い込んで，それが快くなり，終わりにはそれを楽しむまでになった……。つまり，うまく話せなくて，そのために非難されたとしても，途方もないことになるわけではない，と自分自身に意識して言い聞かせ，自分の恐怖症に逆らうように行動することによって，私は180度転換して，それを克服した。
> 　　　　　　　　　　　　　　　　　　　　　　　　　　　　　（Dryden, 1991: 135）

　彼がフロイトの著書を読んだことは，特に性的な問題，および女性に対する臆病さの問題についての助けとなった。彼は，人前でしゃべることへの恐怖を克服するのに実生活における脱感作法を用いて成功したことから，自分の別の問題に対して再びそれを用いることにした。彼は，毎日ブロンクス植物園へ行って，そこに座っている女性の誰にでも近寄って話しかけるようにみずからを追い込んだ。この方法で，彼は1か月に100人の女性に近づき，そのすべてに話しかけた。実際には1つのデートの約束しか獲得できず，しかも，彼女は約束した日に現われなかった。その後この失敗にかかわらず，彼は恐怖を克服し，女性全般に対する話し方がより流暢になった。
　エリスは，女性に対する内気さを克服すると，彼女らが男性よりも自分の問題を容易に話すので一緒にいて楽しいことを発見した。女性に対して気軽になれたことで，彼は睦まじい関係をいくつかもつことができるようになった。最初の妻，カリルは情緒的な障害をもっており，当初，それが彼を魅惑した。しかし彼は，彼女を信用できないとわかり，結婚したその夜に離婚しようと決意した。次の相手は，彼がかつて「人類史上最高のロマンスの1つ」（Palmer et al., 1995: 57）と述べたほどのものであったが，彼女の社交好きが彼の仕事の妨げになったので成立しなかった。そして，ローダというダンサーと2回目の結

婚をしたが失敗に終わった。その後，彼は現在の妻であるジャネット・ウルフ（Janet Wolfe）と出会い，2人の関係は，現在にいたってもますます絆が強くなっている。彼は，自分の人生を「彼女がいなかったら，笑いと温かさと睦みの乏しいものであったろう」と振り返っている（Dryden, 1989: 541）。

　エリスは，20代の前半に多くの小説や演劇や詩を書いたが，どれも出版されなかった。彼はアメリカの偉大な作家にはなれないと認めて，ノンフィクション作家に転向した。しかし最初の『絶望的な不幸にならない技術（The art of never making yourself desperately unhappy）』でもやはり成功しなかった。そこで彼は，性と愛に関するテーマで自由な考えを書くほうが出版社に受けがよいだろうと考え，それを中心にしていくことにした。そのため彼は，愛と性，結婚に関する何百冊という本を読み，『性的奔放の事例（The Case for Sexual Promiscuity）』という本を書いた。しかしこのセンセーショナルなタイトルとその内容は，その出版社にとってあまりにも相応しくないものであったので，仕事がこなくなった。ところが，彼の友人たちは，彼をその道のエキスパートと認め，性や結婚の問題でアドバイスを求めてきた。彼は，その人たちに自分に対して最初に用いた治療技術を適用し，援助することが楽しみとなった。

大学生活

　彼は，人々を援助する才能があることに気づいたが，もしそれを職業にしようとするならば，何か専門家としての資格を取らなければならないと言われた。そこで彼は，1942年，コロンビア大学の教職学部で臨床心理学の修士号を取ろうと決めた。そして彼は '人間の両性具備に関する性心理学（The sexual psychology of human hermaphrodites）' という小論文を発表した（Ellis, 1945）。その後も彼は，博士号をめざして学び続け，若い女性の恋愛関係について論文を書こうとした。しかし有力な教授2人がこの論題に反対であったため，彼は，また挫折した。エリスは，やがて到来する性の解放に先行していたにもかかわらず，当時の上級教職陣は，性に関する研究がもたらすであろう悪い評判を恐れていた。仕方なく彼は，論文のテーマを人格検査質問紙の使用に関するものに変更した。

専門家としての活躍そして転機

　1943年，彼は，性と結婚についてのカウンセリングを個人で始めた。その後15年以上にわたり，エリスは『罪悪感なしの性（Sex without Guilt）』(1958)，『愛の技術と科学（The Art and Science of Love）』(1960)，『性と独身男性（Sex and Single Man）』(1963 a)，『知性的な女性のための男性ハンティングガイド（The Intelligent Women's Guide for Manhunting）』(1963 b) をはじめとする多くの著名な本を出版して，全米の先駆的性科学者の1人となった。これらは，すべてベストセラーとなった。彼は，性に対する自由な見解とゲイの解放に対する支援のためにしばしば批判されたが，1960年代の性解放が到来すると，その指導者の1人となった。

　1940年代後半，彼はラットガース大学とニューヨーク大学で教え，北ニュージャージー精神衛生クリニックの上席臨床心理士に任命され，1950年までにニュージャージー州の全施設，および機関局の心理士の長となった。そしてその年の終わりまでに，50編近い論説や論評を発表し，そして『性に関する民話（The Folklore of Sex）』(1951) を出版した。しかしこれを読んだ上司の局長が，この本での赤裸々な性表現に真っ青になりエリスを解任した。

　その後エリスは，個人開業，執筆，講義，ワークショップ，および心理療法に対するアプローチの研究をするために時間を費やした。彼のREBT（合理情動行動療法）に関する最初の本になる『神経症患者とともに生きる方法（How to Live with a Neurotic）』は，1957年に出版された。ちなみに彼は，現在までにREBT，性，および結婚に関する50冊以上の本と600編以上の論文を著している。1959年，彼は，現在アルバート・エリス研究所と呼ばれている，利益を目的としない教育機関を設立した。

　1980年代にREBTは，合衆国におけるカウンセリング／心理療法にかなりの影響を及ぼした。1982年に行なわれたある調査で，エリスは，最も影響力の大きな心理療法家の中の第2番目として評定された。カール・ロジャーズが第1番目にきて，フロイトが第3番目であった。1985年，彼はアメリカ心理学会から優れた功績に対する表彰を受けた。REBTは，合衆国以外の世界中の国や地域でも強い影響力をもっている。

その人物像に迫る

アルバート・エリスは，現在 80 歳を超えているが 1 日 13 時間働き続けている。彼はチャレンジすることによって旺盛になり，それがないとすぐに退屈する。社交的な雑談，休日の外出，映画や演劇鑑賞など一般的に刺激的な事柄は，大きなエネルギーをもって常に挑戦し続けている彼にとっては退屈になりがちである。彼は，仕事人間であり，社交の楽しみにはほとんど時間を費やさない。その結果，彼には親しい友人があまりいない。エリスの第 1 印象は，冷たくて，無愛想で，自信に満ち過ぎて，尊大ともいえるほどの人間である。しかし，彼の仲間や弟子たちからの逸話では，寛大で親しみやすい人物像も描ける。

エリスは，終始矛盾に富んだ人物である。彼は，いろいろな方面からの強力な反対や冷たい視線を経験してきた。彼の本の何冊かは，そのセンセーショナルな内容から発売禁止にもなった。さらに彼は，いろいろな大学から教職を断られ，FBI の捜査も受けた。しかし彼は，これらの逆境にめげずに人生の目標であり，その発展のために尽力をつくした合理情動行動療法の研究に邁進した。

合理情動行動療法の発展

療法への最初のアプローチ

エリスは，性と結婚の心理治療者としての仕事を始めたとき，クライエントに性欲，性的関係，育児その他の関連した事項に関する情報を与えることが援助的であると考えていた。彼は，クライエントが，それらの事項に対して役に立たない固定観念をもっていることを見て取った。そこで彼の知識に富んだ権威的なアプローチは効果があり，それは，心理的な問題に対して認知的なアプローチを最も早く用いた方法の 1 つであった。

しかしながらエリスは，彼の方法には限界があることに気づいた。性や結婚の問題の底にあるのは，そのクライエント自身の問題であったからである。

> 人々が他者と互いに幸せに暮らすように援助するには，彼らがどうしたら自分と平和に
> 暮らすことができるかを示すことが肝要である。　　　　　　　　（Ellis, 1994: 1）

　そこでエリスは，精神分析の訓練を受けることにして，自由連想や夢分析，転移の困難性を解釈によって解決する（第2章参照）など，正統派精神分析の技法を用いてクライエントを診始めた。この段階では，彼は，フロイトのように，人間は幼児期の経験の結果として障害者になると考え，またその克服のためには彼らに何が起こったかを理解する必要があると考えていた。

失意からの飽くなき探究

　彼は当初，精神分析家として成功したが，次第にこの方法に不満をもつようになった。彼のクライエントは，通常，問題の元となる体験に洞察をもったが，その感情的な問題は消え去らなかった。クライエントの多くは，自由連想が難しすぎると言い，夢をほとんど見ない者もあり，また思い出せない者もあって，彼は，精神分析における長い沈黙が彼にとってもクライエントにとっても，イライラするものであることを発見した。彼のクライエントが，援助してもらっていないと不満を言うと，彼は以下のように解釈した。

> 事務的に，かつ巧妙に，彼らが分析のルールに合わせることを拒んでいるのであり，それ
> は彼らの過去における両親とのトラブルを私に転移しているのだと解釈した。彼らは，そう
> することによって，治ることに抵抗しているのだと。　　　　　　（Ellis, 1994: 3）

　彼は，クライエントの幼児期体験と現在の問題との関係づけのことを，密かに'捜査官ごっこ'と呼んで，それがしばしばうまくいかないことを認めざるを得なかった。なぜ心理治療者は，クライエントが解釈を'受け入れる'ようになるまでに何か月もかかるほどの過程を，それほど受動的になっていなければならないのか？　なぜ療法者は，適切な質問をしたり，クライエント自身が

明らかに感知できることを示したりしてはいけないのか？

エリスは，精神分析に対する不満が増大し，1950年ごろから別の方法を試し始めた。彼は，通常の方法を排して対面面接で，古典的な精神分析で要請された週3ないし5回でなく，週1回にしてみた。そしてより積極的で'表層的'なアプローチを用い，フロイト派の治療者たちよりも早い段階で解釈を与え，情報やアドバイスを与えてみて，クライエントが精神分析よりも早くよくなり，その成果がより長続きすることを発見した。しかしながら，クライエントが獲得したものを持続しなかったり，元に戻ったりすることもあって，エリスはまだ満足にいたらなかった。

彼は，精神分析と行動理論がともに幼少期の学習と条件づけの役割を強調することを認めて，行動的学習理論に興味を抱いた。そして，行動を起こすように激励することだけでは人々を援助できない，つまり洞察だけでは不十分であると確信した。彼は，精神分析の手続きに認知的，および行動的な技法を付け加えることを始めた。彼は自分の経験に基づく2編の論文，すなわち'心理療法技法の新しいアプローチ（New approaches to psychotherapy techniques)'（1955 a），および'精神病者に適用するための心理療法技法（Psychotherapy techniques for use with psychotics)'（1955 b) を発表した。彼は依然として，クライエントの行動とその関係性は無意識の動機によって駆動されていると考え，また彼らは，これらのことを理解すれば，変化し，彼らがさらによくなるような新しい行動方法を実践できると考えていた。

エリスは，彼の成し遂げたこれらの変化をもってしても，クライエントの多くが依然として無益な観念や思考に執拗にしがみついているようで，情動障害が残ったままであることに気づいた。彼は，「かなり高度な心理学的洞察を得ている者を含めたインテリ層の人間たちが，なぜ自分や他者に関する不合理な観念に必死に固執するのか？」と自問した（Ellis, 1994: 9)。このときまでにエリスは，情動障害を説明するための幼少年期の経験や学習の理論が妥当でないのではないかと認識しつつあり，何かしら本質的なものが欠けているのではないかと疑問をもった。

キー事例

　そのころエリスは，37歳の女性を診ていた。彼女は，ほとんどの時間を夫との喧嘩に費やしていた。彼女は，職場でもうまくいかず，あらゆるものが彼女に逆らっていると考えていた。エリスは，彼女の両親が彼女に世界に対して懐疑的になるように教えていたことを発見した。すなわち彼女は，努力をしようとしまいと，いい生活を求める権利があるとか，人々に要望されたり，承認されたりすることだけを行なうのでなければ，誰からも感謝されないと教えられていたのだ。'常に'人々の喜ぶようにふるまうことは不可能なため，彼女は，自分が無価値で不適切であると思い込みながら成長した。愛情と受容は，彼女が人々の要望どおりにしたときだけのものと条件づけられていたのである。

　エリスによる心理治療の2年間に，その女性は，なぜ夫に対してそれほどの敵意を感じたのかを理解した。彼女は，家族から受けたことのない無条件の受容を夫に求めたのであった。彼女はまた，彼女の両親がどのようにして彼女に不適切感を注入したかも理解した。そこでエリスは，彼女に宿題を出すことにした。それは，彼女が，夫は父親でないことを忘れないように努めることであった。したがって夫に対して父親とは違ったやり方でふるまわなければならず，また職場では，たとえ失敗しようとベストを尽くさなけらばならないことであった。6か月を経過するころ，夫との関係は改善され，喧嘩が減り，職場でもうまくいき，その分報いられた。しかし彼女は，やはり自分は基本的に無価値なものと信じていた。エリスが言った何事も，彼女の得たいかなる洞察も，これらの誤った信念を変更させることができなかった。そして彼女は次のように言った。

　　もちろんよくなっていることはわかります……。けれど，やはり私には何かしら腐っているところがある，何か他の人たちはわかっているのに私にはどうにもできないことがあって，基本的には前と同じように感じています。　　　　　　（Ellis, 1987: 151）

　エリスは，彼女に「あなたが'本当に腐っている'という考えを支える証拠は何ですか？」と問うた。彼女は答えられずに，「どうして証拠もなしに，それ

を信じ続けてこられたのでしょうか？」と聞いた。エリスは，一瞬戸惑った。彼女の質問が，自身の考えを反映していたからだ。次いで，彼の心にひらめいた簡単な理由は，「なぜなら，あのー，あなたが人間だから」であった（Ellis, 1987: 142）。これが，転換点であった。人間は，自身に関する誤った観念を抱き続けるのに，特にそれが子ども時代から繰り返し言われてきたことであれば，何の苦労もいらない。この女性は，新たな，より現実的な思考様式が必要であり，そしてそれを実践することが必要だったのである。

その女性は，新たな自己表現の作業を始めることができ，2か月後エリスに言った。

> 私って，罪悪感や混乱に襲われたと気づくと，いつでもすぐに，私が何か変なことを言ってこの混乱を招いたのだと自分に言い聞かせます。そしてほとんどすぐに，その文言に気づくのです。ちょうどあなたが私に示唆してくださっていたとおり，私の考えは，どうしても「……それって，ひどいことじゃない？」とか「もし……だったら，ものすごく大変なことじゃない？」という形になるのです。そこで，この質問をよく調べてから，自分に対して「……それって，どうして本当にそんなにひどいことなのかな？」と問いかけます。いつもそれが，そんなにひどいことでも，ものすごく大変なことでもない，と気づいて，混乱もすぐに克服されます。
> （Ellis, 1987: 157）

変遷

エリスは，このアプローチを他のクライエントに試みて，同様の成功結果を得た。彼は，人々が不健康になる理由，およびその状態に固執してとどまる理由を発見したと思った。言葉を用いる能力は，われわれを動物と区別するもので，われわれが他者に話をすることを可能にするが，それよりももっと意義深いのは，自分に話すのを可能にすることである。われわれは，事態が実際には，多分悪いかもしれないとか，あるいはイライラさせるぐらいのときに，ものすごく大変で，ひどい事態だと自分に対して言う。われわれはまた，願望するものをどうしても必要なものと自分に対して言う。つまり，願望が必須になる。われわれの心理的問題は，単に幼少期の経験や学習の結果ではなく，われわれが自分との対話によって自分に対して再三押しつけ教育を続けていることだと

理解し始めた。われわれの考え方は，われわれ個人の人生哲学になる。もしその哲学が，誤った前提に立つならば，結果として心理的問題が残る。

エリスは，精神力動的な考え方に背を向け，若いころよく本を読んでいた哲学，それも特に幸福についての哲学にその問題解決の手がかりを探っていった。人間の問題のほとんどすべての中心にあるのは，認知，思考様式であると気づいた。1955年の初頭までに，エリスは合理（論理）療法者と自称していた。1956年，シカゴで行なわれたアメリカ心理学会大会に，彼は，新しいアプローチに関する最初の論文を発表した。そして1957年に，その最初の論文'合理性心理療法と個人心理学（Rational Psychotherapy and Individual Psychology）'を刊行し，それを用いる人々を混乱させる不合理信念の主要な12種を特定した。その後多年にわたり，この手続きは多くの療法者にとって不合理信念を特定し，またそれをクライエントに発見させ，挑み，変化させる方法を示す際の心得となった。

最終的発展

エリスは，他の療法流派からの反論にめげす，彼のレパートリーに種々な感情的，および行動的な技法を加えて，そのアプローチの発展を続けた。1962年に彼は，以前の創案論文を改訂して『心理療法における理性と感情（*Reason and Emotion in Psychotherapy*）』を出版した。この著作は，後の1994年にも最新版に改訂されている。1960年代は，他の認知・行動の諸理論も，アーロン・ベック（Aaron Beck, 1967），ドナルド・マイケンバウム（Donald Meichenbaum, 1977）などによって展開されていた。エリスのアプローチもそのような状況の中でいっそう受け入れられ，影響力のあるものになった。

合理情動行動療法は，1955年の誕生以来常に発展し続けている。1960年代後半から1970年代初頭にかけて，エリスは，次のことを含むいくつかの重要なことを付け加えた。すなわち，①ネガティブな諸感情の類別，②クライエントの信念体系に挑戦するためのドラマティックで強力な諸方法の活用，③絶対に'すべきである'とか'しなければならない'が'曲がった'考え方の最大のものであることの強調，などである。1970年代の初頭にエリスは，当初の12項の不合理な信念の起源を主要な3項に絞った。彼はまた，人々がちょっとした

不快でも耐えることを嫌がる（後に彼は，不快障害と呼んだ）点に関する彼の考えを展開し始めた。これらの概念については後で論じることにしよう。

このアプローチの理論

概観

エリスは，『心理療法における理性と感情』において，合理情動行動療法の基本的原理は新しいものではない，と書いている（Ellis, 1994）。彼は，「他の多くの思想家から自由に受け入れ，調整した」（p.53）。たとえばエピキュラス，エピクテタス，マルクス・アウレリュウス，および孔子，ゴータマ・ブッダ，老子など古代東洋の思想家の何人かは，情動障害は多分に本人の責任であると考えていた。エリスは，ストイック派哲学者の影響を受けていたが，彼は，「自分はストイックからは程遠い，REBTは自己実現や最大幸福の考えになじむもので，同じくらい自己鍛錬にも若干の厳格主義にもなじむ」と言っている（Ellis, 1994: 65）。

エリスに影響を与えた近代の哲学者には，イマヌエル・カント（Immanuel Kant）があげられる。特に認知の効力と限界に関するものには彼の考えが含まれる。カール・ポッパー（Karl Popper），バートランド・ラッセル（Bertrand Russel）などの科学哲学者たちも，エリスが「われわれは，自分たちの存在に目的と意味をもたらすために自分，他の人々，および世界の本質に対する仮説を発展させる」と理解するのを助けた。われわれの人生観は，これらの理論に基づいており，エリスはそれを'信念体系（beliefs）'と称した。

エリスはまた，言語が思考に対して大きな影響力をもつことを強調した意味論者たちの著作からも影響を受けている。われわれは，自分の用いる言語によって思考を構築するのであり，独り語りはわれわれの感情に強い影響をもっている。REBTは，また多くの重要な心理療法者から影響を受けて発達した。アルフレッド・アドラー（Alfred Adler）は認知的方法を用いた最初の療法者であるといわれている。彼のモットー「何事も考え方次第である」は，エリスが後に唱えた「人の行動は，その人の観念によって決定される」という主張の核心を

指摘している。エリスは,行動主義者の中では,ジョン・ワトソン（John Watson），およびバーラス・F・スキナー（Burrhus F. Skinner）からの影響を認めている。さらに,彼が行動的な方法によって自分の恐怖を救済できた試みも,彼の開発した心理療法に影響を及ぼしている。

このようにREBTの根底となる理論は,いくつかの学問分野から発出している。それが認知を強調し行為を伴う点で,認知行動療法として分類されるものである。しかし認知行動療法の中の他の流派と異なり,これは独特の哲学を強調している。

パーソナリティ理論

人生における努力目標と目的

REBTは,基本的には認知行動療法と分類されるが,人間的・実存的アプローチとも見なされる。われわれは,人間として自分の人生に意味と目的をもちたいと思っている。REBTは,われわれの経験と価値体系に焦点を置き,ロジャーズのように,「われわれ人間は自己実現的な可能性をもつ。すなわちわれわれは生存するだけではなく,使命を果たそうと必死に努力する（詳細は第3章を参照）」と考える。合理情動行動理論は,人間を基本的に快楽主義的と見なす。エリスはこの言葉を,誰でも一生懸命働けば幸福を実現できるという考えを述べるために用いている。われわれは,努力目標に向かって活動的に動いているときが最高に幸福である。また,基本的目標や目的を達成するために考え,感じ,行動するとき,合理的に生きていると考える。その反対は不合理的に生きているのであり,目標や目的を妨害するような思考,情動,および行動を伴う。

そして,人間は失敗しがちで不完全である。どれほど懸命に努めても,目標に対する過ちや怠慢を犯す。時には,遠い将来の目標を犠牲にして目先の目標を果たそうとして,それを犯す。遠い将来の目標の追求は,しばしばその場の不快な経験を意味し,それは何かしら人間の耐えがたいもののように見える。われわれは本質的に目先の快楽主義者である。

意識化された（わきまえた）自己利益

REBTは,利己的であることを奨励するものとして非難された。しかし,エリスは他人を犠牲にして自分の幸福を追求することを推奨してはいない。彼は,

この自己利益を'意識化された'（わきまえた）という言葉を用いて区別している。われわれは，ほとんど大部分の時間を自分第1にしているが，他者の利益や目標も，特に愛する人の場合は，極めて第1に近い第2のものになる。われわれは社会的世界に住んでおり，責任ある行為をすれば，その行為がわれわれをよりよい世界へと導いてくれ，そこに住むことができる。

▎REBT の ABC

REBT の人格理論は，今では有名なエリスの ABC モデルでよく説明されるが，それは思考と情動と行動の間の関係を説明するモデルである。

A は，刺激的な出来事（Activating events）を表わす。われわれは，人生の目標と目的を達成しようとして働きながら，絶えず外的，および内的な出来事を経験し続ける。外的な出来事とは，われわれの外部で生じる出来事や状況である。それらは，ドアのノック音，あるいは道路の向かい側に近所の人を見かけるなどの実際の出来事でもよいし，またたとえば「ドアの陰に泥棒がいる」という考えなど，実際には生じていないかもしれないけれどもわれわれが生じたと思い込んでいる出来事でもよい。思考はすべてその人の頭の中に生じるとして，内的な出来事とする議論もあるが，このような場合，その思考はわれわれの外部の何かに関するものであるので外的な出来事として分類される。さらに内的な出来事とは，たとえば頭痛がするなど実際の出来事でもよいし，またたとえば「私は脳腫瘍をもっている」という考えのように，生じていなかもしれないけれど生じていると思い込んでいる事柄でもよい。

B は，刺激的な出来事に対してわれわれが抱く，価値判断的な信念（Beliefs）を表わす。それらは合理的なものもあり，不合理的なものもある。C は，それらの信念から生じる感情，行動，認知上の結果（Consequences）を表わす。

A　Activating events 刺激的な出来事──外的あるいは内的
B　Beliefs（evaluations）　信念（価値判断）──合理的あるいは不合理的
C　Consequences 結果──感情的，行動的，認知的

▎A における認知

合理情動行動療法は，次の4種類の認知を区別する。すなわち叙述，解釈，推察，および価値判断的な信念である。はじめの3種の認知はすべて，ABC モ

デルの刺激的な出来事になり得るので 'A' の下に置くのが最もよいが，第 4 番目の種類の認知は 'B' の下に置かれる。これについては，後ほど説明する。

この章の残りでは，タニアという若い女性の話によって ABC モデルを説明する。彼女は，ラリーという若い男性に背を向けて窓際に立っている。彼は彼女を愛しているが，彼女が彼のことをどう思っているかを知らない。

叙述 叙述は，認知の最も簡単な種類である。われわれが見て，味わい，触り，聞くものを，何も加えることなく叙述する。叙述は，明確なものもあり，不明確なものもある。われわれの例では，ラリーは外的な出来事を「タニアは窓際に立っている」と正確に叙述するかもしれないが，あるいは「窓際に座っている」と誤って叙述するかもしれない。もし，彼がそのとき手に汗をかいているという内的な出来事に気づけば，彼はそれを「私の手が湿ってきた」と叙述するかもしれない。

解釈 解釈は，われわれの感覚が自分に語るものに何かを加える。それは，そこで知り得るデータの範囲を超えたものである。また，価値判断を含むものではなく，感情はまったく関与していない。たとえばラリーは，「タニアは窓から外を見ている」と思うかもしれない。彼は彼女の目を見ることができないので，これは彼の思いつきであり，彼女は目を閉じているかもしれず，あるいは床を見ているかもしれない。解釈は，叙述と同様に明らかであることもあり，あいまいであることもある。彼はまた，自分の手の汗という内的な出来事を解釈して，「昼に食べたカレーのせいに違いない」と考えるかもしれないが，発汗は他の要因によることもあるので，これは正しくないかもしれない。

推察 推察は，もう一歩進んでいく。この種の思考も，われわれがわれわれの感覚から知り得る範囲を超えたものであるが，この場合，感情が関与しており，その思考はある程度価値判断を伴うものである。ラリーは，「タニアは，私が嫌いなので外を見ている」と推察するかもしれない。それは正しいかもしれず，正しくないかもしれない。彼女は，外で遊んでいる子どもを見ているのかもしれない。われわれは自分の感情が絡んだときに推察するが，その推察は，経験された感情の詳細を完全に説明するものではない。感情は，ABC モデルの B における第 4 種類目の認知，価値判断的な信念の結果である。

■ Bにおける認知

価値判断──合理的あるいは不合理的な信念　価値判断を伴う信念は，通常，刺激的な出来事に対して何らかの判断をする，その当事者にかかわるものである。それは，合理的（役に立つ）であるかもしれず，不合理的（役に立たない）かもしれないが，経験された感情の詳細を説明できるものである。ある信念が合理的であるか，不合理的であるかは，次の表4-1に示される4つの次元で評定される。

表4-1　合理的，および不合理的信念の特徴

合理的信念	不合理的信念
弾力的であり，しばしば好ましい選択，願望，欲望，好み，所望として表現される。	頑固で独断的であり，しばしば'不可欠の''べきである''当然の'として表現される。
現実に即応している。	現実に即応していない。
論理的──信念の各部分が論理的に整合している。	非論理的──信念の各部分が論理的に整合しない。
実利的──それらが本人の目標追求に役立つ。	実利的でない──それらは通常，本人の生活における目標を妨害する。

われわれの例で，ラリーは次のような思考過程をもったかもしれないので，ABCモデルを用いて説明すると：

A　ラリーは，タニアが窓際に立っているのを見ている［事実としての外的な出来事］
　彼は考える：
　　彼女は窓際に私に背を向けて立っている［叙述］
　　彼女は外を見ている「解釈」
　　これは，彼女が私を嫌っていることを意味する［推察］
B　私は，彼女が私を好いてくれればいいと思うけれど，彼女にその義務はない［合理的な願望］
　もし彼女が私を好きでないなら残念だ，しかし，ひどいというわけではない［価値判断を伴う，合理的，'反・ものすごく大変なこと化'的信念

　　　　（Anti-awfulising belief）]
C　ラリーは悲しみを感じる［結果的な感情］
　　そして部屋から去る［結果的な行動］
　　彼は考える：
　　　　タニアはどうして私を好きになってくれないのだろうか，しかし私は，もしかしたら状況を読み間違えているかもしれない［結果的な認知］

　エリスは，言葉を生み出すことが好きであったようである。'ものすごく大変なこと化（awfulising）'とは，「何かが実現しなければ絶対的に恐ろしいこと，最悪の事態になる」という不合理な信念をいう。その反対語は，'反・ものすごく大変なこと化'の信念であり，それは当人が，「まずいことではあるが，どうにも我慢できないほどのことではない」と結論するようなものである。
　この例において，ラリーは，合理的な信念を保持している。ラリーは，彼の願望を絶対必要なこととはせず好ましいことと表現していて，それが実現しないかもしれない可能性を容認した弾力的な信念である。ラリーは，もしタニアが彼を好いてくれなくても，残念ではあるがひどいことではないと確信しているので，その信念は現実に即している。また，彼が何かを望むからといって，それを絶対に手に入れなければならないことはないと認めているので合理的である。彼の願望が満たされようと満たされまいと，彼は悲しいと感じるかもしれないけれど，その結果で混乱してしまうことがないので実利的である。したがって，彼の信念が生活上の目標を妨害することはない。
　もしラリーがBで不合理な信念をもっていたならば，感情，行動，および認知上の結果は異なっていたであろう。

A　ラリーはタニアが窓際に立っているのを見ている［事実としての外的な出来事］
　　彼は考える：
　　　　彼女は窓際に私に背を向けて立っている［叙述］
　　　　彼女は外を見ている「解釈」
　　　　これは，彼女が私を嫌っていることを意味する［推察］

B 私は，彼女に好かれたい，だから彼女は絶対に私を好きにならなくてはな
らない［マスターバトリ（musturbatory＝'ねばならない主義
的'）†訳者注1で不合理的な信念であり，他者に要求を押しつけている］
もし彼女が私を好きでないとしたら，ものすごく大変なことであり，我慢
できない［価値判断を伴う不合理的，'ものすごく大変なこと化（awfu-
lising）'的，および'我慢できない症（I-can't-stand-it-itis）'的信念］
C オー！ 絶望を感じる［結果的な感情］
彼は，家へ帰って何日間もなす術なく自分の部屋にひきこもる［結果的な
行動］
彼は考える：
タニアは私を好きになってくれない，誰も私を好いてくれない［結果
的な認知——過度の一般化（over-generalisation）］

　この例においては，ラリーの考えは不合理的である。つまり，それが絶対的
に必要な事として表現されていて弾力性に欠けている。タニアがラリーを好き
にならなくてはならないと書いた一般的に通用する法律はないので，この考え
は現実にそぐわない。彼は，彼女に好かれたいと欲するだけで，彼女が彼を好
きにならねばならない，あるいはなるべきである，と考える論理の誤りを犯し
ている。エリスは，この種の不合理な信念を'マスターバトリ'＝MUSTurba-
tory（以後'ねばならない主義的'と訳す）†訳者注1な考えと呼ぶ。'我慢できない
症（I-can't-stand-it-itis）'，および'ねばならない主義'は，エリスの発明した言
葉のさらなる例である。後者は，通常眉をひそめるものである。'ねばならない
主義'の考え方がどのように情動障害をもたらすかについては，本章で後に述
べる（エリスはまた，'我慢できない症'のことを欲求不満耐性の低さとも言っ
ているが，これもこの章で後に述べる）。この場合のラリーの結論は，もし彼が
欲するものを得られないならばそれはものすごく大変なことであり，それには
まったく耐えられない，ということである。その信念をもっている結果として
の感情，行動，および認知が彼の生活目標を妨害するので，この結論は実利的
ではない。
　'〜すべき'ということの中には，不合理的でないものもあり，'べき'とい

う言葉が勧告に適用されることもある。たとえば，「金は安全のために銀行に預けるべきだ」。また，条件的な‘べき’もある。たとえば，「もし一生懸命に勉強すれば，この章の理解は，必要なときまでには完了するべき（はず）だ」。次には，〜に値するという‘べき’がある，「彼の行為は終身刑であるべきだ」。不合理的な‘べき’は1種類だけであり，それは絶対的な‘べき’である。絶対的な‘べき’は，それが満たされなかったとき，「ものすごく大変なことだ，我慢できない」などが派生し，それらが不健康でマイナスの感情をもたらす。

■ Cにおける認知

上記の2例において，われわれは，Bにおける価値判断を伴う信念の結果としての認知に触れた。これらの認知が，いかに容易に歪曲されるかについては，この章で後に述べる。

感情　ABCモデルにおいて，‘C’はしばしば結果としての感情を示す。われわれの経験する感情は，われわれのもっている信念体系によって決定される部分が大きいという点で，われわれの統制下にある。信念を変えれば，感情も変わる。エリスはこのことを立証する議論で，何らかの考えが先行せずとも自然発生的に感情の爆発が生じることがあると認めている。たとえば，もし誰かがあなたの後ろで突然に大きな音を立てれば，あなたは即座に不安を感じる。この種の感情は，生理的な根拠をもっているように見える。すなわちそれは，生存しようとする機能の役に立っている。

REBT理論は，健康な感情と不健康な感情とを区別する。また感情には，マイナスのものとプラスのものがある。たとえば幸福感などのプラスの感情は，健康的と見られるものが多い。例外的に，躁状態はプラスの感情として経験されても実際には大いに不健康である。また，マイナスの感情の中にも厳しく不快であるが，実際には大いに健康的と見られるものがある。たとえば，親の死にあたって厳しい悲しみを経験することは，健康的であり適切であろう。健康的なマイナスの感情は，われわれに対して，変えられるところは変えて，変えようのない出来事に対しては適応させようとする。われわれの事例で，もしタニアがラリーの愛に応えないと決心した場合，彼にはその状況を変えることはできない。彼は，悲しく感じるであろうが，その悲しさは健康的である。なぜならばそれは，その出来事を処理し消化して，適応する道を探せるようにする

ものであるからである。不健康でマイナスの感情は，変わり得るものを変えることさえできなくしてしまうか，あるいは，変えようのない事柄に対して順応することを妨害する。ラリーが，もし抑うつの感情を経験するときは，その情況に順応することが困難になるであろう。それはまた，彼に対するタニアの意見に影響を与えることにもなるであろう。彼は，幸福を手にするという人生の総合的な目標に対して役に立たないような方向に考え，かつ行動することになる。不健康な感情には，怒り，抑うつ，罪責感，恥辱感などが含まれる。それらとは対照的に，健康的なマイナス感情には，気がかり，気遣い，悲しみ，失望などがある。

行動　ABCモデルにおける'C'はまた，結果としての行動をも表わす。REBT理論では，人間の行動は，自分，他者，および世界に対する信念によって決定される，と考える。役に立つ行動は合理的な信念からの結果であり，役に立たない行動は不合理信念からの所産でありがちである。

　われわれの行動は，通常何らかの目的をもっている。たとえばわれわれは，自分が経験している不快感を変えようとして何らかの特定の方針で行動するものである。エリスは，自分の不安という不快な感情を克服するために，みずからを追い込んで公衆の前で話をするようにした。あるいはまたわれわれは，他の誰かから都合のよい反応を引き出すために，ある種の特別な行動をすることがある。ラリーは，タニアから何の反応も得られないとき，タニアが彼を無視したことに罪悪感を抱いて慰めを与えてくれることを期待して泣く，ということもあるだろう。人々は，それぞれの感情と信念にしたがって独特な動き方をしがちである。たとえば恐怖を経験したとき，それに対処するよりもその場面から逃避してしまう人もいる。この'行動傾向'は，その人がその場の不快を避けるのには役立つが，長い目で見ると，恐怖に対して建設的に対処することを妨げるという点でためにならない。エリスも，そのように不快を避けて，長い間女性との交際を避けてきた。もし彼が，この行動傾向に固執していたなら，彼は不安を克服することがなく，おそらく女性と満足な親密関係をもつことがなかったであろう。

■ 認知，感情，および行動の相互作用

　上記のことから読者は，REBT理論では「感覚，思考，感情，および行動が

それぞれ分離している」と考える，という印象をもつかもしれない。上記に述べた ABC モデルは，簡単すぎてウソのように見える。何事かが起こる（A），それに対してわれわれが何らかの信念（B）をもって，行動した結果（C）として，何かを感じ，考える。この図式は，現実の複雑さを覆い隠している。実際，4つの基本的な過程——感覚，行動，思考，感情——のいずれも単独で生じるものではない。われわれが何かを感覚するとき，われわれは何かを行ない，それに対して何かを考え，何かの感情を経験する傾向がある。たとえば，ある少女が路上に1ポンド貨幣が落ちているのを見たときは，屈んでそれを拾う傾向がある。彼女はまた，発見したことに喜びを感じ，何に使おうかと考えるであろう。もし彼女が，それをお菓子を買うのに使おうと決心したならば，その店のほうへ移動し，何を買おうかと考えてわくわくするであろう。彼女の思考は，彼女の感情に，そして行動に影響を及ぼす。同様に，彼女の感情が彼女の考えや行動に，そして彼女の行動が思考や感情に影響を与える。もし彼女がそれらのうちの1つを変えると，他のものも変わりがちである。たとえば，もし彼女が母親からまっすぐに家へ帰るようにと言われたことを考えると，彼女の感情は店へ行く間に幸せから罪悪感へと変わるかもしれない。その結果，彼女は行動を変えて，ともかく家へ帰ることにするかもしれない。

パーソナリティの発達

　エリスは，われわれの人格がどのように発達するか，についての詳細で整合性のある理論をまだ十分に発展させてはいない。これはおそらく，彼が心理治療において，その人がどのような起源をもってどのように発達したかという問題よりも，その行動や人格の現在の側面に集中して見るほうが有効だと考えているからであろう。現在においてその理論は，生まれつきの性格と環境の影響の相互作用に焦点を置いている。

生まれつきの性格

　人間は，生物学的な基盤に立つ2種類の傾向をもって生まれてくる。エリスは，人間たちがあまりにも曲がった考えをしがちなことを理由に，われわれが不合理的に考える傾向は生まれつきのものだと考えた。合理的に育てられた人々でさえ，自分たちの欲望や願望にこだわり，それらを容易に自分らに対す

る，また世界中の他者に対する要求に変えてしまいがちである。不合理的に考える傾向は，幼い子どもの中に明らかに見られることである。

　生物学的に根拠のあるもう1つの傾向を言えば，われわれは自分の考えを変える方向に働こうとする能力をもっている，ということである。われわれは，不合理的に考える生来的な傾向の奴隷ではない。本章で後ほど述べるように，REBTの実践の基盤には，人間のパーソナリティに対するこの楽観的な見方がある。

　エリスは，人間の行動のばらつきの80％は生物学的な基礎に立つものであり，残りの20％は環境的な影響によるものであると述べている（Ellis, 1976）。人間は，生まれた直後から，環境や他者から学習する生物学的な能力をもっている。他の動物と異なって，われわれはよく発達した大脳皮質をもっており，それによってわれわれは環境の影響に反応し，また自分の行動を変えることができる。

■ 環境の影響

　エリスは，多くの環境的な要因がわれわれのパーソナリティに影響し，それを持続させていると言う。われわれは，家族の中に生まれ，通常は，家庭，学校，より広い社会など，社会的な集団の中で育てられる。これらの集団の中で，行動，思考，感じ方，および生まれた文化のルールを学習する。われわれは，他者との関係から，また両親や先生やその他からの特別な教育から，さらに本やメディアから影響を受けることができる。エリスは，われわれに対して与えられる賞と罰の効果を認めている。それらは，われわれの周囲の人々から，またわれわれ自分の行動を'よい'か'悪い'かで評定するようになるにしたがって，自分の内部からも起こる。

■ 発達段階

　赤ちゃんは，生まれたときから乳を吸ったり泣いたりする合理的な行動を示す。それらの行動は，多分に本能的であり，食物や快適さに対する欲求を満足させる。エリスによると，赤ちゃんは生後2年の間に，自分の観念，期待，および自分自身の，また他の人々や世界についての理論を体系化する，つまり'科学者'になる能力を発達させる（Dryden, 1990）。それらの理論は，大脳皮質が発達するにしたがってより具体化し，そしておそらく，よいことは楽しく，悪いことは不快であるから，楽しさをより多く，不快さをより少なくと求めるよ

うな考えに集約していく。この合理的な信念は，健康な感情的，行動的，そして認知的な結果につながる。しかしそれは，たとえば「苦痛は悪であり，けっして経験してはならない。それは，私には我慢できないほど悪いことだ」といった不合理な信念を発達させることもある。あとで説明するが，この人生につきものの苦痛と不快に耐えられない状態は情動障害を引き起こす。エリスはこれを欲求不満耐性の低さ（LFT）と呼んだ。

　エリスの考えでは，子どもは，快と不快の観念が発達するとまもなく，言語を用いることができるようになる。それにつれて，セルフあるいはエゴの観念を発達させる。子どもは，自分のことを，よい，あるいは，悪い，と見始める──それは，しばしば自分に対する親の態度によって方向づけられるものであるが……。人類は，親やその他の家族，学校の先生，文化的・社会的規範，および仲間からの教えにことさら影響されやすい，とエリスは主張する。子どもの最初の考えは，「私は，愛され，認められたい」という線に沿ったものであろう。そしてその願望が，'ねばならない'に変わる。人々（親や周囲の人たち）は，私が手にいれ'なくてはならない'愛情と承認を'絶対に'与えてくれ'なければならない'となる。子どもは，自分という意識が発生すると，さらに加えて，「もし私が愛されず認められないならば，私に何か悪い点があり，私が悪いのだ。私は罰せられることに値する」という考えが発達する。

　子どもの生活において，親や周囲の重要な人々が不適切な言葉使いをすることがある。たとえば，母親が子どもに対して「あなたは良い子でなくてはなりません，だから野菜を食べなさい」と言うなどである。子どもたちは，これを「親たちからのこうした'要求'を実行しないかぎり，愛され，認められることがない」という意味に理解しやすい。実際には，その親たちも「あなたには野菜を食べてほしい，だけど，もしあなたが野菜を食べなくても，やはりあなたを愛しているよ」と言おうとしているのが普通である。子どもは，親の使ったその言葉から，親の希望にすぎないものをあまりにも深刻に受け取り，それを常に従わなくてはならない命令に変えてしまう。エリスは，子どもがしばしば親や先生の希望として求められただけのことでも，'マスト（ねばならない）'に変えてしまう点から，人間は生来的な'マスターベイター'（musturbator='ねばならない主義者'）だと見ている。

問題はどのように発生し，われわれはそれをどのように持続させているか

情動障害の起源に関するREBT理論は，われわれ人間の考え方の傾向に関するエリスの発想を発展させたものである。古代の哲学者が考えたように，われわれをパニックに陥れるのは，われわれに対して生じた出来事ではなく，むしろわれわれ自身の経験していることに対する不合理な考え方であり，それをもつことによって，われわれがみずからパニックに陥るのである。

■ 人間の不合理性や障害の生物学的基盤

人間の情動障害について，生物学的な起源を強調することは，REBTの1つの特徴である。そこでは，われわれの情動状態に対する影響力は，われわれが不合理的にものを考える生まれつきの傾向のほうが環境上の影響よりも強いと強調する。しかし，エリスの'生物学的基盤をもつ'という見方は，われわれの情動障害やパーソナリティ特性が，目（皮膚）の色のように遺伝的に定まっているというようなことを意味するものではない。われわれは必然的に生まれつきの特徴をもつのではなく，また，もしそういうことがあるとしても，いかなる特徴も常に変化し得るものであるというものである。たとえば，不安への生来的傾向をもつ個人は，そのような遺伝的素質をもたない個人に比べて，より容易に不安を生じるであろう。そのような個人は，そうした性格特性をもたらす信念を変えることができにくい傾向にあるが，それでも変化の可能性がないわけではない。

エリスは，人間の不合理性が生物学的な基盤にあるとする彼の信念を，多くの観察によって支持している。彼は，かつて「何らかの神経症的な症状にまったく縁がなく，宗教的な教義に規制されることもなく，健康のために何らかの馬鹿げた嗜癖にとらわれたことのない人間を見たことがありますか？　実際，あなたがそのような事例に1人として出会うことはないと私は断言します」と書いている（Ellis, 1977: 15）。彼はまた，社会的・文化的に異なる集団の中に，類似した不合理な信念体系が見いだされることを指摘している。世界のどこへ行っても，われわれは，絶対主義，独断，宗教狂信，自己固執性などの不合理な信念体系の例を見ることができる。「極端化は，何らかの馬鹿げた形をとって，人間の本質的な特性としてとどまりがちである」（Ellis, 1977: 17）。われわれは，

1つの不合理な信念を放棄することができたときでも，別の不合理の信念をもってしまうのである。

■ 環境の影響

環境の影響，特に家族や社会からの影響が情動障害に加担する。われわれは，'科学者'のように周囲から受けるメッセージに対して十分に批判的であるとはいえない。もし十分に批判的であったなら，宣伝に踊らされたり簡単に偏見が形成されたりするはずがない。ある人のほうが他の人よりも影響を受けやすく，そのため，ある人は他の人よりも情動障害に陥りやすいという点で，生体と環境との間には相互関係がある。この考えは，心理的に押しつけがましい同じ家族に生まれてきた2人の子どものうち，一方が情動的にダメージを受けるのに対し，他方は比較的無傷に発達することができるのはなぜかを説明する。エリスは，自分の家族の例を引用している。彼は子どものころから心理的に問題はなかったが，彼の姉妹は，生来的に頑迷で曲がった思考の傾向をもっていて情動障害に陥った。

■ ABCモデルの改訂

ABCモデルは，刺激となる出来事(A)と，それに対してわれわれが抱く信念(B)と，それらの信念の結果(C)との関係を説明するのに用いられたものであることをすでに述べた。ここで再び，われわれの抱く不合理な信念，およびその信念からの派出に対して焦点を当ててみたい。

評価的不合理的信念(B)は，通常，独断的な，'〜べきだ''〜でなくてはならない''〜のはず''〜でなくちゃ'の言葉で表現される。REBTではそのような信念は，不健康な心理的結果(C)，すなわちわれわれの目標達成を妨げるものになる可能性が高いと述べている。

エリスによれば，人々が用いる不合理的あるいは'ねばならない主義的'な信念には，主要なものとして3種ある。第1は，自己に対する強要で，しばしば次のような形で述べられる。すなわち「私は，学校で優秀でなくてはならない。もし優秀でないときは，私は悪い人間であり，愛される資格がない」，あるいは，「私は，完璧な母親でなくてはならない。もしそうでないときは，すべての結果に責任をとらなくてはならない」。これらの信念は，不安，抑うつ，恥，罪悪感などを導きやすい。

第2は，他者に対する強要である。「あなたは私に対していい人でなくてはならない。そうでないと私は耐えられない。それは恐ろしいことである。どうしてあなたは，私に対してこのような仕打ちをあえてするのか。あなたは悪い，価値のない人間だ。だから罰されなくてはならない」。これは，怒りや攻撃の感情と結びついている。第3の'ねばならない'は，世界，および当人の生活環境条件に関するものである。「私の生活環境は，私の望むとおりのものでなくてはならない。もしそうでないとしたらひどいことだ。不公平だ。なんと不幸な私」。この種の'ねばならない主義的'な信念は，自己憐憫と攻撃の感情に導きやすい。

　これら3つの'ねばならない主義的'な信念のどれからでも，不合理的な結果や派出物が出てくる。派出物の主要なものは3種ある。最初の2つは，'ものすごく大変なこと化'と'我慢できない症'で，すでにラリーとタニアの例で紹介した。タニアが絶対的に自分を愛さなくてはならないという'ねばならない主義'の信念をもった結果として，彼は，もし彼女が愛してくれなかったらものすごく大変なことで，彼には耐えられない事態だ，という結論に至った。

　'自暴自棄'は派出物の第3のものであり，もしわれわれがすべきでないことをしてしまったり，あるいは，絶対にしなければならなかったことに失敗したりしたときに，誰でもが自分を悪い，あるいは非難されるべきものと評価する傾向に関係している。われわれはまた，生活環境があるべき（と思う）状態でないときには，他者に対して呪ったり，生活環境条件が腐りきっていると結論したりする傾向をもっている。

■ 認知の歪曲

　第2の例では，ラリーの'ねばならない主義的'な信念が，Cの情報を処理する段階で影響を及ぼし，そのために彼は，タニアが彼を愛してくれないならば誰も彼を愛してくれないと結論した。人間は，入ってくる情報をいろいろな方法でゆがめてしまう傾向をもっている。いくつかの例を次に示す。

すべてかゼロか的思考　人は時々，極端な形でものを考えることがある。「私は重大な仕事で失敗してはならない，その私が試験で落第した。したがって私は，何をしても完全な失敗者である」。

パーソナリゼイション（自分に関係のないことを関係づけてしまう：関係念慮）

われわれは時々，自分に関係のありそうもない出来事に心が奪われ，たまたま生じたことが何かしら自分に関係していると思い込むことがある。ラリーが窓辺のタニアを見たとき彼女が彼を見ていなかったのは，彼女が景色に見惚れていただけかもしれない。しかし彼はその出来事を私事化して，彼女の行為が彼にとって個人的な意味をもつと想定し，「彼女は自分を嫌っている」と推論した。

最低化と最大化　われわれは時々，出来事を実際以下，あるいはそれ以上に評価することがある。小論文でよい成績を取った学生が，時に「あァ，今回は運がよかっただけ」と，その成就を最低化したり，また，悪い成績だったときには「ひどいことだ，私に論文など書けっこないと言ったとおりだ」と最大化したりする。

過度の一般化　われわれは時々，あまりにも少ない経験例から，一般的な結論を引き出すことがある。学生から1～2回悪い評判を得た講師が，「私には，よい講義はできない」と過度に一般化することがある。

完璧主義　何事でも自分のすることに完璧を期する人が多い。「私は完璧な母親でなくてはならない」と自分に言い聞かせる母親は，反面，常にうまくやることはできないので，自分がダメな母親だと言うこともある。

▍家族と集団の影響

　ABCモデルは，われわれの問題について，あたかもわれわれが1人で暮らしているかのように説明しているように見えるかもしれない。しかしエリスは，われわれが通常，家族あるいは何らかの集団の中で暮らしていることを指摘している。その集団，あるいはシステムは，その中にいるものに影響を及ぼす。強い，そしてしばしば不合理な信念，およびそれに伴う感情的・行動的結果をもつ人がいると，その存在は，そのシステムの他の者に影響を及ぼしがちである。われわれは，われわれの信念体系がいかにわれわれ自身や他者に影響し，当然集団全体に影響し，結局のところ，その集団がいかにわれわれに影響するかも同時に理解する必要がある。

▍情動障害の主要な2つのタイプ

　エリスは，ほとんどすべての情動的，および行動的障害は，2つの主要なカテゴリーであるエゴ障害と不快障害に分けられると考えている。

エゴ障害　エゴ障害とは，自身，他者，および生活条件に対する強要に関係す

る。彼らは，自分に対する強要がかなえられないと，自分をネガティブに評価する。たとえば，「私は親切で，利己的でない人間でなくてはならない。もしそうでないと，私は悪人である」。その強要が，現在あるいは過去に関してなされたものであれば，結果は罪悪感か抑うつとなるであろう。また，その自身に対する強要が将来の事柄に対するものであれば，彼は自分が科した強要に将来応えられないと知覚し，その結果エゴ不安が生じるかもしれない。

われわれは，エゴ障害の健康的な代替，すなわち無条件の自己受容について，本章で後ほど述べる。

不快障害　人々が各自の個人的な快適と安全に関して絶対的な要請をしたとき，その要請が満たされなかったら，彼らはたぶん，情動障害を経験するであろう。われわれは目先の享楽主義者であるから，遠い将来の目標を達成するための短期間の欲求不満にさえ耐えられないことがある。たとえば，読者がこの章を読んでいる間に，そこで述べられている内容をとらえるのが困難という経験をし，何らかの不快を感じることがあるかもしれない。もしあなたが，不快な経験などあってはならない，もしあったら耐えられない，と自分に要請するならば，「ポイントは何か，こんなものは絶対理解できっこない」と考えて，読むことを諦めてしまうことになりかねない。あなたは短期的には，不快の原因と思うものを除去して気分がいいかもしれないが，REBTについて理解するという長期的な目標を放棄してしまうことになる。一方，もしあなたが，「これは難しい。これを何の苦労もなく理解できるようであればいいと思うが，少しの間の不快は我慢できる」という信念をもっていたら，あなたは，忍耐して長期的な目標を達成できる見込みが大きい。

■ REBTの3つの洞察

エリスは，われわれがなぜ不合理な信念を持ち続けるのかを説明する考えをいくつかあげている。その考えの1つとして，われわれが問題をいつまでも引きずる理由は，3つの基本的に重要な洞察を欠くためであるということである。その洞察の第1は，心理的な障害がわれわれの自分，他者，および世界に対して抱く‘ねばならない主義’の不合理信念から生じるということである。障害の‘原因’を，もっぱら外界の事象に帰着させて，自身の曲がった信念にあると考えない人々は，この洞察を欠いている。彼らは，自分の信念を変えるので

はなく，外界の事柄を変えようと努める。

　洞察の第2は，われわれが障害から立ち直れない理由は自分の抱いている不合理信念によって現在でも引き続き自身を洗脳しているからであるという点である。われわれはそうした信念を過去に獲得してしまったかもしれないが，現在でもとらわれ続けているのは，その信念に固執することをみずから選択しているからである。人間は，しばしば'ものすごく大変だった'過去に視野を絞り，それらの出来事を彼らの障害の口実として信じるものである。われわれの過去の歴史や現在の生活状況は，重大な影響を及ぼすかもしれないが，障害の原因ではないとREBTでは説く。

　第1ないし第2，あるいはその両方の洞察をもつ人でも，第3のものは欠くことがある。それは，われわれが信念を変えるためには，現在，および将来にわたって，不合理な信念に対抗して一生懸命に考え，感じ，行動しなければならない，ということである。近道や魔法の杖はないのである。パーソナリティ変容には，曲がった考えや習慣に反論する不断の強い挑戦が必要になる。

■ 欲求不満耐性の低さ

　欲求不満耐性の低さは，不快障害と関係している。REBTによれば，人々がみずからの問題をいつまでも引きずっている大きな原因は，欲求不満に耐えられないと思っているからである。それを克服するために必要な労作を避け，現状の維持を望むものである。そうした労作は，'あまりにも不快で耐えられない'ものに見えてしまう。エリスは若いころ，政治活動のために大衆の面前で話すようにみずから強制して，自分の欲求不満耐性の低さと人前で話すことへの恐怖症を克服した。彼は，初期の不快を耐えることによってよく話せるようになり，話すことを楽しむまでになった。自分の情動的な問題を克服するという目標を達成するための不快を拒絶する人々は，障害を引きずったままになる。

■ メタ (meta) 情動障害

　サリーは，目標に向かって努力しているシングル・マザーである。彼女は，しばしば自分の2人の子どもたちと衝突する。彼女は，常に完璧な母親でなくてはならず，したがってけっして子どもと衝突してはならないという不合理な信念にしがみついている。それで彼女は，子どもたちに対してイライラしたときには罪悪感を抱く。自分の腹立ちに対して罪悪感を抱くことによって，もと

もとの問題に加えてもう1つの問題が加わる。われわれの問題を永続させるこの仕組みは，以前は'障害から派出する障害'と呼ばれたものであるが，現在はメタ情動障害と呼ばれる。

■ 防衛機制

REBTは，「人々は，自分に何らかの問題があることを否認し，あるいは自分の困難事の責任をとらなくてはならないことを否認する，という防衛を用いる」と考える点で，精神力動的理論と一致する。これらについての説明は，第2章で述べている。REBTは，防衛機制のことを，われわれのエゴに対する脅威を遮断するものという意味だけでなく，われわれの快楽感に対する脅威を遮断するものという意味にも認めている。エリスは，自分の問題についての責任を避けようとして防衛機制を用いることは，不合理信念を変える作業に挑戦することをも避けてしまうと考えている。

■ 報酬あるいは2次的利益

われわれは，不合理な信念にしがみつくことによって，何らかの報酬を得るものである。

> **事例**
> ジェニファーは，広場恐怖症で，自分で外に出ることができなかった。彼女の夫エリックの対応は，自分に対する彼女の依存性を喜んで，彼女を愛し，世話をするというものであった。ジェニファーは，自分がその恐怖を克服してしまうと，夫がこれまでのような注意を注いでくれなくなると恐れた。彼女の情緒的苦痛（広場恐怖症）は，それ以上に苦痛でひどい状態であろうと認知されたもの（夫エリックの愛情が薄れる可能性）から彼女を防衛した。

REBTは，人々が自分たちの障害に執着するのは，変化の結果に対する悪い推量と評価のためであると述べている。

■ 自己成就予言

人々は，自分に対する自己評価と整合するようにふるまう傾向がある。たとえば，社会性に不安をもつ人々はしばしば，視線が合うのを避けたり，部屋の隅に隠れるようにしていたり，一言で返事したりして，他の人たちが近づいて話しかけにくいように行動する。

このアプローチの療法

　エリスは，カウンセリング／心理療法の多くのアプローチは，クライエントの問題に対する援助として役立つが，効果を生じるのに長くかかりすぎて効率性に欠けると考える。合理情動行動療法は，クライエントの問題が何であるのかを確定し，その苦痛をできるだけ速やかに緩和するようにクライエントとともに作業に取りかかる。

　われわれは，みずから負けようとする傾向の奴隷とならないようにし，それよりもむしろ，曲がった考えを変化させる方向に努力しようと決心することができるのである。再々述べてきたことであるが，このことが合理情動行動療法の基本である。

　　人間が曲がった考えによって不必要な自己憐憫感や障害を作りやすくできていることは不幸であるが，もし，それをいかにみずからが行なっているかを明らかに知り，別の考え方をするように努力するならば，幸いなことに，たいがい，時には速やかに，自分の障害の基礎的要因となるもののいくつかを変えることができる。　　　　　　（Ellis, 1994: 54）

特徴的な様相

　REBTは，カウンセリング／心理療法の他の多くのアプローチと異なって，クライエントが現在の問題を克服するように援助することをめざすだけではなく，彼らが深い哲学的な変化（思考の変化）を遂げるように援助することをもめざす。この野心的な目標は，クライエントを，短期間に壮快にするというよりも，回復して長い期間その状態が続くように援助するものである。症状の回復だけでは十分ではない。エリスは，心理療法の浸透についてそう述べ，それを「クライエントがいくつかの現在の問題に対処するだけでなく，多くの問題，ある意味で人生全体に対処するのを援助すること」と定義している（Ellis, 1980: 415）。REBのカウンセラー／心理療法者とそのクライエントとの関係もまた，特徴のあるものである。彼らは，クライエントに対して積極的・指示的なアプ

ローチを用い，また，クライエントの不合理な信念を見立て，挑戦するときには，エリスが'力とエネルギー'と呼んだものを用いることが多い。

見立て（アセスメント）

　REBTを用いるカウンセラー／心理療法者は，人の生活や経験の詳細を収集することには関心がない。その人の過去についての詳細は，本質的なものでないと考えられるだけでなく，カウンセラー，およびクライエントの注意を現在の情動障害の問題から逸らせてしまう魅惑的なものになる可能性をもつものと見られる。

　本質的なものと考えられる基本的な情報は，エリスが考案し自伝的情報様式と呼んだ書式を使用して収集される。療法者はこれによって，クライエントの氏名，住所，年齢，結婚状態，学歴，職業，兄弟姉妹の数，両親は存命か否か，過去に心理療法を受けたか否か，などの情報を集めることができる。クライエントは，現在，および過去のおもな訴え，症状，および問題の概要を記述し，問題がどのような状態のとき悪化したり回復したりするかを述べるように求められる。追加的な質問は，社交上，性愛関係，職場関係，学校時代の問題点，および医学的，身体的な問題に関するものである。クライエントはまた，自身に関して最も変わりたいと欲することを列挙するよう，そして最後に，母親，父親，兄弟姉妹との関係について簡単に記述するように要請される。この書式は，面接の時間を使うことなく速やかに基本的な情報が集まって，すぐに間に合う書式として用いられる。加えて，REB派のカウンセラー／心理療法者は，以下のようないくつかの典型的な不合理信念を見いだすためのパーソナリティ・データ書式を用いることもある。

・他人の見ているところで失敗することは，ものすごく大変なことだと思う。
・物事に失敗し続ける人は，ほとんど価値のない人間だと思う。
・この世は厳しいので，自分をかわいそうだと感じることは，許されることだと思う。
・不安や怒りなどの強い感情は，外的な条件や出来事のために生じるもので，当人が抑えることのできないものであると思う。

(Ellis, 1968)

そして，それらの陳述の1つ1つについて，クライエントがどれほど強く信じているかを明らかにするような質問をする。この様式は，クライエントの問題の基底にはどのような不合理信念があるかについての考えを療法者に速やかに与えてくれる点で役立つ。

REB療法者が真っ先に発するであろう質問の1つは，「今あなたの一番の問題は何ですか？」である。クライエントが問題を述べ始めるにつれて，カウンセラーは，ABCモデルにしたがって問題を分析し，要因の1つ1つについての見立てをする。この見立ては，カウンセリング過程の1部であり後で詳しく説明する。

初期の面接における見立ての目的の1つは，クライエントが合理情動行動療法に適するかどうかを決めることにある。他のすべてのカウンセリング／心理療法のアプローチと同様，REBTは軽い障害のクライエントに対して最も効果的であるが，強い障害の人たちに対しても用いられ成功してきている。さらに重度の障害をもつ人たちの場合は，ABCモデルを受け入れることが困難であったり，またケースによってはまっとうに考えることのほうが難しかったりして援助が困難である。REBTがうまく働くためには，実際にはクライエントがみずから挫折してしまったということを理解し，またそうならないようになることができる，と理解することが必要である。最初の面接でカウンセラーは，クライエントのおもな問題をABCモデルを用いて診断し，そのクライエントが合理的な考え方をするようになるにはどれくらい困難があるかを判断する。エリスは，「どんなに困難なクライエントであるとわかっても，実際にはけっして放棄しない。私は，より懸命に仕事をし，彼らにより懸命になるように説得するだけである」と言っている（Dryden, 1991: 73）。

しかしエリスは，「クライエントの中で，現実との接触がない人，高度の躁状態にある人，重度に自閉的な人，脳損傷の人，知的障害の人などはREBTに適しない」と考えている（Ellis, 1989: 222）。時々は，REBカウンセラーがこれらのクライエントを診ることもあるが，療法の目標は多分に限られている。たとえばエリスは，症状を抑える投薬を受けているという条件の下でなら，精神病性障害のあるクライエントも診る。そして，彼らが障害をもつものとしての自分を受け入れるように援助する。

REB派のカウンセラー／心理療法者は，このアプローチの限界を認めている。エリスもドライデンも援助できなかったクライエントについて述べている (Dryden, 1996; Ellis, 1991)。これは，クライエントが面接で合意した作業を実行しないためであったり，あるいは，クライエントが自分の感情に対する責任を取らなかったりするためである。これらの失敗は，時に実践者のスキルの未熟さによることもある。かつてドライデンが言ったように，「REBTは，へたな実践も容易である」からである。

ゴール（具体的な達成目標）

REBTを，多くのカウンセリング／心理療法からのみでなく，他の認知行動療法諸派からも区別するのは，クライエントに深く永続的な思想的変化を求めるという野心的な目標にある。それらの変化とは，

a）望ましいことは，それとして保ち続けながらも，自分，他者，および世界に対して強要することを諦める。
b）自分を評価することをやめる。自分を無条件に受け入れるようになること。
c）何事によらず，'ものすごく大変なこと'と評価することをやめる。
d）自分の基本的な目標と目的に向かって努力することによって，欲求不満に対する忍耐力を向上させる。
(Dryden, 1996: 312)

である。例として，REBTカウンセラーとの面接における，あるクライエントの発言をあげる。

この試験に合格する見込みはありません。けれど私は何としても合格しなければならない，合格しなかったらほんとにお終いです。だけど私が自分に「しなければならないことは勉強することだけ」と言い聞かすたびに，どうしても打ち込めないものがあります。私の内部に一種の病気があって，それは，私が再生へのあがきをやめるときだけ，収まります。そこで私は，あがきをやめて，外出します。まずいことは，私の担任が，私が何を気にしているかについて厳しくマークすることです。つまり，彼は私をこんなふうに扱うべきでないとい

うことです。フェアでない。どうして私たちはこんな苦しみに合わなければならないのでしょう。とんでもないことです。

　この部分で，このクライエントは，自身，および他者に対して要求していること，自分を'無価値なもの'と評価していること，経験をものすごく大変なことと評価していることなどを示している。また彼女が，不満に耐えられないことも示している。もしセラピストが，リラクセーション訓練法，あるいは特別な個別指導面接などによって，試験不安だけを取り扱うならば，このクライエントが基底に抱いている人生観は変化することがないであろう。したがって，この生徒は将来もあせりに対して負けやすいままであろう。

　しかし，人生観的な変化が不可能な場合は，REBセラピストは，時に少し範囲を限定した変化を設定することでクライエントと合意することもある。そこでは，症状からの一時的な軽快を達成するか，あるいは深いレベルではないが，ある程度の人生観的な変化を達成する，という形となる。

治療的関係

心理療法の形式

　合理情動行動療法は，カウンセリング／心理療法の他の多くのアプローチと同じように，治療的関係を重要と見なす。REBTは，教義的にならないようにという基本的な哲学があるので，特殊な1つの形の関係に固執することはしない。しかしながら，積極的・指示的な形が最も効果的で効率的なものとして奨励される。エリスは，施療期間を通じてカウンセラーとクライエントがともに積極的であることが望ましいと述べている。彼は「多くの場合，おもな活動は，介入し，気遣いつつの精力的な授業である」と述べている（Ellis, 1973: 15）。クライエントがABCモデルについて教えられその概念を理解すると，カウンセラーはやや教示性を減らし，クライエントが自分で自分をとらえるようになると，指導性を減らす。そのときは，カウンセラーの役割はより積極的に激励することに変わる。

　究極的な狙いは，クライエントが自分の問題の責任を取り，心理療法が完了したときに，いかに自分のカウンセラーになるかを学ぶことである。

望ましい治療的関係とは，クライエントとカウンセラーがともに自分，および相手を，つまずきやすい人間として受け入れ合い，問題解決に関する専門性や知識においては平等とは言えないものの，人間性においては平等であるというものである。

REBカウンセラーは，不合理な信念が彼らの問題にどれほど大きくかかわっているかを理解してからもその不合理信念に執拗にしがみついているクライエントに対しては，しばしば強制的な手法を採用する。クライエントの中には，セラピストをエキスパートとして期待するあまり，形式的な手法を期待するものもあり，またそのようなアプローチはつきあいにくいとして，もっと友好的なアプローチを望むものもある。この手法の弾力性はまだ十分に研究されていないので，どの手法が最も効果的で効率的なのか，実際的にはわかっていない。カウンセラーとしては，たとえば容易に受け身になるクライエントに対して積極的になることのないよう，また独立心が容易に脅威を感じやすいクライエントに対して指示的になりすぎないように，自分の手法を注意深く考慮することが望ましい。

■ 施療の条件

REBTのゴールの1つは，クライエントが自分自身を無条件に受け入れるように，また自分を悪いとか無価値と評価しないように激励することである。セラピストは，そのモデルとなるように，自分のクライエントたちを無条件に受容する。これは，エリスがキリスト教教義の「罪を裁いて人を裁かず」と一致する1つの側面である。また，この点でREBTは，カール・ロジャーズが無条件の厚意，一致性，および共感を核心的な必要条件とすること（第3章参照）と一致するが，それらの条件で十分とすることについては一致しない。クライエントのふるまいが'悪い'すなわち自己敗北的であったり，あるいは自分の犯した反社会的な行為を話したりするときでも，REBカウンセラーは，クライエントの行動を肯定しないと同時に，判断をしない態度で扱う。クライエントが自分はつまずきやすい人間であり，時にはよいこともし，また悪いこともするが，本質的に悪い，あるいはよい，というものでないと受け入れることが望まれる。クライエントは自分の行動を批判的に吟味し，自分のことを悪いとか無価値だとか評価するのでなく，その行動が役に立つか，役に立たないかを評

価するようにと奨励される。たとえばクライエントが,「母親から金を盗んだが,これは自分にとって援助的な行動ではなく,やらなかったらよかった。しかしその結果によって,私が呪われるべき無価値なものであるという意味ではない」と自分に対して語れることが望ましい。これは,悪い行動を奨励しているかのように響くかもしれない。しかし実際には,クライエントは,幸福を達成するという総合的な目標にとって,そのような行為がいかに障害になるかをはっきりと教えられる。

　合理情動行動療法のセラピストたちは,クライエントに過度の温かさを示さないように注意を払っている。温かすぎることは,クライエントの愛情と承認に対する要請を強化することがある。クライエントは,どうしても得なければならないと思っている愛情と承認を示されれば,いい気持ちにはなるが,よくなりはしない。なぜならば,その根底にある「私は愛され,承認されなければならない。そうでないことは,ものすごく大変なことだ」という不合理信念が,変わることなく残ってしまうからである。また,温かすぎることは,たとえば不快な宿題の約束を避けるようにクライエントを助勢し,欲求不満耐性の低い人生観を強化することがある。ここで,再び強調しておかなければならないが,この温かさに関する叙述は,望ましさを述べているのであり,教義的な'ねばならない',ではないということである。エリスは,たとえば強いうつ状態のクライエントなど,ケースによっては温かさが必要であると認めている。

　第3章でわれわれは,共感に対するパーソン・センタードの見解を述べた。REBカウンセラーは,同じような感情的共感(すなわち,クライエントがどのように感じているかを理解していると伝える)を提供し,また,クライエントに対してその感情の底にある信念をも理解していることを示すという点で,思想的な共感も提供する。

　効果的な合理情動行動療法者であることは,厳しい仕事である。カウンセラーは場面構成によって快適を保つ必要もあるが,やはりクライエントに合わせてやり方を変える柔軟性が十分になくてはならない。また,カウンセラーは,クライエントが何を知らなくてはならないかを教えることを念頭に置き,その関係において積極的で指示的であることを肯定するはずである。このアプローチに従う療法者は,哲学的な傾向をもっているので,カウンセリングの過程に対

して論理学と科学的な方法とを積極的に適用するはずである。彼らは，REB哲学を自分の生活に適用し，自分の不合理な信念を吟味する能力をもっている必要がある。彼らは，無条件の自己受容の哲学を適用し，不満への高い耐性を示すことによって，クライエントにとってよい役割モデルになることができる。

技法

　合理情動行動療法の過程は，いくつものオーバラップした段階から成り立っている。すなわちクライエントの問題の見立て，REBTの理論の教示，クライエントの不合理な信念に対する論駁，そして最後に，それを合理的なものに変えることである。エリスは，変化を達成するために最も効果的で効率的な方法は，クライエントに対して，認知的，情動喚起的，イメージ的，および行動的な技術の多種なものを用いるように激励することであると考えている。彼は，不合理信念が多くの異なった角度から攻略されるときに成功の可能性が高いと考えている。また，REBカウンセラーは，ソクラテスの質問法や教訓法などを含む多くの仕方を用いる。

　REBTでは，たとえば躁うつ病などのある種の精神病性障害には生理的な原因を認めているので，療法者は，必要なときは薬の使用を奨励する。また，クライエントの栄養状態，運動，リラクセーションなどを含む身体的な健康状態にも注意を払う。

■ ソクラテス的質問

　ソクラテスは，ギリシャの哲学者（470〜399 BC）で，古代哲学者の中で最も著名なプラトン（428〜347）の師にあたる人物である。ソクラテスは，形式的な教授よりも，弟子たちを理解と論理的な結論に導くことをめざした質問を用いて教えることを好んだ。認知的なアプローチは，すべて，クライエントを援助するためにソクラテス的方法を用いるが，REBTも例外ではない。その目的は，クライエントが単に療法者の見解を受け入れるのではなく，自分で考えるように激励するためである。この方法は，関係の相互協力的な特質を強調し，それは，クライエントたちが何を考え，行ない，感じるべきかを教えてもらえると思うことを防ぐ。研究によると，クライエントに自分で答えを見つけさせることは，学んだことを記憶するよりもはるかに効果的な方法であることが示

されている。

■ 教示的な形態

クライエントの中には，ソクラテス的な質問によって思考と感情との関係をとらえることのできない人がいて，カウンセラーがより教示的になり教える必要がある場合もある。また，クライエントの問題が知識の欠落の結果であるときは，明確な情報を与えることが肝要である。エリスは，初期のころ彼の友達に対するセックス・セラピストとして，この情報提供アプローチを用いた。

■ クライエントのAとCの見立て

療法過程の最初の段階は，ABCの枠組みを用いたクライエントの問題の見立てである。クライエントは，しばしば自分の問題を，Aの刺激的な出来事として述べ始める。REBセラピストは，出来事に対する長い発言を抑制する。クライエントは，話した結果として気持ちよく感じるかもしれないが，それでよくなりはしないであろう。救済はつかの間のものである。

> クライエントの中には，前のセラピストからそうするように訓練されていて，感情について長く繰り返して強迫的に述べる人が多い。彼らが自分の感情を十分に認知し，療法として自由に表現したほうがよいとしても，際限なくそれにとらわれ，そこにまとわりつくのは，あまりよい結果を生まず，時には害となるほうが大きい。　　　　　(Ellis, 1991: 6-7)

クライエントがAについて述べているときは，何が起こったか，および彼が何を推察したかについて特定して，詳細に，しかし不必要な詳細を述べないように奨励する。

事例

　ゲイリーは17歳の若い男性であるが，すぐにキレる問題をもっている。彼の父親は厳しく支配的である。最初の面接でカウンセラーは，おもな問題が何であると思うのかを聞いた。

ゲイリー　　おやじが僕を壁に押しつけるんだ。

　この答えはあまりにもあいまいで，カウンセラーがAあるいはCを適切に見立てることができず，問題の下にある不合理な信念を見つけることができない。カウンセラーは，ソクラテス的な質問法を用いて，クライエントにもっと問題を特定するように求める。

> **カウンセラー** 君が「おやじが僕を壁に押しつける」と言うのは，君が何をするからなの？
> **ゲイリー** 僕が夕方外出して友達と会うのを止めるんだ。彼は，支配狂だ。
>
> こうなると，ゲイリーは前より問題を特定している。すでにカウンセラーは，クライエントの不合理信念について，「彼は僕をこんなふうに扱うべきではない。彼は，とんでもない人間だ」というような仮説を立てているかもしれない。
> Aについて見立てた後，セラピストは通常Cについての慎重な見立てを行なう。クライエントにとって不合理な信念から生じた結末（C）は，しばしばBにおいてどのような評価がなされたかを示唆する。
>
> **カウンセラー** お父さんが外出を止めるとき，君はどんな気持ちを感じる？
> **ゲイリー** 腹が立つ，くそっ腹が立って，この間は殴ってやった。本当はそんなことをしたくないけど，あいつに僕を支配しようとするのを止めさせるにはどうしたらよいかわからないんだ。
>
> この時点で，カウンセラーにはこの事例のAとCについて何らかの考えが湧き，特定的な例について質問するかもしれない。
>
> **カウンセラー** そのことが起こったときのことについて話してくれる？
> **ゲイリー** ゆうべ，クリスが電話してきて，パブで会おうと言ってきたんだ。まだ10時だったのに，おやじは行ってはいけないと言うんだ。僕はもう17歳だし，どうしろ，こうしろと言われる必要はないと思う。彼には，とても腹が立つ。僕は，彼をひっぱたいて家を飛び出した。彼は僕を憎んでいると思う。
>
> ゲイリーが自分の腹立ちに対して父親を誹謗している点に注目したい。カウンセラーは，これで怒りという情感的結果と，'家を飛び出した'という行動的結果を取り出すことができた。また，証拠もないのに父親が憎んでいる，という彼の誤った結論もある。

■ B—Cの関係について教える

クライエントが，自分の感情問題は多分に無益な信念によって決定されるものであることを理解しないかぎり，次の段階として，カウンセラーがそれらの信念を見立てようとする理由を理解できないであろう。われわれの例では，ゲイリーは，自分の問題について父親を悪者にし，「彼に支配することを止めさせる」方法を求めている。彼にとって重要なことは，怒りの原因となり，それを持続させているものが彼の不合理な信念であって，父親の行為ではない，というREBTの初歩的洞察を受け入れることである。

■ Bを見立てる

次の段階は，クライエントの感情，および行動の問題の背後にある無益な考えを見立てることである。

カウンセラー　わかるよ，君は腹が立ったんだね。腹が立ったとき君の心を通り過ぎたものは何だったかな？　君を怒らせたのは何だと自分で思っているの？
ゲイリー　彼は僕にどうしろこうしろと言うべきではない。僕を放っておいてくれればいいんだ。
カウンセラー　それで，もし彼がそうしてくれなかったら？
ゲイリー　彼が腐った人間だということで，僕は憎むだろう。僕の人生を惨めなものにしている。もう我慢できない。

この例では，父親が彼をそのように扱うべきでない，そのように扱う父親は呪われて当然で，そこから派出したゲイリーの我慢できないという信念が，彼を感情的，認知的，および行動的結果に導いた。それでゲイリーは，カウンセリングにくることになった。

　この単純な ABC モデルの欠点の1つは，それが各部分ごとに見立てることの難しさをあいまいにしてしまうことである。クライエントが，みなゲイリーのように協力的とはかぎらない。しばしば推察が絡んでいたり，推察や評価的信念と感情や行動とが絡んで複雑にリンクしたりしている。

事例
サラは学生であるが，論文を書く気分になれないという理由で助けを求めてきた。これは，実際的な問題として提起されてきたが，彼女は，極度の不安を感じると説明する。

サラ　とても不安で手に汗をかいています。[感情的結果]
カウンセラー　何についての論文でそんなに不安を感じるのですか？　[A についての推察を検証]
サラ　よい論文を書けそうもないのです。[推察1]
カウンセラー　エー，ひとまずそういうことにして，何についてよい論文を書けないと不安なのですか？　[これが最も気がかりな推察か否かの検索]
サラ　本当に悪い成績か，落第でしょう。[推察2]
カウンセラー　それで，もしそうなったら？　[推察2の気がかり度を検索]
サラ　アノー，そうだったら私が論文を書くことが下手だという証明になってしまうでしょう。[推察3]
カウンセラー　ひとまずそういうことにして，そうだったらどういうことになるというのでしょう？　[推察3の気がかり度を検索]
サラ　私は，このコースを落第することでしょう。[推察4]
カウンセラー　はい，それがあなたの考えるイヤなことだとわかります。だけどちょっと想像してみましょう。もしあなたが実際に落第したとして，それがあなたにとってどんな意味をもつのでしょう？　[推察4の気がかり度を検索]
サラ　私は落第生で，無価値です。これができなくてはならないのです。うまくできなければ，我慢できません。[不合理信念]
カウンセラー　はい，では，あなたが今言ったことを振り返って最も気がかりなことの検索をしてみましょう。あなたにとって最も不安なことは，よい論文を書けず，悪い成績を取って，自分

> は論文を書けない者だ，とかコースの落第者と認めなければならないことですね。
> **サラ**　コースを落第することは，決定的に，私が恥ずかしい思いをすることです。

　この例では，不安や恥の感情が，またいくつかの推察どうしが錯綜している。不合理信念を探し当てるために，カウンセラーはクライエントに対して，彼の推察をひとまずそういうことにして，という仮定に立って話をしている。B を触発する A の側面，すなわち決定的な A を特定するための，'推察の結びつけ' として知られる技術も用いられている。

■ ABCDE モデル

　カウンセリングの過程を構成化するために，ABC モデルに対してさらに 2 つの手立てが加えられている。REB セラピストは，ABC の見立ての後にクライエントに対していかに自分の不合理信念に反論するか（D=Dispute），そしてそれを効果的（E=Effective）で合理的な信念に取り替えるか，を教える。これらの 2 段階を完成させるために，認知的，情動誘発的，イメージ的，行動的な技術など多彩なものが用いられる。

■ 認知的諸技法

　認知的技法のおもなものは，面接の中でセラピストの用いる反論作戦である。クライエントは，これらの作戦を面接時間の外で，自分で用いるように教えられる。それに加えて，信念を変えるために別の技術も用いられる。そのいくつかを選んで紹介する。

反論作戦　反論作戦には，経験的，論理的，および実践主義的，という 3 つの基本的な作戦がある。経験的反論の目標は，クライエントに，彼の主張している絶対的な要請には根拠がないと気づかせることである。エリスがクライエントに対してしばしば言っているように，「この世の中に絶対的な 'ねばならないこと〈musts〉' は，たぶんないに違いない」というものである。たとえば，もしあるクライエントが「私は絶対に成功しなければならない」と考えているとき，カウンセラーは，「あなたが成功しなければならない証拠はどこにあるのですか？」と質問するであろう。もし彼女が成功しなければならないということが事実であれば，彼女は常に成功しなければならないことになり，それは明らかに現実と即応しない。例外なしの成功は，例外なしの失敗と同様に，非現実

的である。

　論理的反論作戦は，クライエントの誤った推論に挑む。上記の例では，サラがよい論文を書きたいと欲したからといって，彼女がよい論文を絶対的に書かなければならないということにはならない。つまり，「あなたが，何かが起こることを望んだだけで，どうしてそれが絶対に起こらなければならないのでしょうか」ということになる。論理的には，要求は願望とは異なるものである。

　最後に，カウンセラーは，クライエントにとっての実利的な結果に注目することによって，不合理な信念に反論することができる。その目標は，クライエントが絶対的な要求に固執するかぎり障害者のままである，と示すことである。サラが大学で常に成功することを要求するかぎり，彼女は不安をもち続け，幸福にやっていこうという目標に対しては怠け続けることになる。単位を落としてはならないと信じることは，人に不安で抑うつ的なものをもたらす以外の何ものでもない。

　不合理な信念に対して挑むことが始まると，そのクライエントは，新たな合理的信念に取り替えることを教えられる。この過程を証明するために，われわれはサラの問題をABCDEモデルを使って公式化した。

A　私は落第するかもしれない。
B　私は絶対に落第してはならない。
　　もし私が落第したら，私は失敗者だ。
　　私は，もし落第したら我慢できない，それはものすごく大変なことだ。
C　感情面の結果：不安
　　行動面の結果：論文に集中して完成させることができない。
　　認知面の結果：コースの変更について考えている。
D　私が落第しないことを望むからといって，どうして私が絶対に合格しなければならないということになるのか？
　　世界のどの法律に「私が合格しなければならない」と書いてあるか？
　　私が合格しなければならないということの証拠は何か？　私が常に成功するというわけにはいかない，時に失敗することもあるだろう。
　　私が合格しなければならない，という信念は，どこで私に取りついたのだ

ろう。
　どうして私は，この落第で失敗者となってしまうのか？
E　私はこのコースで卒業したい，しかし必ず卒業しなければならないわけではない，もし卒業できなければ非常に残念だ，けれども，ものすごく大変なことというわけではない。私は，落第をけっして好みはしないが，我慢することはできる。

　不合理な信念の3つの派生，すなわち，'ものすごく大変なこと化' '我慢できない症'，および '自棄っぱち' も反論作戦の焦点である。クライエントは，'非常に残念' と 'ものすごく大変' とを区別するように援助される。クライエントは，彼らが100％まずいと評価することが，比較的まずいことにすぎないことを示される。

> **カウンセラー**　で，この試験に落第することは，ものすごく大変なことであろうと言うんですね。まずいことの0から100までのスケールで，それはどれくらいになりますか？
> **クライエント**　100％です。
> **カウンセラー**　それは，まずいことですね。さて，あなたは，試験に落第することと，試験場を出てから交通事故に遭うこととを比べると，評価はどうなりますか？

　何かを我慢できないという信念は，よくあるものである。クライエントに対して，その状況は非常に不快ではあるけれど，我慢できるものであることを示すのは，通常極めて容易なことである。クライエントは，彼らが本当に思っていることは「その感情を味わい，その経験をやり過ごすのは大変困難だと今は感じているが，過去に同じようなことを我慢したことがあり，今度も我慢できる」ということだと示される。
　人々が「私は悪者。私は無価値な者」と自暴自棄になったとき，それは，彼らが，人間は地球上で正当な評価はただ1つしか与えられないと信じていることを示唆するが，REBT理論は反対である。人間は，それよりもっと複雑である。われわれが考え，行動することは，われわれの一部であり，それはけっしてわれわれのすべてではない。もし，サラが落第したとしても，それは彼女が1つの機会に失敗したことを意味するにすぎず，彼女が行なうことのすべてに

おける全面的失敗者であるということではない。

議論のテープ録音　クライエントは，不合理な自分と合理的な自分との両方の役割を演じながら，自分で記録を取ることができる。この狙いは，合理的な自分が不合理な自分を説得し，合理的信念のほうが不合理信念よりも論理的であり，現実に則していて，より実利的であると納得することである。

REBTを他者に教える　クライエントは，REBTの原理を友人や親戚などに教えることを奨励される。これは，彼らにとって，その理論をいかによく理解したかを知り，自分の合理的信念を防護して自分の論理の流れを他者に開示することによって，哲学的に思考するものとしての能力を伸ばす機会を得ることになる。

意味の厳密化　人々は経験を語るとき，たとえば実際には'まずい''かなり多く'あるいは'困難'などの意味で，'ものすごく大変な''すべて''不可能'などの言葉を使う傾向がある。この言葉の不注意な用法が，不合理信念を永続させることがある。クライエントは，一人話のときでも他者との話のときでも，自分の用いる言葉を吟味し，大げさな表現を特定して，より厳密で明確な言葉や言い回しにしていくように奨励される。この典型的な例は，'私にはそれができない'を'私は今それをやっていない'に変えることである。

合理的に努める自己声明　何かを行なう新しい方法を学ぶときは，テニスの新しいストロークであろうと，考え方の新しい方法であろうと，練習が必要である。新しく効果的で合理的信念も，クライエントのレパートリーの一部にするには練習が必要である。クライエントは，日中に自分に繰り返す声明をいくつかもつように奨励される。たとえば，「私は完璧な父親でなくてはならない，そうでなければ私は無価値な人間である」という一般的にありがちな不合理信念をもつクライエントは，「自分はよい父親でありたい，しかし，絶対というのではない。誰も完璧ではあり得ない。うまくできなかったときは，自分が人間という失敗しやすいものであることが示されるだけだ」と，合理的な対案を練習するように奨励されるであろう。

■ 情動誘発の諸技法

　クライエントはしばしば，自分の信念が役に立つものでないと知っている，また役に立つ合理的信念が何であるかも知っている。しかしそれを実感できな

い。つまり,「頭でわかっているが,心底感じてはいない」。情動誘発の技法は,クライエントに対して,変化の過程への情動を鼓舞するように用いられる。それは,クライエントが自分の感情を認識し,それと同調して働くことによって,健康な情動と不健康な情動との違いを理解する機会にもなる。人間は,自己破滅的な情動反応を諦めるのに極度の困難を示すことがある。REBTは,クライエントに対して情動に強く関与するように奨励することによって,彼らが「自分は変わることができる」ことをより強力に理解するようになるとしている。

療法者の自己開示　この立場の熱心な治療的関係は,もしそれがクライエントにとって治療的に役に立つならば,そしてクライエントがそれを悪用しないという前提のもとに,両者が時に個人的な情報を開示するという点で,カウンセラーが開放的であることを許容する。自己開示の活用は強い効果をもつことがある。療法者が自分の過去の情動障害と,それをどのように克服したかを引き合いに出すことによって,彼らも誤りに陥りやすい人間であると示しながら,信頼できる役割モデルとしてクライエントの役に立つことになる。彼らは,そのような困難な問題をもったことで自暴自棄になる必要がなくなり,REBTがそれを解決するのに有効だと理解する。

ユーモラスな技術　エリスは,情動問題の1つの要因は,クライエントが自分の問題,他者,および世界に対する見方の深刻さにあると考える。そこで彼は,カウンセラーが面接でユーモアをうまく用いるようにと示唆する。これは,カウンセラーがクライエントをあざ笑うことを意味するものではなく,むしろクライエントとともにその自己破滅的な考えや行動をあざ笑うことである。しかし,柔軟性の原理がここで再び登場する。なかには,直接自分に向けられたものでなくとも,そうしたことを喜ばないクライエントもいるからである。

集団療法において,エリスは時々,クライエントたちに自作のユーモラスな歌詞に合わせて歌うようにした。たとえば,英国国歌のメロディーに合わせた次の歌詞である。

　　神よ,私の大切な脾臓(気分や不機嫌の出るところ)を救い給え
　　安泰した生活を届け給え

神よ，私の脾臓を救い給え
私を，もろもろの嫌悪から護り給え
美しい旋律的な生活を与え給え
そして，もし物事があまりにもしんどくなったら
私は，めそめそし，わめき，絶叫しよう

恥を打破する訓練　クライエントは，大衆の面前で恥ずかしく，当惑的と考える行動を実践するように激励される。同時に，彼らの行なっていることに対する彼らの信念について検討し，自己受容の実践訓練をする。考え方としては，クライエントが自分の感情に強く対決すればするほど，彼らが自分自身に障害を及ぼすことは少ない，ということである。例をあげれば，大衆の前で奇妙な服装を身につける，薬局でＳサイズのコンドームを求める，図書館で大声で話す，などである。そのような作業を実行したクライエントは，当初は不快を経験したが，耐えることができ，また周囲の人から非難を受けても自分を受容することができることに気づいたと報告している。その目的は，恥と当惑の感情の原因がその行動にあるのではなく，その行動に対してクライエントが抱いている不合理な信念にあるということを明らかにするためである。

■ 行動的諸技法

　刺激統制，スキル訓練（たとえば自己主張性やコミュニケーションのスキル），責任コストと罰，などを含む幅広い行動的技術が用いられる。それらについては第５章で述べていく。行動的技術の活用は，クライエントが学んだことを実践に移すのを奨励することによって人生観的変化を促進する。それらはまた，クライエントが自身の不合理信念に対して行動的に反論することを可能にし，またそれに耐えられること，および耐えられないほどものすごく大変なことは存在しないと証明することによって，認知的にも反論を可能にする。

現実場面脱感作——現実の恐怖に対面する　ある状況で恐怖を経験するクライエントは，その恐怖的状況に直接入っていくことによって，その恐怖に対面するよう激励される。たとえば，蜘蛛恐怖症の人は，一日に何回か蜘蛛のいるところに行くように奨励されるであろう。その考え方は，クライエントが我慢できないと信じる状況に身をさらすことによって，実際に高度の不快を生き抜き暮らしていけると，自分に対して証明することである。その行為を実行しなが

ら彼らは，たとえば「私はこんな蜘蛛と一緒にいないほうがいい，しかし私はこの不快を我慢することはできる」などの合理的な一人語りを復唱するように奨励される。REBT は，不快に対する耐性の低さを克服するためには，恐怖の場面に徐々にさらすよりも，一気に爆発的にさらされるほうが効果的であり好ましいとする。

'そこにとどまる'活動　これは，現実場面脱感作に似ている。その活動とは，クライエントがその経験に対して抱いている不合理な信念に反論しながら，不快に感じている情況にとどまるように求めるものである。たとえば，人種主義的偏見から近隣住民の人と一緒にいることに不快を感じている若者が，その隣人宅をわざわざ訪問して滞在し，自分の不合理な信念に反論するという日課を定めるなどである。

反・怠惰訓練　怠惰は，個人がしばしば，長期的な目標を達成するための短時間の不快を我慢できない，と自分に対して言う結果である。この本の執筆中のエピソードとして，執筆者の１人のことに触れておく。「私がこの不快に耐えなければならないことは，絶対にない」というのが彼の信念であり，その他にも，この仕事のために机に座ることを避ける多くの方策が見られた。クライエントがこれを克服するように援助する１つの方法は，たとえば当初の計画よりも早く開始するよう，あるいはまた，その仕事のために毎日特定の時間を定めるように奨励することである。同時に，クライエントは，無益な信念に反論し，役に立つ信念を実践するよう激励される。「これは不快に感じるが，我慢できる」。これを行なうことによって，彼は，みずからが不快に耐えられることを知り，結局は仕事を完成することによって報われるのである。

リスクに挑む訓練　先に述べたように，エリスが女性たちに近づいて話しかけるために座っていたとき，彼は'リスクに挑む訓練'を実践していたのである。彼は拒否されることを恐れ，またその可能性は大変高かった。当然拒否されたので，それは彼にとってまさにリスクに富んだものであった。しかし彼は，成功しなくても驚愕すべきことではないと学び，終いには恐怖感を克服したばかりではなく，長い目で見たときには，実際に女性と一緒にいることを楽しむようになった。エリスの場合も含めて多くの例は，また，学んだ訓練を強化するための反復が重要であることを示している。

■ イメージ的諸技法

　REB カウンセラーは，クライエントが自分の不合理信念を発見し，それに対して頭の中ではなく現実生活の中の活動を通して反論することを援助することを好む。しかし，実際の面接では時々，変化を促進するためのイマジネーションが用いられる。

合理情動イメージ法　　この技法は，クライエントに対して，たとえば彼が絶対に必要と信じている誰かから拒否された場合など，生じ得る最悪の刺激となる出来事をできるだけ生々しく想像するように激励することなどを含む。次いで，彼らは，その出来事にまつわる感情の混乱を経験するように激励される。次の段階は，クライエントに対して，刺激的な出来事のイメージを生々しく保ちながら，同時に不健康な感情を健康なものに（たとえば怒りを当惑に）変えるように求める。クライエントがこの作業に成功したとき，療法者は，どのようにして感情を変化させることができたかをたずねる。クライエントが，感情を変えるためには彼らの不合理な信念を合理的なものに変える必要があったと気づくのが理想的である。

　ここでもまた，不健康な感情をもつ過程が健康なものに替わることが自動的になるためには，反復的な訓練が奨励される。

　イメージの活用は，クライエントが自分の情動問題の根元にある信念を特定するためにも用いられる。感情が思考に伴って経験されているときは，思考から手をつけるほうが容易であったりもする。

イメージ的リハーサル　　イメージは，時にクライエントが現実の世界で実行したほうがよいと知っていることと実際に行なっていることとの間を橋渡しするために用いられる。たとえばクライエントは，行動的な課題を実行する前に，その課題をまずイマジネーションの中で練習するように奨励される。

時間移行的展望（time projection）　　クライエントは，しばしば将来の出来事が恐ろしいものだと想像する。たとえば，「もし○○に見捨てられたらものすごく大変なことだろう」である。この信念に挑戦するには，クライエントに対して，将来に向かって次第に時間間隔を広げながら，（その時点で）その出来事をどのように感じるかを想像するように求め，そのことに対する評価を確かめるという方法がある。クライエントが「そのような感情が一定時間以上に長続きする

ことは実際にはまれである」と認識するようになったとき，療法者は，この'ひどい'出来事に対する信念が変わるのを，間接的に促進したことになる。

■ 宿題

自己援助の実践的技術は，REBTの重要な側面である。宿題を課することは，クライエントがセラピストとともにいる通常の面接だけでなく，1週間の全部を治療時間として考えるように奨励することによって，このアプローチの効果を増進させる。宿題はまた，クライエントがセラピストに対して依存的になるのでなく，自身のカウンセラーになるように導く。課題は，面接においてクライエントと協議して決められる。次の面接セッションにおいて療法者は，クライエントが行なったこと，およびそこから学んだことをチェックする。もし，クライエントが宿題をやってこなかったときは，その理由をABCモデルで詮索し，クライエントが自身に対して何を言おうとしているのかを特定する。カウンセラーとクライエントの想像力の範囲内で，いろいろな種類の宿題が用いられる。課題の多くは上記で述べてきたようなもの，たとえば実際場面脱感作，REBTについて他者に教える，恥に挑戦する訓練などである。その他のよく用いられる例をあげよう。

読書，および聴覚セラピー　　クライエントは，手に入るREBTの教材の何かを用いるように奨励される。エリスは，自助用の本を書いた。また，役に立つカセットやビデオもいくつか制作された。これらの教材は，クライエントに対して，合理的哲学をよりよく理解し，それによって治療が進展するように援助する。

自助書式　　クライエントが，自分の不合理な信念を特定し反論するのに役立つ各種の書式が開発されてきた。それらは，通常，刺激的な出来事(A)，結果(C)，およびそのCを導いた不合理信念(B)を記録する欄を備えている。次の欄には，クライエントがそれらの信念に対していかに反論したか(D)，そして次の欄には，クライエントが代替的な効果的・合理的信念(E)を書き入れる。最後の欄は，不合理信念に反論し，合理的な代替信念を実践した過程の後に彼らが経験した感情，行動，あるいは思考や新しい結果を書き入れるのに用いられる。

もう1つの自助書式は，頭文字語でDIBS (Disputing Irrational Beliefs)として知られるもので，クライエントが自分の役に立たない人生観に対して適用す

る6つの質問から成っている。その質問は，以下のとおりである。

1　私が反論し，克服したい不合理信念とは，何か？
2　この信念は，私が合理的に支持できるものか？
3　この信念の誤りを示す証拠として何があるか？
4　この信念が正しいと示すような何らかの証拠があるか？
5　私が，どうしてもそうならなければならないと思っていたことが思うようにならなかった（あるいは，そうなってはならないと思っていたようになってしまった）場合，実際に起こり得る最悪の事態はどういうものか？
6　私が，どうしてもそうならなければならないと思っていたことが思うとおりにならなかった（あるいはそうなってはならないと思っていたようになってしまった）場合，どのようなよいことがあり得るか？

終わりに

　たとえば不安，薬物乱用，アルコール中毒，うつ病，強迫障害など，幅広いクライエントの問題に対して，REBTを適用した多数の本が書かれている。それは，個人，夫婦，家族などに適用されている。合理情動行動療法は，アメリカ合衆国では人気のあるアプローチとなり，多くの精神保健の専門家によって実践されている。また，フランス，イタリア，ドイツ，インド，オーストラリアなど世界中の国々でも教えられたり適用されたりしている。

　英国では，訓練の機会はまだ限られており，メジャーな療法としての人気を得るにはいたっていない。1995年にウィンディー・ドライデンは，ロンドン大学のゴールドスミス・カレッジに合理情動行動療法の修士課程を設置した。これは，ヨーロッパで最初のREBTの修士コースである。資格課程のプログラムは，ロンドン・ブラックヒースの合理情動行動療法センターで行なわれている。このような流れもあり英国におけるREBT療法者の人数は増えつつある†訳者注2。

　本章は，カウンセリング／心理療法に対する認知・行動的アプローチの最も重要なものの1つを概説しただけである。アルバート・エリスは，個人的困難

をみずから克服した成功から影響力をもつアプローチモデルを展開し，その発展に尽くしてきた。それは，人間が本来備えている自分を援助するという能力を認めていくことである。その自己援助のための方策を多くの著書の中で述べ，専門書だけでなく一般書も出版されているので，クライエントみずからその考えを活用できるように心がけている。

注 釈

†訳者注1　masturbation（マスターベーション）の語頭を must（ねばならない）に変えたエリスの造語であり，'ねばならない' という思い込みに対する皮肉を込めているようである。

†訳者注2　日本においても着々と普及しつつあるが，この療法名とその実践が日本に紹介されたのは，パーソン・センタードや精神力動諸流派に比べて遅かったといえる。また，このアプローチが合理性，論理性を重視していることは，すでに普及している精神力動やパーソン・センタードの感情重視の構えから見たとき，一見違和感が生じるかもしれない。もちろん本書の趣旨のとおり，すべてのアプローチにそれぞれの，また共通の利点があるものだが。このアプローチの日本における現状は，認知行動系，あるいはブリーフセラピー系のアプローチの1つとして取り上げられていることが多いようである。

第5章

多面的アプローチ

(訳者注：原語は Multimodal Approach。パーソナリティを7つの側面からとらえて，それぞれの側面から問題点を見立て，援助技法は，他の流派のものでもクライエントにとって効果のあるものは何でも用いるというアプローチ。多側面・様式的アプローチという訳もある。)

はじめに

行動は幸福をもたらさないかもしれないが，行動を伴わない幸福はない。

(Benjamin Disraeli)

　多面的療法の展開の背景は，ユニークである。それは，カウンセリング／心理療法への他の多くのアプローチと異なって，理論から展開したのではなく，クライエントがより効果的に幸福を見いだすように援助しようとしたある人物の執念の結果によるものである。その人物とは，アーノルド・ラザルス（Arnold Lazarus）である。彼は，「個人はユニークであり，パーソナリティには多くの側面や部分がある。われわれは，考えること，行動すること，知覚すること，イメージすること，感じること，他者と関係し合うことができ，そしてその基底は生理学的な組織である」と考えた。そこで彼は，カウンセリング／心理療

法に対する自分のアプローチを，多くの道筋，あるいは側面ととらえて多面的と称した。ラザルスは，ほとんどすべての心理的問題は，これらの異なる側面のすべての相互作用を考えることによってこそ説明できると考えた。

　大工が何か道具を買うとき，必ずしも使い慣れている道具だけを買うとはかぎらず，そのときの作業に最も適した道具を選ぶこともある。よい大工は道具箱の中に幅広い種類の道具を持っており，必要なときは常に買い足すであろう。多面的療法も，それに似ている。つまり個人は，通常，広範囲で個別な問題に悩まされているので，その処置のためには，広範囲で特殊な治療技術が必要である。問題や困難性は，孤立して生じることはまれであり，解決のためにわれわれは，しばしば複数のアプローチを必要とする。多面的療法は，クライエントを援助するために実用的なアプローチを採用する。もし，ある技術がある問題に有効だと示されれば，それはそのカウンセラーや療法家の道具箱に加えられ，用いられる。

　先輩の改革者たちの多くがそうであるように，ラザルスの考えもまた，新しいものではない。ラザルスよりはるか昔に生きたヒポクラテスが，すでに人間のパーソナリティは多くの層をもっていると気づいていた。ヒポクラテスはラザルスと同様に，患者の生活史を総括的に調べることの必要性を強調していた。

アーノルド・ラザルス

家庭背景と幼少期

　アーノルド・ラザルス（Arnold Lazrus）は，1932年1月，南アフリカのヨハネスブルグで，4人兄弟の末子として生まれた。彼は，伯母，伯父，従兄などを含む大家族の中で成長した。アーノルドは，その家族の中で最も年少であったため，彼の意見など無視されていると感じていた。そして，成人になってもみなが彼をからかったり，軽視したりしているように思った。彼は最年少であったうえに，小柄で痩せていて，内気で神経質であり，自分に自信がなかった。

　ラザルスは，5歳で姉からピアノを習い始め，7歳のときには人前でも演奏し'優れた才能をまわりが認めて'いた。しかし彼の才能はそれ以上には進歩

しなかったので，12歳のときやめてしまった。これはすでに彼の実用的な人生観の表れであり，後に彼のカウンセリング／心理療法に対するアプローチにも反映されている。

　彼は人から弱い存在としてからかわれたことの反動として，ボディ・ビルディング，ウェイト・リフティング，レスリング，ボクシングなどに興味をもった。彼は，防衛するためには戦うことを覚えなければならないと思い取り組んだのであるが，今ではそれらの活動をやりすぎであったと振り返る。彼は17歳で，健康トレーニング・センターを開業しようとして学校を中退した。彼は，金を稼ぐためにデパートの薬局で働き，家屋の販売にまで手を広げた。有名な治療者たちの多くがそうであるように，ラザルスも早くから著作に興味と関心を示し，10代の間に彼の小説のいくつかが地方の新聞に掲載された。彼は2つの興味を生かして，南アメリカ・ボディ・ビルディング雑誌の副編集者になった。

　彼の家族は小さな小売業を営んでおり，ラザルスは，その商売をうまく経営するために必要な在庫商品を抱えていく気配りが，後に彼の開発した心理治療法へのアプローチに影響を与えたと言っている。彼は，「療法者は，常に治療で起こっていることを在庫品として掌握し，効果の認められた方法だけを用いるべきである」と考えている。

　ラザルスは，19歳になるまでに，大学に行くためには高等学校に戻って卒業しなくてはならないと説得されて，1955年にヨハネスブルグのウィットウォーターズランド大学英文科に入学した。彼はジャーナリストになるつもりであった。またこの年は，彼が妻ダフネと結婚した年でもあった。彼らは，リンダとクリフォードという2人の子どもをもうけた。

大学生活

　ラザルスは，いつも人間の心の働きに興味をもっていたと当時を振り返る。10代のころに彼の友達が，しばしば援助や賛同を求めてきた。彼らは，彼が話しやすく，よい聞き手であり，いつも援助してくれたと言っている。しかし，心理療法を生涯の仕事にするためには，まず医師にならなくてはならないという考えが強くのしかかっていたので，ラザルスはそれを考えてはいなかった。つまり，解剖や生理学や生物化学の勉強に長時間打ち込むということはまった

く魅力のないことであった。しかし彼は，医師の資格がなくても何とかなると知ったとき，心理学の勉強に転換することを決心した。

ラザルスは，1957年にロンドンのマールボロー・デイサービス病院にて3か月間インターンで過ごし，そこでアドラー派（第1章参照）のジョシュア・ビァラーという精神科医師から強い影響を受けた。そして，ウィットウォーターズランド大学の心理学科を優秀な成績で卒業し，その後実験心理学で修士の称号を獲得した。彼は，1959年南アフリカ医科歯科協会に臨床心理士として登録され，それによって個人開業することができるようになった。彼は，1960年に博士論文を完成した。そのタイトルは，'恐怖症状態の治療における新しい集団法 (New Group Techniques in the Treatment of Phobic Conditions)' であった。

彼は，心の問題に携わるようになった理由として，子どものころいじめられた経験を，随所に引用して語る。彼は，両親や年上の兄弟たちが辛く当たったとき，彼らに対して心理学を当てはめ始めたことを思い出す。彼が博士号を獲得するころになって，彼の家族は，彼に対してようやくある程度の尊敬を示すようになってきた。

初期の職歴と専門家としての発展

ラザルスは，博士号を取った後，ウィットウォーターズランド大学医学部精神科の非常勤講師として勤めながら個人開業を続けた。彼は，催眠法に興味をもち，南アフリカ臨床・実験催眠学会の会長に選ばれた。

彼は，アルバート・バンデューラ（Albert Bandura）の社会的学習理論からかなりの影響を受けていたが，1963年にバンデューラによって，アメリカのスタンフォード大学に招かれた。バンデューラは，ラザルスの博士論文を基にした論文を読んで強い印象を受けたのであった。心理学部の客員助教授として1年過ごした後，ラザルスは，妻と2人の子どもとともに南アフリカに戻った。家族がホームシックを感じて郷里の家族集団に戻ることを望んだのである。

しかし，南アフリカの政治状況の不安が増大したため，1966年，彼らは再びアメリカに戻った。ラザルスは，まずカリフォルニア，ソーサリトの行動療法研究所の所長になった。その翌年，フィラデルフィアのテンプル大学医学部行動科学科で心理学教授となり，そこでは，以前に博士課程のスーパーバイザー

として指導を受けたことのある有名な行動主義者ジョゼフ・ウォルピ（Joseph Wolpe）と一緒に働くことになった。そして，1970～72年までエール大学の心理学部で臨床訓練の部長を勤めた。彼は，1971年に『行動療法とその先途（Behavior Therapy and Beyond）』を出版したが，これは認知行動療法について書かれたおそらく最初の本である。そして，1972年にニュージャージーのラットガース大学に移り，そこで退職まで大学院の応用および職業的心理学研究科の特別教授のポストにあった。彼は，1976年にアメリカの市民権をとった。

ラザルスは，数年間にわたっていくつかの専門学会の会長に選ばれ，多数の科学雑誌の編集委員を勤めた。彼が受けた多くの名誉称号の中には，アメリカ職業心理学委員会（American Board of Professional Psychology）からの特別功労賞（Distinguished Service Award），およびアメリカ医学的精神療法者委員会（American Board of Medical Psychotherapists）からの特別実践賞（Distinguished Career Achievement Award）などがある。

その人物像に迫る

ラザルスは，好きなものが3つあるという。第1は家族。第2は，親しい友人と楽しむこと。第3は，知的な刺激，生活のための金儲け，および何らかの社会的貢献を含む仕事である。多くの革新者と異なって，ラザルスは，心理治療法の世界での'賢者'になることを嫌い，そのアプローチを商業的に売り出すことを一切していない。

多面的アプローチの発展

療法への最初のアプローチ

ラザルスが研究を始めたころ，ウィットウォーターズランド大学の心理療法実践は，主として精神分析的，およびパーソン・センタードであった。彼は，最初，クライエントに対して精神分析を用いたが，それが非常に長期間に及ぶもので効果も上がらないように見えた。ラザルスは，経験のある療法者がクライエントと面接するのをマジック・ミラーの裏から観察することに長い時間を

費やしていた。一方，当時，ジョゼフ・ウォルピも同じ大学に勤めていた。ウォルピは，系統的脱感作法*原著注1と呼ばれる一種の行動療法を開発し，それによって多くのクライエントに対して効果を上げていた。ウォルピが広場恐怖の女性の治療に成功していくのを観察した後，ラザルスは，このアプローチの利用価値を確信した。このクライエントは，ウォルピに診てもらう前に，薬物療法とヨハネスブルグで最高の心理療法者の何人かによる心理療法を受けていたが，よくならなかった。

　ラザルスは，言語的なアプローチだけよりも，行動と実技に基づく方法がよりよく変化を生じると考え始めた。そこで，ウィットウォーターズランド大学心理学部においては行動主義に対して強い反感があったにもかかわらず，その女性の精神的健康の劇的な変化に圧倒されてしまい，自分でも行動的方法を用いるようになった。彼は，1958年に『心理療法の新しい方法：事例研究（*New methods in psychotherapy: A case study*)』という出版物で，研究論文の中に'行動療法'という用語を初めて導入した。そしてラザルスは，その発展における指導者の1人となった。1960年代は，彼の著作意欲が顕著であり，行動派の文献に新しい技術を導入したものを含めて多くの論文を発表した。彼は，それらの方法が実効をもつからこそ用いたと言い，そしてそのことは，ラザルスのアプローチで繰り返し述べられるものとなった。

行動療法では不満足

　それにもかかわらずラザルスは，アメリカ合衆国に移るまでに彼が'幅の狭い行動療法'と呼んだものに対して疑問を抱いていた。その呼び方は，人間のパーソナリティの1つか2つの側面だけに焦点を当てた療法という意味であった。療法者がクライエントに対して行なうことの効果に抱く疑問を押し進めて，ラザルスは，純粋の行動法で'治癒'したとされた患者の多くが，成り行き調査では再発していたことに注目した。対照的に，行動だけが変化したのでなく，自分自身に対して肯定的な態度を獲得して人生の展望にも変化を生じたクライエントは改善が保たれていることを観察した。彼らは，健康を保っていた。

キー事例

　彼は，1966年ソーサリトの行動療法研究所にいたとき，ある女性クライエントに出会い，その治療の経験がカウンセリング／心理療法のまったく新しいアプローチを誕生させることになった。この女性D夫人は，ウォルピが治療した女性たちと類似の症状をもっていたので，ラザルスは同じような成功が得られると期待していた。D夫人は，精神力動派の治療者に18か月診てもらっていたが，ある程度の改善が見られただけであり，その治療者は，ラザルスに，「そのクライエントは受動的依存的なパーソナリティをもっていて……プレ・エディパル・レベルへの固着にまで退行している」（これらの用語の説明は第2章にある）と述べ，将来の改善の見通しは暗いと付け加えた。D夫人は，段階的再体験法やアサーション・トレーニング（これらの説明はp.195およびp.202ページ参照）を含む種々の行動療法技法をもって6か月治療した後，顕著によくなり，ラザルスは退院させようとしていた。さらに彼は，D夫人の夫婦問題を扱うために彼女の夫も診ていた。

　しかし彼女は，生活の多くの面で向上したにもかかわらず，幸福ではなかった。彼女は"俗人派の女"で，社会に貢献するものをほとんどもたない凡人のままでしかない，と言った。彼女はそれ以上のものを求めていた。そのときラザルスは，このクライエントには行動アプローチだけでは十分でないと認識したのであった。道具屋へ行ったときの比喩で言えば，彼はD夫人の自己敗北的な考え方に対応するための新たな道具を探した。彼は，彼女の自分自身に対する無益な信念に挑戦するべく，合理情動行動療法の章で述べたような認知的技法を用いた。その結果，D夫人は，「自分が役に立つものであると感じたいならば，役に立つものにならなくてはならない」という結論に達した。そして，彼女は，アメリカ全土の貧しい人々に衣食を補給する慈善的奉仕組織を発見し，幸福と満足を感じるようになったのであった。

　このころ，ウォルピなどの行動主義者は，治療過程に思考を持ち込むのは危険で異端な行ないであり，心理学を精神分析の中でもがくものに戻してしまうだけであると考えていた。

　ラザルスにとって，潮流に逆らって泳ぐことは容易でなく，D夫人に認知的

多面的アプローチの発展　167

な技法を用いるという決断は，彼の心に嵐が生じた。それはまた，ウォルピや純粋の行動主義心理学者仲間から異端者の烙印を押される結果となった。

変遷

D夫人にかかわる経験は，ラザルスに，「行動療法は必ずしも'必要でも十分でも'なく，持続的な改善を成し遂げるためには，何か不足するものがあるのではないか」ということに気づかせた。

ラザルスは，自分の進み方を熟慮して，クライエントのためにもっと効果的な治療をするためには道具箱に何を加え，何を取り出さねばならないかをみずからに問うた。アスピリンは多くの事態で非常に有効であるかもしれないが，もしそれが使い得る唯一の薬であったら，医師たちは患者を助ける手段が限定されたものになってしまうであろう。そこで医師たちは，非常に幅広い病態を治療するために絶えず新しくてよい薬を探し続けている。それと同様に，もしカウンセラーが1つの技法しか使えなかったら，クライエントに提供できるものは限られたものになるであろう，とラザルスは主張した。こうしてラザルスは，次第に，はじめの1元的アプローチ（純粋の行動主義）から2元的アプローチ（認知行動的）へと主張を変更した。

最終的発展

ラザルスは，認知の次元を加えて治療に成功した後も満足しなかった。彼は，行動と認知が変化しても，否定的なイメージに悩まされ，問題が解決しないクライエントがいることに注目した。そこで彼は，変化を招く目標のリストに，もう1つの側面，あるいは様式，すなわちイメージを加えた。しかしそれでも，たとえば緊張による頭痛，あるいは結婚生活が不安定などの訴えの残るクライエントがいた。最終的にラザルスは，7つの異なる側面あるいは様式と彼が呼ぶものを特定した。彼は，それで人間のパーソナリティのすべての側面を包含すると考えた。その7つとは，行動（Behavior），情緒（Affect〈feeling〉），感覚（Sensation），イメージ（Imagery），認知（Cognition〈thought〉），対人関係（Interpersonal relations），および身体生理（Biology）である。これらの語の頭文字がBASICIBとなることに注目して，ラザルスは最後のものをDに変え

て（Drugs/Bilogy），意味があって覚えやすい頭文字語になるようにした。

　ラザルスが望んだことは，セラピストたちに，すべての，いかなるクライエントの要求をも満たせる技術の道具箱を提供することであった。こうして，仕立屋が顧客にできるだけフィットした服を作るように，クライエントに真にフィットする治療プログラムを工夫できるようにした。これは他の療法がクライエントをその理論にフィットするように期待するのと違って，極めてユニークである。クライエントに対する見立ては，普通は精神力動的，認知的，あるいは人間性など療法者の特別な理論のアプローチによってなされていた。ラザルスはその発展の途中で，治療場面でいかなる側面も逃さない包括的なアプローチを提供することによって，治療がより効果的になり，その効果が持続する傾向があることを見極めた。多面的療法が最初に公式に顕われたのは，1973年，ラザルスが彼の考えを輪郭づけた論文を著したときである。そのとき以来，多くのカウンセラー／心理療法者がクライエントに対する見立てや援助において，この BASIC ID の枠組みを用いてきている。ラザルス自身はアメリカ合衆国で実践を続けており，今ではいくつかの多面的療法研究所ができている。

このアプローチの理論

概観

　多面的カウンセリングは，心理的な問題を扱うのに極めて実践的なアプローチである。ラザルスは理論のことをあまり気にせず，他者に任せるのをよしとしていた。彼は，役に立つか立たないかわからない理論よりも，「誰に対して，どのような特別な条件のもとで，何が有効か」に大きな関心をもっていた。彼は，理論は生滅しがちであり，一時は猛威を振るっても次には笑われるものになることに気づいていたのだ。とはいえ，多面的アプローチにも基盤となる理論がないわけではない。彼のアプローチも，広く社会的，認知的な学習理論に基づいており，またシステムズ・コミュニケーション理論にも基づいていたが，その理由の1つは，それらの理論がリサーチによる検討を受けていたからである。

　そのラザルスの多面的アプローチの発展に影響を与えた人が4人いる。当初

の行動療法重視に影響を与えたのがウォルピであることは,すでに述べた。この章の冒頭でディスレーリの引用を選んだのは,アーノルド・ラザルス自身である。彼はそれが,「多面的アプローチが行動療法によって支えられている」ことを反映していると信じてのことである。ラザルスが彼のアプローチに認知の側面を取り入れたのは,アルバート・エリスの考え(第4章参照)の影響を受けている。ラザルスは,スタンフォード大学の客員教授をしていた 1963 年にペリー・ロンドン(Perry London)と出会ったが,ロンドンは,カウンセリング／心理療法に対しては精神力動的,および行動的の両アプローチともに,「生来的な限界」と彼が述べたものがあることをすでに見据えていた。ロンドンは,「人々は,洞察学派(精神力動派)が考えているよりもかなり単純であるが,また行動療法者が信じようとしているものよりは,かなり複雑である」と書いている(London, 1964: 39)。彼はまた「人々に対して実際に用いられるのは技術であり,理論ではない」とも言っている。ロンドンは,ラザルスと同様,臨床的実践主義者であり,問うべき質問は,「その技術は有効か？ そしてそれは誰に対してか？」であると考えていた。技術がどのように有効であるか,そしてそれはなぜか？ についての理論は,後からの考察の問題である。ラザルスは,技術的に折衷的なアプローチの価値を自分に気づかせてくれたのは,ロンドンだと言っている。ラザルスに影響を与えた第4の人は,彼がロンドンで出会ったアドラー派の精神科医師ジョゼフ・ビァラー(Joseph Bierer)である。ラザルスは,ビァラーが彼の経営する病院で見せていた純粋な親切さに強い印象を受けた。ラザルスはまた,「社会的意識,総合的な教育,積極的な介入,熱心さ,および人々に対する尊敬,などを多面的に重視するのは,決定的に'アドラー派'の影響である。また家族関係を重視することも……さらに,クライエントは,病人であるというよりは,基本的に誤った学習の被害者である,という見方も,同じところから出ている」と考えている(Nystul and Shaughnessy, 1994: 373)。

多面的療法は,多くの異なる方法や考え方の中から効果的であることが示されたものを選び出すという意味で,折衷的なアプローチである。現在,自分を折衷派と呼ぶ心理療法者やカウンセラーは多数いる。しかし,ラザルスは,彼の折衷主義が技術に関したものであり,その背後の理論に関するものでない点を鋭く強調する。言い換えれば,あるカウンセラーが行動的な技術を用いると

きに，必ずしもその背後にある学習理論を受け入れる必要があるというわけではない。彼は多面的アプローチのことを系統的・技術的折衷主義と称したが，系統的とは，思慮深い方法と計画を用いるからであり，技術的とは，理論よりも技術に関心を置くからである。

パーソナリティ理論

■ 平等主義の原理

ラザルスは，われわれは互いに平等である，と考えている。誰も他より上位であることはない，女王でも総理大臣でも宗教指導者でも，たとえマザー・テレサでさえも。彼は，これを平等主義と呼ぶ。誰かが何かの領域で優れた技能をもっているという事実は，その人が人間として優れているということにはならない。彼は，「われわれは人々の可能性を尊敬しなければならないが，彼らを神にしてはならない」と考える。そして，「われわれはみな，過ちを犯すが，許される人間どもである。われわれはみな，限界と同様に長所をもっている」と考える点でエリスと一致する。

■ 7つの側面

すでに述べたように，ラザルスは，人間のパーソナリティはBASIC IDの7側面で完全に記述できると考えている。これらの側面は，まったく分離しているかのように記述されているが，実際には相互に関係し合っている。ラザルスは，われわれが経験するすべてのものは，悲しみから喜びまで，退屈から大きな興奮まで，貪欲から慈悲までが，BASIC IDの各要因，および各要因の相互作用をよく調べることによって説明できると想定している。どれか1つの側面に変化が生じれば，他の側面の機能にも影響を及ぼしがちである。相互作用は非常に複雑で，その解明は見立ての過程にゆだねられる。

たとえばわれわれの文化，社会集団，政治的風土，など他の要因もわれわれのパーソナリティに強い影響力をもつ。たとえば文化の差違は，イギリス人の口の重さとか，アメリカ人の'何にでもとびつく'態度のようにしばしばステレオタイプとなり，それらもパーソナリティに影響を及ぼすことがある。

行動（Behaviour）　　われわれが行ない，発言することのすべてをさす。それは，習慣，人々や出来事に対するわれわれの対応，たとえば笑う，あるいは泣

くなどの反応，等々を含む。行動は，しばしば他の側面の1つに対する反応でもある。

情緒（Affect）　　たとえば不安，後悔，失望，怒り，あるいは罪悪感などわれわれの経験するすべての感情（emotion）を含む。他のすべての側面と違って，情緒は直接には扱えない。つまり，情緒を変化させるには他の側面を通してでしかできない。たとえばわれわれは，クッションを叩くこと（行動）によって怒りを奮い立たせることができ，また，リラクセーション（感覚）によって不安を軽減することができ，あるいは出来事に対する考え方（認知）を変えることによって，恐怖感を軽減することができる。これらのすべての気分転換は，他の側面に変化を生じることによってもたらされる。

感覚（Sensation）　　5つの主要な感覚（senses），すなわち，味覚，嗅覚，触角，視覚，および聴覚の経験をさす。これらの感覚は，たとえばアイスクリームの味，バラの匂い，大西洋の風景，あるいはモーツァルトの「魔笛」の音のように快いものかもしれない。また，痛み，めまい，頭痛，あるいは動悸のように不快なものかもしれない。この側面は，感情の反応を触発する，あるいは伴う。感覚は，他の側面に刺激されることもある。たとえば夕やけのイメージがリラックスした感じ（sense）を誘うなど。また，それらが他の側面に影響を与えることもある。たとえば，喉に詰まる塊を感覚すると死の考えや不安感に追い込まれることがある。

イメージ（Imagery）　　画面で考えることに関係し，夢，聴覚的イメージ（われわれが心の中で聞く旋律や音）などを含む。われわれは，イメージを用いていることに，しばしばあまり気づいていない。たとえば，あなたが会話しているとき，相手の人があなたに話そうとしている何らかの画面を，あなたは心の中に描くだろうか？（気づかないうちにある程度描いている）。本を読むとき，登場人物の各々のイメージを展開するだろうか？（ある程度している）。彼らの声が聞こえるだろうか？（ある程度聞こえる）。時には，イメージが圧倒してしまい，不吉に感じたり妨害的に感じたりする。他の側面の場合と同様に，イメージは，われわれを特別な行動に導いたり，またある種の感情や感覚の経験に導いたりする。

認知（Cognition）　　われわれの抱く思考，観念，価値観，意見，および態度で

ある。時には，それらは，われわれにとって役に立ち，有益で幸福な生活を送ることを可能にしてくれる。反対に，たとえば'自分は価値がない'，あるいは'この事態はものすごく大変で，とても我慢できない'などのようにあまり役に立たないものもある。思考は，われわれの行為や感情に強い影響力をもつ。

対人関係（Interpersonal relationships） われわれの他者，すなわち家族，友人，誰でも毎日出会う人，雇主，店員など，との社会的相互関係をさす。また，自分に対する他者からの扱いについてのわれわれの受け取り方，およびわれわれが他者に期待することも含む。

薬／生理学（Drugs/biology） 身体的健康のすべての様相をいう。それは，食事，運動，睡眠，健康，およびたとえば腰痛などわれわれが経験するかもしれない身体的な問題のすべてを含む。人間のすべての経験の基盤は身体生理的なものである。われわれのすべての側面は，身体生理の影響を受け，また，身体生理はすべての側面からの影響を受ける。仕事と家庭のプレッシャーを受けている場合は，いずれ，たとえば筋肉の凝り，疲労，動悸などストレスの身体生理的症状を経験するであろう。

パーソナリティの発達

　ラザルスは，人間のパーソナリティの形成を，①遺伝的な素質構成，②成長し，生活している物理的環境，③社会的学習期間における人間関係の結果，と見ている。つまり，7つの側面の中で，遺伝的に受け継いだものが全体の基盤であって，他の6側面は経験によって学習されるところが大きい。それらはすべて，さまざまな社会的，および心理的な過程の結果である。われわれは，発達の各因子を検討する前に，まず，ラザルスが出発した学習理論について説明する必要がある。

学習理論

　学習過程においては結びつけ（association: 連合）が重要な役割を果たしている。たとえば赤ちゃんが初めて哺乳ビンを見たとき，それにミルクが入っていることを知らないのでそれに反応することはほとんどない。しかし，赤ちゃんが哺乳ビンを見て興奮し，よだれを垂らすのを見たことがあるだろう。それは，その赤ちゃんが何回か哺乳された後に，哺乳ビンとミルクとの結びつけを学習

したからである。この種の学習は，古典的条件づけと呼ばれ，イワン・パヴロフ（Ivan Pavlov）というロシアの動物心理学者が初めて研究したものである。彼は，研究していた犬がいつも餌を運んでいた助手を見ると，餌を運んでいる・いないに関係なく，しばしばよだれを出すのに注目した（Pavlov, 1927）。一方でわれわれは不幸な結びつけを学習してしまうことがある。たとえば，ほとんど害のないものを恐れるような学習をすることがある。歯医者で窓からバラの香りが漂ってきているときに痛い体験をして恐怖を経験すると，後になって，バラの香りだけで再びその恐怖の体験へと導かれることがある。つまりそのバラの香りと恐怖とが結びつくような学習をしてしまうのである。これは多くの恐怖症の発生状況として考えられていることである。

もう1つの種類の学習は，賞と罰，いわゆるアメとムチを用いるものである。ソーンダイクというアメリカの心理学者は，迷路の中の猫が餌に到達するために最初は試行錯誤しながら出口を発見する仕方に注目した。猫たちは，何回か試行してしばらくすると，ほとんど一気に出口に出られる学習をするように見えた。スキナーというもう1人のアメリカの心理学者はこの研究を発展させて，この種の学習をオペラント条件づけと呼んだ。その呼び方の理由は，その動物が，その環境をオペレイト（操作）しようとする結果として，その反応を学習するからである。

スキナーは，賞（reward）と罰（punishment）の両方について効果を研究した。彼は，賞を，積極的，あるいは消極的な強化（reinforcement）と呼んだ。積極的な強化とは，動物が正しい反応をするたびに与えられるものである。人間の快楽に対する積極的強化の例は，誉め言葉，金銭，などである。消極的な強化の例は，正しい反応をしたときに不快体験が取り除かれるというもので，その意味でこれも一種の賞である。たとえば，うつ状態の人が運動をすることによって，うつの程度が改善することを学習するなどである。彼らは，うつ感情が軽減するという賞を与えられる。あるいは，牧師さんに告白した人は，罪悪感が除かれるという賞が与えられるであろう。大きな自動車事故の後に，運転をやめて恐怖感のない状態という賞を得る人があるかもしれない。スキナーの研究で，罰は学習を促進するうえで積極的強化や消極的強化よりも学習効果が少ないと認められたことはおもしろい。

われわれが経験から学習するこれらの結びつけは，すべて消去（extinction）という過程によって「学習を取り消す（unlearn）」ことができる。赤ちゃんは，哺乳ビンからミルクが得られなくなると，それを見て興奮することを止めてしまう。行動主義者が変化を得るために用いるのは，消去，あるいはこの「学習取り消し」の過程である。これらの方法については，後ほど検討していく。

▎遺伝的資質

　パーソナリティの発達に戻ると，痛みや欲求不満，ストレスに耐える能力には，個人差がある。ラザルスは，この能力を記述するのに，閾値（臨界値；threshold）という用語を用い，それは多分に遺伝的なものと考えている。これは，われわれが遺伝的に授かったもので，身体・生理的な次元のものである。人々の中には，他の人たちよりも，痛みに耐えられる，あるいは，ストレスや欲求不満に耐えられる人がいる。

▎社会的学習理論

　社会的学習理論は，条件づけの法則で学習のすべてを説明することはできないと考える。バンデューラ（Bandura, 1977）は，人間が模倣や観察を通じて他者の経験から学習することを観察した。幼い子どもが家中母親に付きまとって，掃除をしたり壁を塗ったりするのを真似するのを見ると，このことが明らかに観察できる。これは，学習理論者が言うような単に連合を通じた学習ではない。また，姉の'悪い'行動の結果を観察した幼い子は，そのような結果を避けるために'よい子'であることに固執するかもしれない。あるいは，よいことをして先生からほめられるという賞を受けたのを見ると，生徒仲間は同じ賞を受けるために真似しようとするであろう。

　模倣したり，他者の行動の結果を観察したりするこの能力は，学習過程を加速する。なぜならば，常に自分自身で実際に試行錯誤しては学習するという経験を経る必要がないからである。この理論は，子どもたちが他者の行動から，特に両親など彼らにとって最も重要な人の行動から影響を受けることを示す。これは学習の方法として，特に，たとえば言語など多くの複雑なスキルの学習において効率的な方法である。

　先に述べた条件づけの説明では，われわれの反応の多くが自動的受け身的であるように示唆される。バンデューラは，この見解に対して反対であり，「人々

は周囲で生じていることに対して常に自動的に反応しているわけではない」と言っている。われわれは,「それらの出来事に対して自分がどのように考えるか」ということによって,それに注目するかどうかさえも決める。また,われわれは常に現実の環境に対して反応しているのではなく,われわれがそのように見るものとしての環境に対して反応しているものである。自分の反応の結果を前もって考え,予測することができる。このことは,われわれが単純に反応する動物以上のものであることを認識させる。われわれは,意識して考えることもできる動物なのである。

しかしわれわれの頭の中には,思考以外の事柄もある。またイメージをもっていて,それが学習に影響を与えており,それと同時に感情や感覚をもっている。たとえば,うつ状態の人々は環境に対して通常と異なった意識をもつ——彼らはネガティブな出来事に注目しがちである。頭の中に,子どもが被害を受ける強いイメージをもっている人は,「子どもを学校に通わせて有能な先生の手に預けることは安全だ」と学習することができないであろう。実際には,ここで論じている7つの様式のどれもがわれわれの学習に影響を及ぼし得るのである。

■ 気づいていない過程

多面的アプローチの想定の1つとして,学習は常に意識的,熟慮的であるとは限らない。ラザルスは,「われわれの意識にはいくつかの異なるレベルがあり,思考,情感,および行動は,われわれの気づいていないところで多くの刺激に影響されている」と述べて,意識していない(nonconscious)過程に言及している。たとえば,歯医者の椅子にいる人は,今経験している痛みのためにバラの香りに気づいていないかもしれない。にもかかわらず,恐怖とバラの香りとの結びつけが学習されるということは,気づいていない次元で,その人がバラの香りを感覚していたということになる。ラザルスがアンコンシャス(unconscious)と言わずに,'ノンコンシャス(nonconscious)' という言葉を選んだ主な理由は,アンコンシャスという用語がフロイト的用法では,何らかの内容や構造体として存在するという意味合いをもつからである。

■ システムズ理論

システムズ理論は,「われわれが自分の生活に意味と目的を与えるためには,他の人々が必要である」と述べている。それは,常に,家族,友人,知人など

との対人関係が絡んでいることの認識に立っている。システムのメンバー間でのそうした絡み合いや対人関係を見ると，事態を改善するためには，しばしば当事者を包む社会的なネットワークの全体を考慮に入れる必要があることが示される。そこで，多面的療法は，しばしば家族療法や集団療法を併用する。

■ コミュニケーション理論

コミュニケーション理論は，すべての行動は何らかのメッセージをもっている，と単純に主張する（Watzlawick, Weakland and Fisch, 1974）。コミュニケーションを伝えないことは，不可能であり，述べられたこと以上のものをもっている。それには，たとえば姿勢，視線，気分，あるいは緘黙などの非言語的な方法で伝えられるメッセージも含まれる。また，この理論は，それらのメッセージが情報を与えるだけでなく，伝達し合っている人々との関係についても何かを伝えると主張する。たとえば，父親が子どもに対して「お前が，今，部屋を整理すればよいのだが」と言う，あるいは「お前の部屋の乱雑さにうんざりしている。今すぐに片づけなさい」と言うこともある。メッセージは両方とも同じことを要求しているが，父親と子どもの関係は明らかに違う。時にメッセージがあいまいであったり，不十分であったり，第3者を通して伝えられたために，2人の関係に問題が生じることがある。この理論は，聞いた人の3通りの反応方法についても述べている。第1は，聞いた人がメッセージを明確に受け入れて適切に反応する，というものである。第2は，それを適切に聞かなかったか，無視して拒否するというものである。最後は，応じることはするが，ポイントがはぐらかされるなどやり方が適切ではないというものである。たとえば，政治家は質問されたときにしばしばこのやり方で答える。

問題はどのように発生し，われわれはそれをどのように持続させているか

ラザルスは，人々がみずから障害に陥ると考えられる道筋をいくつか述べている（Dryden, 1991）。そして，上述の学習が進む過程では，さまざまな要因が絡み，相互作用すると考える。このことは，問題の発生を導くこともあり，また問題解決を妨げることもある。それらの要因の根底には，生理学の次元がある。ラザルスは特に，たとえば重症のうつ病などにおいては，化学的なアンバランスが関係しており，そのようなケースでは精神科医師による投薬を必要と

するものも多いと認めている。しかしまた彼は，問題の根底に生理学的なものがあるとしても，本章で述べた要因のどれか，あるいはすべてが関与しているとも認めている。つまり，多面的療法では，これらすべての要因に目を向けることになる。

■ 誤った情報

人々は，社会的学習を通じて人生に関する信念や仮説を獲得する。もしそれらが，すでにできている信念や仮説を崩してしまう，あるいは役に立たないものであれば，情緒的な問題をもたらすであろう。ラザルスは，そうした信念を誤った情報と呼ぶ。たとえば，世間でよく言われている「富と名声は幸福に導く」という信念は，間違った想定である。宝くじの大賞を当てた人の成り行きから見てわかるとおりである。それは，完璧に理想を実現させようとし，自分は必ず成功するという要請を科すようになる。その要請は，ストレスや不安をもたらし，その人が名声や富の獲得に失敗したときには，うつ病をもたらすことがある。

もう1つの無益な信念は自分が状況の犠牲者であるというものである。「私が試験に落第したのは先生が何ともならない人だからであり，私の落度ではない」あるいは「おやじがあんな言い方をするから腹が立ってくるのだ」などである。また，「そうすることで人に好かれ是認してもらえるであろう，という誤った信念をもって，つとめて他者を誉めてばかりいる」人もある。「問題や不快な状況は避けていればそのうち消え失せる」という信念は，もう1つの不幸な例である。困難な事態は，単に無視し，避けているだけで消滅するものではない。

前章では，自分や他者に要求をしすぎるなどの不合理，あるいは無益な思い込みについて述べた。たとえば'過度な一般化（1つの特殊な出来事から一般的な結論として引き出すこと）'などは，もう1つの誤った情報の例である。これらの無益な信念や想定は，情動的な問題をもたらすだけでなく，それが停留しているかぎり，その人たちの問題を持続させることになる。

■ 情報の欠落

社会的学習過程において，自身の経験，あるいは他者を観察し模倣する経験を通じて学習するといった機会を逸した場合は，生活に必要なスキルを獲得することができない。何かの分野で無知や粗野さを丸出しにする人がある。それ

は，社会的な状況や，就職面接などにおいて，いかにふるまうべきか，いかに自分に必要なものを要望し，いかに問題を解決するかの方法を知らないためである。たとえば過保護な両親に育てられた子どもは，大人になって社会に出て，気難しかったりアグレッシブな人に出会ったときの対処に必要な自己主張のスキルをもっていないかもしれない。そういった人たちは，それらのスキルを獲得しないかぎり情動的な問題をもち続けることになるであろう。

▌防衛的反応

われわれは，苦痛で不快な状況に対する認識を和らげるための防衛的な反応や逃避反応を，やはり社会的学習の経験を通じて獲得する。ここでは，フロイトによって述べられた防衛機制理論に類似するものもあるが，ラザルスは，「多面的療法は精神分析理論や行動理論やその他の理論の1流派ではない」点を注意深く強調している。防衛反応は，たとえば癪に障る，腹が立つ，罪悪感など，われわれが耐えがたいと思うようなネガティブな感情を避けるために役立つ。その反応には，否認，自分自身から切り離す，自分自身を騙すなどが含まれる。

愛する人の病気の重症さを，そこに伴う痛みや不安に自分が耐えられないので，しばしば否認してしまう人もいるが，これらの防衛反応は多くが気づかれていない。ラザルスは，それらを気逸らせ（distractions）と見なす。たとえば，昇華とは，単に努力とエネルギーを1つの方向から他の方向へと向け変えることである。子どもを産めない女性は，その欲求を動物保護に向け変えるかもしれない。かといって，多面的カウンセラーは，型にはまった解釈をしない。たとえば，もしクライエントが約束に遅れたらといって，それが防衛であると想定するのではなく，説明も聞いて，すべての可能性から考察する。

▌無益な習慣

われわれは，出来事の間の結びつきが，ラザルスの言う気づかないレベルで，いかに容易に身につくかをすでに見てきた。人々は，それらについて考えることもなく習慣として身につけ，またそういった習慣は，しばしば積極的または消極的な強化によって保たれていく。恐い出来事を避けたり遠ざかったりしているなどの無益な習慣は，恐怖を避ける消極的な強化によって保たれていく。また身体は，ストレスのときに自動的に反応することを学習する。時には，そのストレスが長引き，あるいは強すぎて強い結びつきを形成することがある。

たとえばグラハムは，凄まじい自動車事故を経験したため，タイヤのゴムの焼ける臭いとパニックとの間に強い結びつきを生じ，その後，ゴムの臭いがするたびにパニックを経験した。これは習慣的な反応であり，'習慣再訓練'を実施しないかぎり，固着しがちである。

これらの学習された習慣は，その個人が気づかないかぎり変えることができず，気づいていない過程では保たれ続けるであろう。人間は，苦痛や不快をもたらした状況に対する意識を緩和するために，ラザルスが防衛反応，あるいは回避反応と呼んだものも社会的学習の経験をとおして身につける。防衛反応は，役に立つこともある対処策である反面，無益な習慣を持続するのに役立ってしまうこともある。

これは，人がトラウマ的な経験をした後の状態でよく見られる。たとえばある人物が，地下鉄の駅での火事に巻き込まれた。その人物は，日ごろから抑制的で，感情を表現しないようにしていなくてはならないと考えていた。彼は，火事で強い恐怖と苦痛を経験し，生命の不安を感じた。後になって，その感情を'一種のマヒ'だったと言ったように防衛反応を用い，感情生活を閉ざし，火事について話したり考えたりすることを回避し，またそれを思い出させるものは何でも避けることによって，火事の間に感じた絶望と驚愕の感情から自分を防衛していたのである。その結果，記憶や思考が，夜夢でうなされる，フラッシュバック，苦痛の発作，怒りなどの形で侵入し，情動的な障害をもたらすことになったのだった。

▌トラウマ的経験

ラザルスは，地下鉄の火事など予期せぬ出来事は，驚異的，恐怖的であって，やがて情緒的に'挫折'してしまう人もいると認める。ラザルスは，そのような出来事に対するこの反応を「環境に対するその人の知覚のせいだ」とか，あるいは「その出来事に対する考えのせいだ」とは考えず，閾値（thresholds）という概念を用いて，人々の中に他の人よりもそうなりやすい人がいるのはなぜかを説明しようとする。人々の中には，他の人々よりも日ごろからその傾向が強い人がいる，ということである。しかし，結果として生じた心理的な問題は，不適応的な習慣や情報の欠落のために持続されることがある。この地下鉄の火事被害者の場合，どこまでも自己統制を保たなければならないという強い信念

と，自分を苦しめるものは何でも回避する彼の習慣が，その問題を持続させたのであった。

■ 自己受容の欠損

われわれは，自己受容と自尊心との差異について，前章で述べた。エリスと同様に，ラザルスも自己受容の欠損は情動的な問題をもたらし，またそれを持続させると考えている。ラザルスは，これを，これまでに述べた諸要因（側面）とは別のものと考えるのではなく，それらと相互関係するものと考える。たとえばジョージは，幸福とは人々が彼を成功した実業家だと見てくれることにかかっているものだという誤った信念をもっていた。そして，彼に落度のないことでリストラされると，うつ病になった。彼の'自尊心'は仕事を基盤としたものであり，彼はそれを確立するために働いてきたのであった。自分自身を失敗者として受け入れることは，彼にとって違和感があり，仕事無しの彼は生きている意味がない状態に等しかった。ジョージは，彼の欠点と人間的な限界をすべて受け入れる学習をするまで，うつ状態のままでいるであろう。

■ 対人関係の中での妨害

すでに見てきたように，われわれは孤立して暮らせるものではなく，みなシステムの中に入っている。時として，このシステムの中の他者が，自分の望みを阻止して，道を変えてしまうこともある。たとえばジョンは，他者との関係において自分が受け身すぎないかと気づいた。そこで彼は，自己主張トレーニングを始めた。職場では，同僚たちが彼の変化に気づき，組織のメンバーとして思う存分能力を発揮するように激励した。しかし家庭では，結婚以来支配性を保っていた妻が彼の変化を望まなかった。彼が積極的に自己主張をするようになることは，家庭のシステムを混乱させるものであった。妻は当初，自分が彼の変化を妨げていることに気づいていなかった。これはよくあることである。妨害は，故意に行なわれるものもあり，意図のないものもある。

このアプローチの療法

多面的アプローチの基本的信念の1つは，パーソナリティに関するこの7つの側面のすべてにわたって療法者の援助を受けた場合，カウンセリング／心理

療法が成功した後の健康を保ち続ける人が多い，ということである。ラザルスは，変化の持続性は，関係のあるすべてのことに当たってみた後に得られる見込みが大きいと考えた。これは，すべての側面に変化が生じなければならないという意味ではなく，1つか2つの側面に焦点を置くことによって，その他の側面の重要な要因を見落としてしまわないようにするという意味である。ラザルスが，D夫人の治療で，他の行動療法者と同じように認知の側面を無視していたならば，彼女は悩みを残したままで終了されていただろう。このアプローチは，個々人のユニークさを強調しているため，治療計画は個々人によって詳細に工夫される。たとえば，飛行機恐怖症に対してある人に適合したことが，同じような他の人にも適合するとは限らないのである。

特徴的な様相

　ラザルスの著作の特徴的な構成は，多くの設問が含まれていることである。彼は，常に自分の考えを，クライエントの観察によって得られた所見の事実に照らし合わせて検証する真の科学者である。この設問を用いる策略は，多面的アプローチの全体を貫いているものであり，その療法の核心的な部分である。

　多面的療法は，個々別の原理に基づいている。したがって，心理的な問題を扱う方法において唯一の正しいというものはないと考える。この原理は，多面的カウンセリングの最初のアセスメントから治療的関係，実際の技法の選択にいたるまで，実践のすべての面を先導し説明するものである。この'適合が肝心'の精神を強調する点が，このアプローチのユニークさである。

　ラザルスは，多面的アプローチと他のアプローチとを区別する6つの様相について述べている。それらは，個人と社会的環境のすべての側面を完全に理解することを目的とし，側面の各々についてだけでなく，それらの相互作用にわたる詳細なアセスメントの手続きも重視する。ここにまず6つの特徴的な様相をあげておき，後で説明をする。

1　BASIC IDの全体にわたる特別，および総合的な注視
2　第2順BASIC IDアセスメントの使用

3　多側面総合表の使用
4　多側面構成図の使用
5　側面の優先順を見立てる
6　治療的関係を強化するための熟慮に基づく側面間移行　　　　(Lazarus, 1992: 250)

見立て（アセスメント）

「誰に対して，どのような特別な事態で，何が効果的か」という重要な設問のすべてに答えるためには，心理療法の当初において7つの側面のすべてにわたる完全な見立てが必要だと考えられる。その後にこそ，その作業にとって適切な道具を選ぶことができる。例外としては，その人が重体である，あるいは問題が明らかに1つの側面で1つか2つしかない場合である。その場合の全面的な見立てはぜいたくである。また，見立ては治療過程を通じて続くものと考えられる。

■ 初回面接と13の決定事項

ほとんどのカウンセリングのアプローチにおいて同じことがいえるが，クライエントとの初回面接の主要な目標の1つは，よい治療的関係を作ることである。ラザルスは，クライエントがカウンセリング・ルームに順応してリラックスし，その過程に脅威を感じることのないようにするために，よくちょっとした会話を用いたことを述べている。名前や住所や結婚状態などを聞き取るといった形式的な会話は，開始時の有効な話題となる。

熟練した多面的療法者は，初回面接中に，いくつかの設問に対する答えを探している。ラザルスは，初回の終わりか，遅くとも2回目の終わりまでにはカウンセラーが答えを得なければならない12項の設問をリストした。以下の設問はラザルスの12の決定事項に基づいている（Lazarus, 1992: 240）。

1　精神病性障害の何かしらの兆候（たとえば，奇矯な行動，奇異な思考，妄想）があるか？
2　何らかの気質的問題の何かしらの兆候（たとえば，見当識の欠落，記憶の喪失，奇妙な癖）があるか？
3　何かしら抑うつ，自己非難，自殺あるいは殺人への傾向があるか？

4 そのクライエントは，どのような問題をもってカウンセリングに来たか，その問題の引き金となったものは何と考えられるか？
5 そのクライエントが，先週でなく，先月でなく，去年でなく，今来ているのはなぜか？ 誰かが来させている，あるいは強い影響を与えているか？ あるいは何らかの危機が生じたのか？
6 その問題に前駆した要因は何か？ そもそもの始まりは，どのようなことか？
7 誰か，あるいは何かの事柄が彼らの問題を持続させ，そのクライエントが解決するのを妨げていないか？
8 そのクライエントがカウンセリングから何を得ようとしているかが明らかか？
9 ある特別な療法が他のものに比べて，より援助的である，あるいは，より無益であるとする何らかの指標があるか？
10 そのクライエントは個人で扱うのが最善か，あるいは2人組（たとえば仲間，あるいは配偶者）がよいか，あるいは家族単位，ないし集団がよいかを示す何らかの指標があるか？
11 クライエントとカウンセラーの両方にとって満足な関係を展開することができるか，あるいはそのクライエントは他に紹介するべきか？
12 そのクライエントは，どのような強さをもっているか，そのプラスの特性は何か？

　ラザルスのこのリストに対して，パルマーとドライデンは重要な13番目の設問を加えた。

13 そのクライエントは，これまでにカウンセリングを受けたことがあるか，そしてもしそうであれば，その成果はどうであったか？ そのクライエントは何が役に立ったと思い，何が援助にならないと思ったか？　　　　　(Palmer and Dryden, 1995: 19)

　これは重要な設問である。もしそのクライエントが行動療法を受けていて，それを役に立たないと思ったとか，セラピストの指示的なアプローチを'偉そうにして'と述べる場合，カウンセラーにとっては治療様式に関する，また少なくとも最初は行動療法の介入を避けることに関する重要なヒントになる。
　この早い段階で，カウンセラーや心理療法者は情報を集め，根底にある問題意識について聞き出し，クライエントの話に耳を傾けながら，自分が使い慣れた書式で問題を記述する。

> **クライエント**　禁酒しようと努力しています（行動），しかし妻はまったく協力してくれません。ガミガミ言うばかりで，それは意志力の問題だと考えています（対人関係）。私は，そのことで落ち込んでしまいます（感情）。禁酒はできそうもありません（認知）。
> **カウンセラー**　絶望感ですか？（根底にある問題意識）
> **クライエント**　そうです。1人ではできませんし（認知），妻が離れていくのが目に浮かんでばかりいて（想像），それは耐えられないことです（認知）。

■ 多側面的生活史インベントリー

　初回面接の最後に，クライエントは通常，多側面的生活史調査票を渡される。これは何章かにわたる詳細な質問紙である。はじめは，一般生活歴的な情報でありクライエントの両親との関係についての質問が含まれる。次は，提起する問題の記述であり，治療に対するクライエントの期待に関する質問である。次いで，すべての側面の7つにわたる多くの質問である。各側面における質問の一部例をあげる。

行動
・あなたが得意とする能力や才能として，どのようなことがありますか？
・自分で，これはやめたほうがいい，と思うことは何でしょうか？

情緒
・あなたが恐れているおもなものを5つあげてください。
・自分の感情（feeling）を抑えきれないと思うのは，どんなときですか？

感覚
・次の身体的な感覚で，しばしば感じるものに○を付けてください。（リストには，腹痛，頭痛，めまい，カッとなる，などが含まれる。）

イメージ
・とても快いイメージ，心の画像，あるいはファンタジーを記述してください。
・気にかかる，あるいは心を乱して，日常生活の邪魔になるような何かのイメージがあったら記述してください。

思考（認知）
・何かの考えが繰り返し浮かんできて悩まされることはありませんか？　あれば，それはどのような考えですか？

対人関係
・あなたの配偶者について，最も好きな点，最も嫌いな点は何ですか？
・あなたのご両親は，セックスについてどのようなお考えをお持ちでしょうか，述べてください。
・人々が私の気分を害することの1つは，（次を続けて文章にしてください）……

身体生理的諸要因（薬剤／生理学）
・あなた自身，あるいはご家族の誰かがかかっている医療上の問題をあげてください。
・あなたは，規則的な運動をしていますか？　しているとしたら，何を，どれくらいですか？

　これを完成させることがクライエントにとって有益な点は，それが治療計画を促進し，治療時間を，また有料の場合は料金をも節約することである。クライエントは，通常，嫌ならばすべてに答えなくてもよいこと，また次の面接で何でも質問してよいことを伝えられる。
　クライエントたちは，それを記述して思考の刺激になったと言う。「物事を別の観点から考えられるようになりました。ある側面が私にとってどれほど重要であるかに（この作業をする前は）気づいていませんでした」。冗長に書く人もあれば，決めつけがましい人もいる。また，その反応が，次の面接で話題の一部になることもある。

■ 多側面総合表

　多側面総合表とは，7つの側面にわたる表示であり，アセスメント過程で得られた情報の要約として用いられる。それは，療法者とクライエントが各側面の問題を特定し，またそれらを克服するために用いる技法を考案するために役立つ。これは，多分に作業記録としても見ることができ，治療の進展とともに修正できる。クライエントに宿題として自分の総合表を作ってもらうこともある。そしてそれは，次の面接でカウンセラーの作ったものと比較することもできる。表5-1は不安問題のクライエントの総合表の1例である。

表5－1　不安を訴えるクライエントの多側面総合表

側　面	問　題	介　入　策
行　動	人に反論できない 睡眠障害 一般交通機関拒否	自己主張訓練 自己暗示テープ，またはリラクセーション課程 エクスポージャー（再体験）課程
情　緒	不安 パニック 抑うつ	不安についての教育 無益な思い込みに反論 リラクセーション技法 呼吸法訓練 賞獲得活動の増大，対処イメージ
感　覚	めまい 緊張 心臓の動悸	首の筋肉リラクセーション バイオ・フィードバックリラクセーション体操 不安の効果についての教育 破局的な思い込みに反論
イメージ	列車事故のイメージ 心臓マヒ死で病院で横たわっているイメージ	イメージ上の再体験 プラスのイメージ
認　知	自分は役に立たない者 誰からも好かれていない パニックの発作に我慢できない	無益な思い込みに反論
対人関係	親しい友達に欠ける 結婚上の問題	交友訓練。SST（社会的スキル訓練） コミュニケーション・スキル訓練 夫婦カウンセリング（紹介）
薬／生理	運動不足 アスピリン服用過剰 ジャンク・フード摂食	フィットネス課程 リラクセーション訓練 栄養教育

▌多側面構成図

　人々の中には，行動型と思考型があり，その他は，基本的に平均指向型である。クライエントは，次のような質問に対して，各側面7つのスケールによって自身で評価するように求められる。

　　　行動：あなたは，行動的ですか？　その程度は？
　　　情緒：あなたは，感情的ですか？　その程度は？

感覚：あなたは，自分の体の感覚によく気づくほうですか？　その程度
　　　　　は？
イメージ：あなたは，よく空想や想像をするほうですか？　その程度は？
　　認知：あなたは，よく考えるほうですか？　その程度は？
対人関係：あなたは，社会的な生き方をしていますか？　その程度は？
薬／生理：あなたは，健康に気を配っていますか？　その程度は？

　この評定からカウンセラーは，棒グラフを描く。図5－1は，このクライエントが主として思考型であって，あまり行動家ではないことを明らかに示している。言い換えれば，このクライエントの優位な側面は，認知の側面である。

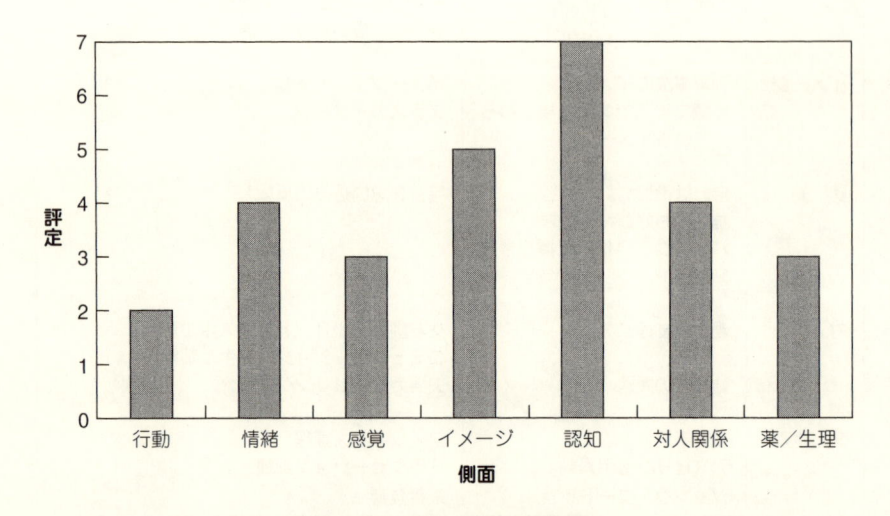

図5－1　現在の多側面構成図

　この多側面構成図についてクライエントと一度話し合った後，再び彼らにこの実施を求めるが，そのときは，望ましい構成について考える。このクライエントは，思考家であることに満足しているが，思考を行動に移すようにもっと行動家になることも望んでいる。また，もっと健康に気を配るようにしたいと思っているが，その他の側面では満足している。図5－2は，この望ましい構成のあり様を示している。
　多側面構成図は，クライエントが現在の自分のことをどのようなタイプの人

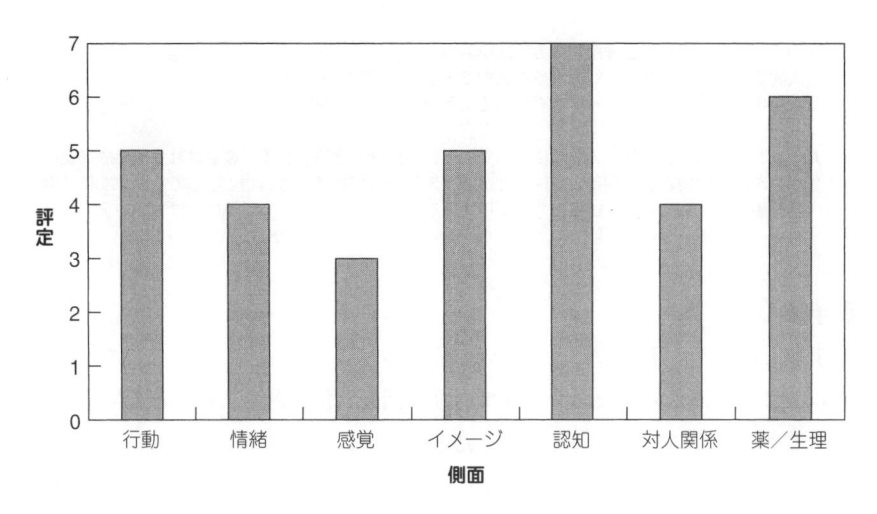

図5-2　本人の望む多側面構成図

間と見ているかを示し，これを彼らの望ましい構成と比較するのに用いられる。多側面構成図はまた，カウンセラーがどのアプローチを用いるかを決めるのにも役立つ。たとえば，もし構成図によってクライエントが思考型であると示されれば，それは，おそらく認知的な技法に反応することを意味するであろう。

■ 第2順目の BASIC ID

時には，慎重なアセスメントと適切な技法にもかかわらず，クライエントの問題が解決しないことがある。その場合は，第2順目の BASIC ID アセスメントが役に立つ。これは，1つの問題だけに絞り，その問題に関してのみの多側面構成図を作ることである。

事例

　あるクライエントは，リラクセーションやその他のストレス緩和術を試みたあとでも，依然として緊張的な頭痛を経験していた。この症状のみに関する各側面にわたる質問をして，多側面総合表を作った。激しい頭痛のとき，あなたはどうしますか？　あなたはどう思いますか？　あなたは，どのようなイメージをもっていますか？　クライエントの答えは，次のとおりであった。

行動	暗くした部屋で寝ている。
情緒	不安
感覚	喉が締めつけられて，頭がズキズキする。
イメージ	髄膜炎で死んだ従兄を見続けている。

認知	自分には腫瘍があるに違いない。
対人関係	今は誰にも対面することができず，自分だけにこもっている。
薬／生理学	プラセタモールを服用しているが，効いていない。

カウンセラーは，これからの問題について若干の手がかりを得られる。彼女は社会的接触を避けるために頭痛を口実として利用してはいないか，またその症状は，医者が否定しても聞かずに「自分は脳腫瘍をもっている」という信念に固執することによって保たれているのではないか？

■ 手順

　手順とは，それぞれの側面の'火の燃え移り順'を見立てることである。ラザルスは，人間はみんなユニークであり，問題状況に対して決まった順序で反応することはない，と考えている。たとえば，人前で話をしなければならない事態に直面した男性は，演壇に上るにつれて胸が締めつけられる思いや動悸を感じ（感覚），次いで，「これはものすごく大変なことだ。私に何の落度があってこんなことになったのだろう」と考え（認知），自分がへたり込む想像を描き（イメージ），そこから逃げ出して事態を逃避しようと決心する（行動）。各側面は，SCIB（感覚，認知，イメージ，行動）の順序で火が燃え移っている。別の人では，異なる順序で経験する人もいる。ある女性は，「私がこの場をメチャクチャにしてしまいそうだ。それは，ものすごく大変なことだ」と考えて（認知），演壇から逃げ出し（行動），聴衆があとから嘲笑することを想像し（イメージ），動悸と心臓の空回りを経験する（感覚），かもしれない。この場合の順序は，CBIS（認知，行動，イメージ，感覚）の順である。

　選ばれる技術は，延焼順に応じる。延焼順の遅い側面をめがけて始めることでは，成功しないであろう。上述の男性の場合，技法が問題の延焼順と同じ優先順で用いられるとより効果的だと考えられる。そこで心理療法者は，感覚に関するものから始めて，認知，イメージ，行動的技法へと進めるであろう。その男性は，たとえば，リラクセーション法を用いる（感覚）ように指示され，「脈拍が上がったのは，アドレナリンが増量したからにすぎない。感じは悪いが，我慢できる」（認知）と自分に言い聞かすことができる。

　ラザルスが強調する1つの点は，治療者が自分の限界と他の治療者の実力を知っていなければならない，ということである。つまり，いざというときに他

のどこかに紹介する用意ができていなくてはならない。そして，自分自身に対して「このクライエントにとって私が最善であろうか？　もっと効果的に援助できそうな人は誰か？」と問いかける必要がある。たとえば，アルコール依存者はアルコーリック・アノニマス（アルコール依存者が匿名で集まって，禁酒を誓い合う活動），あるいは，特別なクリニックへ，また摂食障害の人はその領域のスペシャリストに行くほうがよい治療を受けられるかもしれない。その他の場合として，他のカウンセラーないし心理治療者が特殊なスキルもしくは人間的特質をもっていて，クライエントによっては平行的に行なうことがよいこともある。

ゴール（具体的な達成目標）

　ラザルスは，多面的療法の総合的一般的なねらいを，心理的な難渋の軽減と人間的成長の促進として述べている。

　それに加えて，より特別的・具体的なゴールが見いだされる。個人について各側面の問題が取り上げられ，何らかの過剰や不足が精査される。治療は，そのクライエントに合わせてオーダーで仕立てられるべきものであるから，そのゴールは，各側面における当人の要望を考慮に入れることが大切である。ラザルスは，クライエントと心理療法者とが明らかな言葉で述べて合意したゴールは，あいまいなゴールに比べて，より効果的な結果を残すことを発見した。それは，当人が前向きにめざすようになれるために到達可能なものである必要がある。たとえば，ストレスに悩みながら毎日長時間自動車を運転するセールス業者では，ハンドルを握っている時間を短縮することによって，その行動を軽減する方法を見いだしたいと思うであろう。反対に，あるいは同様に，その人は運転方法を変え，もっとゆっくりとリラックスして運転することの利点に気づくかもしれない。

治療的関係

■ 療法者の姿勢

　多面的アプローチは，療法者が柔軟で順応的であることを奨励する。これは，時には極めてフォーマルでありながら，また反対にパーソン・センタードのよ

うな暖かさと共感の姿勢であることを意味するかもしれない。療法者は，1回の面接においてでも自分のアプローチを変えるほうがよいこともある。療法家は，クライエントごとに，このクライエントには自分がどれほど支持的であることが求められているか，あるいはどれほど指示的であることが求められているか？　と自問する必要がある。

> **事例**
> 　トニーは，最初の面接のはじめに，前のカウンセラーがあまりに多くのズケズケとした質問をしたので好きでなかったということをはっきりと述べた。そこでカウンセラーは，努めて決めつけない態度で優しく，トニーが心を開くように助成するアプローチを採用した。3回目の面接の中で，誰にもわからないいくつかの特別な秘密をほのめかしたあと，トニーは突然，自分が子どものころ虐待されていたと話し，それだけでまた突然話題を変えてしまった。カウンセラーがようやく彼の人生について質問し始めたのは，5回目からのことであった。対照的に，日々仕事で飛び回っているトレーシーは，クライエント・センタード・カウンセラーの暖かい共感的な応答にいらだち，多面療法者との間では，指示的でビズネス調の関係をもちたいと要望した。

　どのような特別なアプローチあるいは姿勢が求められるにしても，カウンセラーにとっての総合的な考察は，クライエントとともに作業するということである。ラザルスは，クライエントの経験，パーソナリティ，問題，およびゴールに合わせて，多面的カウンセラーが自分の姿勢を変えるあり様を説明するのに'究極のカメレオン'という比喩を用いた。ラザルスは，支持提供を伴う，かなり指示的な仕方で働くような傾向がある。これは，彼がカウンセリングを，「クライエントの過去から来ている誤った情報，および情報の欠落を矯正する教育的な過程」と考えているからである。それでも，必要に応じて彼は極めて優しい非指示的なアプローチを意図的にとったりもする。

▍側面間移行の橋渡し

　われわれは前に，各人はそれぞれ好みの側面をもっていがちであることを述べた。側面間移行とは，治療的関係を強化するために工夫された技法であり，カウンセラーがクライエントの好みの側面を認知し，それに波長を合わせることを含む。次の例では，カウンセラーがクライエントの好みの側面が認知面にあることを知り，クライエントに感情の表現を強いることをせず，最初はクライエントの好みの認知面に合わせてつきあい，次いで感覚に移るが，それを認

知から情緒の側面に移行するための橋渡し（Bridging）として利用している。

> **カウンセラー**　雇い主に解雇されたとき，どんな気持ちでしたか？
> **クライエント**　まぁ不公平だと思いました。私が首になるような理由はなかったのに。（感情というよりは，考えや意見の表現）
> **カウンセラー**　（その考えに関連して）あなたは首にならなければならないようなことは何もしていなかったと思われるのですね。
> **クライエント**　えぇまったく。
> **カウンセラー**　そのとき，勤め先の雇い主の部屋に立っていたときの彼女のあなたに対する扱いを思い出すと，あなたは体にどのような感覚を覚えますか？（感覚を橋渡しに使ったもの）
> **クライエント**　一種の緊張，一種胸全体が締めつけられたような，そして喉に塊が詰まったような感情を覚えました。
> **カウンセラー**　それでは，その緊張のことを思い出してください。喉の塊と胸の締めつけをどのように感じたか，あるいは心に浮かんだ画面を何でも話してください。
> **クライエント**　腹立ちを感じたと思います。えぇそうです，彼女に対する怒りと，そしてもう他の仕事にもつけないかもしれないという恐れでした。
> **カウンセラー**　その腹立ちについて，もっと話してください。
>
> もしカウンセラーが最初から感情を詮索することに固執していたら，クライエントは違和感を感じて，どうやらこのカウンセラーは自分のことを理解していない，と結論づけていたかもしれない。

技法

■ 多面的技法の選択

　クライエントの要望，すなわち治療の焦点を見立てると，カウンセラーは，最も効果的と思われる技法を選ぶために道具箱に向かう。これは，多面的カウンセラーが，広く多彩な技法の使用に堪能である必要性を意味する。それらの選択において，ラザルスは，効果の確認されたリサーチ・データのあるものを選ぶことを重視する。彼は，カウンセラーが聞き知っただけで，特殊な問題を扱う場合における効果について何も知らないような手続きを採用することに反対し警告を発している。批判の多くは，カウンセラーが，たまたま流行している特殊な技法を用いることに対して集中している。たとえば，サイコドラマが初めて登場したときには，職場セラピストから地方の夜間クラスのチューターまでがみなそれを行なっていた。検証されていない技法を，このように未熟な人たちが用いることは効果が期待できないだけでなく，実際には，危険であり，有害でもあり得る。

多面的カウンセラーは，よく確立された手続きから始める。すなわち，その特別な問題に対して特に効果的であると研究文献から知られた手続きからである。このアプローチのどの段階でもそうであるが，絶えず見立て，および再見立てをする。それは，選ばれたアプローチについて，そのクライエントにとって期待された変化を生じているかどうかを注意深くモニターする必要のあることを意味する。

　以下に述べるのは，それぞれの側面に対して最もよく用いられる技法のリストとそれぞれの概略説明である。これは，けっして完全なリストとは言えない。それらの中には，あげた側面以外でも用いられるものがある。たとえば，感覚的な技法であるリラクセーション法がよく眠れるように，あるいは社会的場面での不安を軽減させるようにと，行動の変化のために用いられることがある。

■ 行動面の技法

　行動面の技法は，「行動は多分に学習されたものであるから，取り消し学習をして，より有益で望ましい行動に置き換えることができる」という想定に基づいている。これらの技法の創始者は，ややもすると少し奇妙で，さえない響きをもつかもしれない術語を用いた。われわれもそれらの術語を使うので，それぞれについて注意深く解説する。

行動リハーサル　　望ましいふるまいのできないクライエントは，カウンセラーあるいは心理治療者とともに特別な行動のリハーサルをすることがある。ちょうど，俳優が新しい役のリハーサルをするのと同じである。たとえば，欠陥のあるやかんを店に返品することのできないクライエントの場合，カウンセラーを相手に練習することができる。会話は録音され，クライエントが聞いて自分の動作を評価することができる。クライエントがその場面に慣れて不安を感じなくなったら，実際に現実生活の状況の中で自分の新しいスキルを試すように激励される。

モデリング　　人間が他者の行動から自分の行動を模倣して学習する様態についてはすでに述べた。治療においてカウンセラーは，クライエントに対して役割モデルを提供することができる。上記の事例ではカウンセラーは，クライエントがやかんを店に返品することを練習するよりも，あるいはそれと同じくらい，クライエントが真似することのできるだけの毅然とした行動の手本を示す

ことができる。

非強化　学習過程において形成された反生産的な結びつけは，消去として知られる過程によって取り消すことができる。たとえば，Kさんは，両親からの保証を求めるための子どもじみた要求が，常に愛情と注目をもって受け入れられるという学習をしてしまっていた。この行動は，彼女のボーイフレンドが死んだ後の悲嘆を持続させ，また両親の永続的な同情によって強化されていた。そこでこの反応を消去するべくこの結びつきを切断するために，両親に娘の同情求め行動を強化しないように無視することを教示した。同時に両親に，たとえばボーイフレンドの話をして悲嘆を軽減するなどの行動を奨励して，より適切な行動へとうながすことができた。

記録と自己モニタリング　これは，クライエントが自分の行動変化の進歩を注意深く記録し，クライエントの自己統制感を高めることを狙うものである。またプラスの方向への進展を見ることは，積極的な強化の役に立つ。

責任コスト，あるいはペナルティ　ここでは，クライエントがある種の行動を増加あるいは減少することに合意し，それができなかった場合のペナルティにも合意しておくものである。たとえば，背中の傷害で来たクライエントが運動計画を実行しなかった場合，嫌いな活動を実施するか，好きな活動を見送らなければならない。

刺激統制　行動は，ある刺激の存在によって促進されることがある。たとえば毎日のアルコール摂取量を減らしたいと思っている人も，家にアルコールがある場合，実行はより困難になる。この場合の刺激統制（stimulus control）は，家にアルコールがないようにすることであろう。また同様に，周囲にその行動の引き金の刺激となるものを配備することによって，望ましい行動を増加させることもできる。本を書いている作家は，気を散らすような刺激を置かないように机を整備し，書くためだけに座る机を確保することによってみずからを激励することができる。

段階的再体験　個々人がよく表わす2種の症状は，恐ろしいと思う事態を避けること，およびリスクへの挑戦を拒否することである。恐ろしいと思う事態に対面すると，最初は不安のレベルが上昇するが，その後しばらくとどまっていると減少し始め，やがて平常のレベルに戻ることが明らかにされている。こ

の段階的再体験（systematic exposure）は通常，クライエントがみずから恐ろしい事態に1歩1歩と近づいて，徐々に再体験していくというように実施されている。たとえば，交通機関は何によらず恐ろしいという人は，最初は恐ろしさの最も少ない方法によって旅行してみるように，そしてそこでもはや不安がなくなったら，次の恐ろしさの旅行手段にと1歩ずつ移るように求められる。これを学習理論の用語でいうと，出来事や対象と不安との結びつきを消去する，ということになる。

■ 情緒ないし感情面の技法

療法者が行なう大部分の仕事は，たとえばうつ病，不安，罪悪感，あるいは悲嘆など情緒障害の治療にかかわっている。ラザルスは，「われわれは情緒を直接に扱うことはできず，それは他の6つの側面を通してのみ手が届くものである」と言っている。これは，読者方には奇異に思われるかもしれないが，ここで試しに，罪悪感を触発するような思考，あるいはイメージを呼び出すことなしに，罪悪感を感じようと努めてみていただきたい。情緒を変えるためには，カウンセラーは，他の側面からの技法を用いなければならない。たとえば，不安を軽減させたいと望む人に対して，心理療法者は，不安処理訓練法を用いることもある。しかし，その実際は，リラクセーション・トレーニング（行動の技法）であったり，コーピング・イメージ法（イメージ技法）であったり，また生理的フィードバック（感覚の技法）であったり，無益な思い込みに挑む認知的な技法であったりする。同様に，怒り処理訓練法も，他の側面からの類似した組み合わせから成っていよう。

■ 感覚的技法

これらのいくつかは，たとえば性の問題など特殊な問題のためのものかもしれない。その他，より一般的なねらいをもち，特殊な問題に対しては間接的な効果を及ぼすものがある。たとえば，一般的な身体的緊張の緩和は，高血圧という特別な問題に対して効果を及ぼす。このグループには，リラクセーションや催眠の技術も含まれる。

生理的フィードバック　　たとえば，脈拍数，血圧，筋肉の凝り，などある種の生理的機能をモニターするための装置がいくつか開発されている。その情報は，クライエントに対して普通聴覚あるいは視覚など何らかの感覚でフィードバッ

クされる。これらの装置を用いる目的は，われわれの経験する生理的な感覚に望ましい変化をもたらすことである。一般的によく知られた装置は，いわゆるウソ発見器（GSR）のモニターである。これは，皮膚の伝導性を測定して，それを1種の振れの強弱にして程度を示すものである。われわれの自律神経系統が興奮したとき，われわれは汗をかき始め，それが皮膚の伝導性を高める。たとえば試験場で手に汗をかいたことを思い出されるかもしれない。もしGSR装置を取り付けていたら，あなたの皮膚の伝導性の変化に反応して振れが増大したであろう。このような装置を用いて，クライエントは振れを小さく押さえ，あるいはまったく振れないまでに保つように学習することができる。これは関係のない考えやイメージが，いかにすばやくストレスを刺激するかを示すのに役立つ方法である。クライエントをリラックスさせ，落ち着かせたうえで，何か恐がるものを思い出させると，GSRが急激に振幅を上げるが，これは身体生理における急激な変化を示すものである。

感覚的フォーカス・トレーニング　これはよく知られた方法であり，性的な悩みをもつ夫婦のために役立つ。これは，通常治療の最初の段階で使われる。それは，実際には性的快楽よりも感覚的快楽を扱うものであり，たとえば接触する，メッセージを伝える，あるいは性器と胸を除くどの部分でもよいから愛撫するなどによって身体的感覚を刺激するものである。この方法の背後にある考えは，性行為へのプレッシャーや期待のためでなく，相手とのコミュニケーションや親睦を楽しむことを奨励することにある。

■ イメージ的な技法

　ここで述べるイメージ的技法は，これまで述べてきた他の側面の技法と違って，現段階では，それが効果的であることを示す研究による証拠は乏しい。しかしながら，ラザルスは，援助した実践の中でイメージ力を向上させたことが役に立ったと考えられるものを示唆している。人々がストレス状態に対処するのを援助する1つの方法は，まず，それに対処する自分をイメージさせることである。もしその実践が困難なときは，イメージする力に対する援助が必要である。療法家は，綿密なアセスメントを通して，そのクライエントにとって想像力の行使が困難かどうかを知っていなければならない。またカウンセラーは，イメージの行使にあたって，それらの中に過去のトラウマなど不快な記憶を想

起する引き金になるものがあるかもしれないことに注意しなければならない。イメージ訓練の目的は，不快な感情を発生させることではなく，イメージする技術を磨くことにある。

　イメージ法の練習には，静かな場所で快適にリラックスして座っている状態が最もよい。読者もこの技法のいくつかを試みられてはいかがであろうか。

ホワイト・ボード技法　クライエントは，自分の呼吸に集中してリラックスするように求められる。次に，目を閉じて頭の中に何か書くことのできるホワイト・ボードを思い浮べるように求められる。ボードに数字の1を書く自分をイメージするように求められ，次に数字の2を，というように続けて，できるだけ多くの数字を書くように求められる。練習によって数字が増し，その分だけ彼らの清明さも増すものである。

ありふれた物体技法　クライエントは，ありふれた物体を選んで，その詳細までよくわかったと思うまで綿密に査察する。次に，目を閉じてその物体を想像し，すべての方角から，できるだけ正確に見るようにと要請される。2分後に，目を開けて再び実際の物体を精査し，どこかの細部を忘れていないか，何かを思い違えていないかを調べる。

　クライエントのイメージ力が十分に向上すると，次の技法のどれでも使えるようになる。

反・未来ショック・イメージ　人々は，未来にたとえば娘の結婚，退職，デートに行くなどの出来事が生じることに対して，時に不安を感じることがある。クライエントは，たとえば1人きりになる，年を取る，あるいは社会的に不作法なことをしてしまうなどマイナスのイメージをもつことがある。クライエントに対して，こうしたイメージを克服するための援助方法の1つは，そうした変化に対処する自身を想像視させることである。ラザルスは，それを，'感情の火災訓練'と呼んだ。たとえば，退職について，クライエントはしばしば人生が終わったというイメージをもち，自分をみじめで孤独なものと思うことがある。カウンセラーは，たとえば地域のスポーツ・クラブに参加する，生涯教育を通じて新しい興味を見つけるなどのさまざまな方策を自由に想像するように激励し，それらの活動をうまく実行している自分を想像視させる。将来のことや，やれることを考えるのに別の道もあるということを文字通り見ることに

よって，人々は変化に対してより建設的に対処できる。

想像上の再体験　この技法は，段階的再体験と同様に，クライエントが恐ろしがる状況を再体験させるのであるが，ここでは想像のうえで行なう。クライエントに実生活上の恐怖状況で再体験させるのは不可能なこともある。まさにトラウマを経験した人々は，それを実際に再体験（imaginal exposure）することを望まない。それらの出来事を想像上で再体験することによって，やがてそれらは不安を触発する力を失うようになりがちである。まず，恐怖の序列を作り，次に，そのリストで最も恐怖の弱い状況を想像して，恐怖感が沈静化されるまで続ける。次いで，その次の順序のものを取り上げて想像するようにと続けて，最悪の恐怖場面を克服するまで続ける。

プラスのイメージ　プラスのイメージは，不安と緊張を軽減するために用いられる。つまり現実的であろうと想像上であろうと，その人が楽しくなるようなシーンを何でも文字通り心に描くのである。たとえば，メアリーは，リラックスすることができないという強い不安を感じていた。カウンセラーは，彼女が子どものころの休日に楽しい思い出をもっていることを知っていたので，彼女にその中で特に楽しかったことを想像するようにと求めた。彼女は，島の中の樹木が茂った峡谷の上の崖に座って，大西洋に沈む夕日を眺めていた自分を思い描いた。彼女は，この記憶を思い出すと，緊張が和らぐのを感じ始めた。

踏んばり技法　たとえば退職のあいさつをしようとしている女性など，クライエントの将来の出来事に対して援助するもう1つの方法は，この踏んばり技法（step-up technique）を使うことである。これは基本的に，起こり得る最悪の出来事を想像するというものである。その後でクライエントは，最も起こってほしくない恐怖を空想の中に注意深く呼び込み，それにうまく対処することを想像するように求められる。カウンセラーは，思い起こされて夢に現われた夜驚に対しても，そのクライエントが解決する方策を特定できるように援助しなければならないこともある。たとえば，最悪のシナリオは，その女性があいさつのために立ち上がったとき，彼女の衣服が机の下の釘に引っ掛かって破れてしまい，下着が丸見えになるというものであるかもしれない。これに対処する1つの方策は，ドレスの残った部分を掴んで身に巻き付け，大声で「私は，ドレスのデザイナーになろうかと，今思いつきました」と言うなどであろう。

時間移行展望的イメージ法　　時間移行展望的イメージ法（time projection imagery）は，クライエントを時間的に後戻りさせたり，未来に運んだりと導く。このようにして，過去の出来事を，自分を視野に入れ込んで再体験することができる。クライエントは，また，将来起こりそうなことを想像することができる。これはたとえば長期間のつきあいの終結など，喪失経験の後で特に有効である。クライエントに対して，ある程度先になって，自分が以前と同じように物事を楽しんでいるところを描いてみるように求めることによって，クライエントのムードを高めることができる。これは，時には，クライエントが人生の出来事の一過性を，そしておそらくことわざにある「トンネルの後の光」を悟るための援助となることもある。

■ 認知的技法

ここでは，多面的療法でよく用いられる認知的技法について述べる。よく用いられるが，たとえば反論戦術，意味の吟味，合理的に対処する一人語りなど，前章ですでに述べたものは，ここでは取り上げない。

参考文献法　　最近は，カウンセリング面接の補助として使える大変よい自己援助用の本，ビデオ，オーディオ・カセットなどがたくさん市場に出ている。不安やそれが身体機能にいかに影響するかに関する教育は，クライエントが，自分の症状がなぜ発生するのか理解するにつれてその不安が減少するうえで大いに有効である。よく選ばれた文献もまた，クライエントが面接で学ぶことを多くの側面で強化する。ラザルスは，たとえば『やろうと思えばできる（*I Can if I Want to*）』（Lazarus and Fay, 1992），『それを信じるのは，しばし待て（*Don't Believe it For a Minute*）』（Lazarus, Lazarus and Fay, 1994），および『60秒間の萎縮：狂気の世界で正気を保つための101の戦略（*The 60-second Shrink：101 Strategies for Staying Sane in a Crazy World*）』（Lazarus and Lazarus, 1997）などの有益な自助本を書いている。

自己教示法　　将来起こるであろうことに関しての考え方のせいで，多くの人が失敗や不安を経験する。たとえばマークは，運転免許試験を受ける前に，自分で自分に「落第するに違いない。もしそうなったら友達に本当に馬鹿だと思われるだろう」と言い聞かせていた。彼は非常に不安になり，その不安が彼の実技に影響して，実際に落第する結果となってしまった。ここで彼が落第につ

いてみずから話したのと同様に，次のときには，落第しないと自分に言い聞かすように援助を受けた。療法家は，彼が再び試験を受ける前に，彼の自己敗北的な考え方や彼の不安が運転の実技とどのような関係にあるかを理解するように援助した。また，マークは，援助によって自分の内心の自己敗北意識に気づいた。次に，療法家とマークは共同して，たとえば「落ち着け，お前はうまく運転できることを知っているではないか。ゆっくり息をして。多少の不安感はあってもあたりまえ，うまくやれるさ」など，その場に対処すべき言葉を決めた。マークは，これらを声を上げて繰り返し，次に密かにつぶやいて，さらに次には暗唱で，十分に慣れるまで練習した。

問題解決　問題に当面したクライエントは，しばしば動転してしまい，解決について考え始めることさえできない。問題解決とは，現実に解決を要する問題やクライエントが当惑させられている問題に対処する方法である。そこには，いくつかのステップがある。第1は問題の何が気になるかを特定することである。問題をいくつかの部分に分ける必要がある場合もある。そしてその人が何を求めているか，その達成目標は何か，を特定することである。第2は，その問題の解決の可能性がある代替案を考え出すことである。少集団で自由に考えを出し合うブレインストーミングの技法はそのために有益であるといえる。次に，各可能性の長所と短所を考察する。さらなる情報を得て，案件の解決を強化し，あるいは沈静化するために用いる必要があることもある。次に，犠牲を最小限に止めて成功する可能性の最も大きい解決策が選ばれ，実行に移される。最後の考察は，「それが役に立ったか？」である。もし，その解決策が成功しなかった場合は，はじめから再出発し，最初に選んだ解決策を修正するか，別の策を試みることになる。

誤解の修正　人々は，しばしば自分，他者，あるいは自分の住んでいる社会に対して誤った考えをもっている。たとえば，抱き合うことでHIVウィルスが伝染し得る，あるいは夜驚が続くと精神に異常があると信じている人がいる。迷信である事を学習して誤解を修正することによって多くの悩みが軽減する。

▋対人関係的技法

　対人関係的技法は，クライエントが他者との関係で抱く問題に対して用いられる。対人スキルは，この社会で暮らしている誰にとっても大切なものである

が，それらのスキルを欠いたレパートリーをもつ人があまりにも多い。それらのスキルの中には個別のカウンセリングよりも集団の中で学習するほうが容易なものがある。たとえば自己主張性トレーニング・グループなどである。

以下に述べるスキルには，かなりの重なりがある。たとえば，自己主張的であることは自分が何を欲しているかを明確に表現できることを含むので，コミュニケーション・スキルと自己主張性トレーニングとは重なっているといえる。対人スキルの多くは，行動リハーサル，モデリング，およびロール・プレイングを利用する。

アサーション（自己主張性）・トレーニング　自己主張性の欠如はよくある問題であり，このテーマについての卓越したいくつかの本で述べられているものである。個人の人権について学び，他人の人権を侵害することなく，また攻撃的でなく，消極的でもなく，自分のために立ち上がる方法を学ぶ必要のある人は多い。ある種の言語的，あるいは非言語的な行動，たとえば「できるかな」という言葉を使うとか，肩を張って見下すなどは，真の自己主張ではない。自己主張的スキルは，クライエントが外の世界で実践に移す前に，カウンセリング・セッションの中でモデリングとロール・プレイングを通じて教えられる。

コミュニケーション・トレーニング　コミュニケーションは，メッセージの伝達と受理の両面にわたるスキルを含んでいる。伝達スキルを向上させるためには，クライエントは，視線の置き所，身振り，声の調子，他者を攻撃しない，あるいは他者に対して批判的な発言をしないことの重要性について学ぶ。メッセージ受理のスキルは，積極的に聞き，正しく理解したことを発言者に確かめ，発言者の言ったことを確認することなどによって向上させることができる。

交友・親密トレーニング　これは，上述のすべてを含むのみでなく，たとえばシェアリング（分かち合い），自己開示，気遣い，競争的でない，などについての学習に関係するものである。

社会的スキル・トレーニング　社会的スキル・トレーニングとは，人々のレパートリーに欠かせないスキルを獲得し，実践し，統合することを含み，それを使用するのに自信をもてるようにすることである。それらのスキルには，自己主張性，コミュニケーション，および上述の交友スキルが含まれる。もっともよく用いられるものとして，視線を保つこと，スマイル，たとえば興味を示すため

に身を前に傾けるなどの身振りなどのスキルが含まれる。われわれは，それらのスキルを，職場やレジャーなど多彩な場面で他者と関係するために必要とする。多くの人々がしばしば，特定の場面で，適切にふるまい，あるいは会話するにはどうすればよいかを知らない。おそらく経験不足からくる，ラザルスが情報の欠落と呼んだもので，結果として単に知らないだけであるが。たとえば，戒律の厳しい宗教宗派など非常に閉鎖的な集団の中で育った人は，さまざまな場面で見知らぬ人に出会う経験をもっていない。社会的スキル・トレーニングが最もよい結果を出すためには，その人に社会的な場面で新しいスキルを学び，実践する機会を与えるために，集団で行なうことが必要である。

■ 薬／生理的技法

この側面で作業するときは，通常教育的なアプローチが必要である。時には，カウンセラー／心理療法者は，クライエントが服用している薬についての情報を知っていて，しばしばストレスの症状に似ている副作用の可能性について彼らに教えられるようでなくてはならないであろう。また，カウンセラーは，問題が医学的な原因に基づいているという疑いがあるときには，クライエントを医師に紹介することが重要である。たとえば，持続的な頭痛を訴える人は，ストレスに悩んでいるのではなく，何かもっと重大な医学的な問題をもっているかもしれない。

薬／生理的技法は，主として，健康によい習慣を奨励する生活様式の変更とか，他の機関に紹介することなどにかかわる。時には，一般的な助言だけでよいこともあるが，クライエントによっては，次に述べる領域での変化のためのプログラムが必要なこともあるだろう。

身体的運動　身体的運動は，身体と精神の両面ともに向上させることが示されている。実際，身体的運動は体の中でムードを高潮させるエンドルフィンと呼ばれる物質の生産を刺激するので，うつ病の治療には，心理療法よりもランニングのほうが効果的であると示唆した研究もある。その他のクライエントでは，身体的運動をストレス・マネージメント・プログラムの一環として与えることもある。多くの町に身体的フィットネス・センターがあり，そこでは資格をもった指導者がフィットネス・プログラム†訳者注1に関する助言を与えている。よい多面的カウンセラーは，地方で利用できる施設についての情報ももってい

なければならない。クライエントは，毎日最低 15 分間，週に 2 回，何らかのエアロビックな運動（水泳，ウォーキング，ランニング，サイクリング）をして過ごすように奨励される。

食事　健康を害すると言われているが，現代人の多くはたとえばコンビニ弁当などのような脂肪をたっぷり含んだ食物などの偏った栄養バランスの食事をしている。そのような食事を避け，食物繊維や新鮮な果物や野菜を多く食べるようにという助言を与える。

休眠，リラクセーション，およびレジャー　この側面を大事にしない人が多い。しかしこれらは，ストレスの多い生活の結果から身体を回復させると同時に精神的にも重要である。睡眠も重要である。クライエントの中には，瞑想やヨガなどのリラクセーション法によって効果を上げている人もいる。

終わりに

ラザルスは，みずから「誰かの人生を，みじめさと不安に代わる幸福と安静を発見することができるように，転向させることからくる」という，彼の「最大の喜びと大きな達成感」を，より容易に実現できるための，より効果的な見立てと治療の方法を求めて研究を続けている（Nystul and Shaughnessy, 1994：383）。彼の感じるこの喜びは，極めて人間的なものであり，大指導者としての銅像を求めるような権威的な人物ではない。しかし，彼は，自分の考えを，本やラジオなどのメディアを通じて専門家だけでなく一般的な人々にも，より広く分かち合いたいと言っている。ラザルスと息子クリフォードは，「メンタル・ヘルスのあれこれ」というウィークリーのラジオ番組に出演したりしている。

アメリカで多面的療法は，最も重要なアプローチの 1 つとして評定されていて，ラザルスは，最も影響の大きい治療者の 5 本の指に入る者として評価されている。ちなみに他の 4 人とは，フロイト，ロジャーズ，エリス，そしてウォルピである。しかし，イギリスをはじめヨーロッパの研究者はこのアプローチになじみが薄い。イギリスでは，主導的な人物は，スティーヴン・パルマー（Stephen Palmer）であり，彼が多面的カウンセリングの立場を取り，それを

発展させて，ストレス問題，および組織場面にも適用できるようにした (Palmer and Dryden, 1995)。

多面的療法者は，われわれ人間が生活に対処するためには，できるだけ多くのスキルと対処的反応を学習しなければならないと考えている。ラザルスは，教育的なモデルを用い，「われわれ人間がどれほど多くのコーピング（ストレスに対処する）反応を学習できるか調べてみよう，そしてわれわれは，多く学ぶほどよい状態でいることができ，生活を容易なものと受け取ることができる」と言っている (Nystul and Shaughnessy, 1994: 383)。ラザルスは，多面的療法を実践していくためには，かなりの熟練が必要であると考えている。カウンセラー／心理療法者は，よく収集された道具箱をもっていなければならないばかりでなく，各々の道具をすべて堪能に使えなくてはならない。加えて，彼らは，クライエントのユニークさや個別性に反応するために柔軟でなければならない。各々の人が持ってくるパズルを推し量って解くためには，このクライエントの問題の原因らしく見えるものは何か？　それを持続させているものは誰か，あるいは何か？　何が役に立ちそうか，あるいは立たなそうか？　変化が生じないならば，それはなぜか？　他に援助できそうなのは誰か，何か？　といったように，まるでシャーロック・ホームズのような戦略が要求されるであろう。

注　釈

＊原著注1　系統的脱感作法はまず当人にリラックスすることを教える。次に，自分が恐いと思う対象や状況を想像するように求め，次第に恐怖に接近する度合いを増していく。たとえば，蜘蛛恐怖の人には，まず小さな蜘蛛が20フィートほど離れているところを想像するように，次に次第に大きな蜘蛛を，だんだん近くに想像するように求めるものである。つまり系統的段階的に過敏な感じ方を脱していくということである。

†訳者注1　日本でも同じような状況に発展しつつあるように見受けられる。また温泉での湯治や巡礼などの伝統的な慣習も同様の効果をもっているのではないだろうか。

第6章

4つのアプローチ比較

> 比較は，まったく面倒なことだ。
>
> 15世紀の諺

　この最後の章で，われわれは，これまでの4つのアプローチを比較するが，なるべく面倒なものでなくより興味のもてるものにしようという試みから，ある事例の概要と，それに対する4人の著名な療法者からの面接聞き取りの結果を紹介する。メアリーは，執筆者の1人（JM）の本当のクライエントであるが，幸いなことにわれわれが彼女の話を使うことに同意してくれた（クライエントの匿名性を保つために名前やプライバシーの細部は変えてある）。面接は，それぞれのセラピストに同じ質問をしているという点で，半ば型にはまったものであるといえる。われわれは，これまでの各章で提示したアプローチのいくつかの点を明らかにする目的で行なったものであり，その質問に対する彼らの反応を比較することでこの章を終えることにする。

メアリーの物語

　メアリーは，抑うつ感のために主治医から紹介されてきた。彼女は51歳であ

るが，15歳のときからうつ病の発作があった。抗うつ剤の常用と同時にホルモン補充療法を続けている。

　メアリーは，17歳で最初の結婚をし，3人の男の子を生んだ。子どもたちが10代の中ごろに離婚した。前夫は，現在，3人の子どもたちがそれぞれの家庭をもって住んでいるカナダで暮らしている。メアリーは，離婚の数年後，ロバートと再婚し，彼の成人した娘とも一緒に暮らし始めた。彼女は，自分の子どもたちに対しては父親から離別させてしまったことで，また義理の娘に対しては，ロバートと会ったときにすでに生じていたことであるが，元の家庭を崩壊させてしまったことで罪悪感を抱いているという。

　メアリーの父親は，10年前に死んだが，彼女はいまだに父親への哀悼で悲嘆を感じている。父親の晩年，彼が終末的な病状になったので特別養護ホームに入れなければならなかった。彼女はこのことで自分が世話をすべきだったと考え罪悪感を抱いている。彼の死後，家族の間で大きないさかいがあり，その後ある程度癒やされたが，メアリーはやはり心が痛んでいて，妹との関係は極めて難しいものになっている。彼女の母親は7年前に死んだ。彼女は，子ども時代の母親との関係はよかったが，父親は支配的であり，時に極めて厳しかったという。彼女の夫たち2人についても，彼女は支配的と述べている。彼女は，ロバートに対して自分の問題を打ち明けることができない。彼女は，彼のことを批判的と感じており，彼女を見下しているという。また，彼が2年前にリストラされたので小さな家に移らなければならなかったが，彼女はその家を自分の家のように感じられないという。彼女は，本来，資産運用の会社にフルタイムで働いていたが，うつ病のために病気休職している。職場以外では彼女は，あまり活動せず，友人も少ない。

　最初の面接の間に，彼女は，気分の憂うつ，疲労感の持続，睡眠障害を訴えた。彼女は，常に罪悪感とみじめな気持ちに陥ることがなくなるように事態を変えたいと援助を求めた。彼女は夫との関係に深く気を使い，また結婚が失敗になることを恐れているように見えた。彼女は，物静かで優しい女性という風体で，自分の問題や要求を述べるときには，ほとんど謝るような調子であった。彼女は，カウンセラーの仕事とは，質問をしたりアドバイスを与えたりしてくれるものと期待していたように見えた。そして彼女は，これらの期待を率直に

述べ，また「カウンセラーは，すぐに提供できる魔法の杖をもってはいない」と認識したことを述べるときにも率直であった——もっとも，その認識が本当のものか，迎合してカウンセラーを喜ばすためのものか，はっきりはしなかったが。

各派エキスパートたちへの面接聞き取り

精神力動的アプローチ

ジュディー・クーパー（Judy Cooper）は，英国心理療法者協会のメンバーであり，個人で開業している。彼女は『私に対して私らしく話しなさい：マサド・カーンの生涯と研究（*Speak to Me as I Am: The Life and Work of Masud Khan*）』（1993）の著者であり，『ナルシシスティックな傷：心理療法における臨床的パースペクティヴ（*Narcissistic Wounds: Clinical Perspectives in Psychotherapy*）』（1995），および『心理療法におけるアセスメント（*Assesment in Psychotherapy*）』（1998）の共同編集者である。

> **Q** このクライエントの問題を，あなたはどのように扱いますか？　問題に焦点を置いたアプローチをとりますか，それとも探索的アプローチ，あるいはその他のアプローチでしょうか，そしてそれはなぜでしょうか？

私は探索的アプローチをとりますが，心の中には確かに何らかの精神分析的なガイドラインがあり，彼女の幼少期と内的な世界についてもっと知りたいです。私は，表われているパターンと繰り返し，たとえば彼女が思春期と更年期の両方で問題を生じているという事実に注目したいです。話は複雑で，繰り返しの流れがいくつかありますが，彼女の幼少期，結婚，配偶者との関係，および子どもたちとの関係について，この話を肉付けしていく必要がありそうに思います。

> **Q** あなたはメアリーについてどのような仮説をもって，そこから彼女の問題に対するあなたの見立てを引き出したのでしょうか？　そしてそれはなぜでしょうか？

　彼女は生涯の中で実に多くの喪失に遭い，また今でも10年前の父親の死を悲しんでいます。彼女の母親もその3年後に亡くなっています。離婚や姉妹間の難しい関係などを含めたこれらの喪失の中には，彼女がみずからの罪悪感を生み出す役割を果たしたかもしれないものがあります。このことは，彼女の3人の子どもたちとその家族がすべて，父親の住むカナダにいるという事実によっても確認されると思われます。メアリーは，実際，子どもたちがまだ若いうちに父親を失わせたことについて，また再婚についても，新しい夫の家庭はすでに崩壊していたのに，義理の娘を不幸にしたものとして自分を非難しています。

　ロバートが仕事を失ったとき，彼女も気に入っていた家を失い，またうつ病によって仕事の一時的な喪失を経験しています。更年期もまた喪失を伴います。彼女は，社交的な性格でもなく友人もあまりいないように見えるので，今，現在の結婚が破綻することを非常に恐れているに違いないと思われます。彼女は，人と分かち合ったり，与えたりすることが，あまりできそうにないと見受けられ，実際かなり孤独のように思えます。彼女は，与えることが少なかったので，子どもたちが父親の近くに住むことを選んだのは驚くに当たらない，と感じているかのようです。

　彼女に対する私の見立ては，上記に発表されたものよりも少し膨らませた人物像になるかもしれません。私の意見では，彼女は，攻撃性と受動性の両方の性質をもっているように見えますが，それは人々から疎外されやすいことです。また，うつ病あるいは罪悪感として表われてくる自分の攻撃性に気づいていないように見えます。彼女は，自分を被害者として考えていますが，それはみずから被害者になっているもので，そのルーツはおそらく幼少期の経験にあるでしょう。私は明らかに，彼女の生育期の人間関係について，もっと情報を知る必要があると思います。また，彼女は分かち合うことが苦手のようです。彼女が離婚後に，子どもの親権について前夫とどのように分かち合ったか，そして

全員が海外の父親の近くに住むことを選ぶことになるまでに何があったのか，を考えさせられます。

私は，彼女が今なぜカウンセリングに来たかを知りたい，またそれを彼女の更年期の身体的・情緒的変化に関係づけてみて，彼女の反応を見たいような気がします。

1つの有力な手がかりは，彼女の母親との関係です。母親がどのような人物であったか，そしてメアリーがその関係性を自分自身が母親になったときに応用できたかどうか，が最も気になるところです。またメアリーの母親が父親とどのように関係していたかにも関心があります。彼女の母親が被害者であったか，それでメアリーがみずからも被害者の役割として同一視し，その結果自分自身の結婚で被害者になったのか？　彼女は罪悪感に満たされていて，かつ自分を被害者として見ようとしています。そして自分にまったく関係がないときでも，第2の夫の家庭を崩壊させたかのようにそのことを取り上げています。

> **Q** その見立ての過程を示す理論の組み立ては，どのようなものでしょうか？

私が探し求めるのは幼少期の経験の重要性であり，その次に無意識の要因，次いで広い意味で性欲発達のそれぞれの時期にそれぞれの様相が表われるという意味での幼児性欲です。もし私が彼女の見立てをするとすれば，彼女が私をどのように見るか，繊細と見るか，脅威と見るかについて注目することになり，彼女が感情の転移関係を伝える能力をもつかどうかについても意識していくことになります。

> **Q** あなたは，メアリーとどのような種類の治療的関係を望まれるでしょうか？　療法のどのスタイルをめざし，用いられるでしょうか？　そしてそれは，なぜでしょうか？

私は，彼女が自分の内的，および外的世界を表現するべく十分に自由で安全と感じられるような関係を作りたいと思います。彼女は人間関係について，自

分の関係がすべて悪いほうへ進んだと思っているという問題を明らかにもっているので，彼女のこの失望癖が治療関係にも反映されそうなものであることから，私はそれが生じたとき建設的に活用したいと思います。

　私は，精神力動的なスタイルを用いたいと思っています。それは，全体として非指示的であり，クライエントは，自分の決断を選択することができるものです。アドバイスを与えることは，通常長続きせず，どのみち人々は聞き入れもしません。人々は，自身で選択と決断を探し出さなければならないものです。つまり，真の変化が生じるためには，人々は，自分の選択を自分で統制しなくてはなりません。指示的であることは，彼女の受け身的な問題を助長することになるでしょう。

> **Q** メアリーに対して，治療的関係と特殊な技術とでは，どちらがどれほど重要でしょうか？

　治療的関係が非常に重要でしょう，特殊な技術とは何を意味するかわかりません。私は，解釈を用い，また可能であれば彼女の夢，および心に浮かんだものを，ささいなことでも，当惑することでも，あるいは関係のないことでもかまわないという意味での自由連想を彼女とともに探索したいのです。私は，人によっては，自分のことやその内的世界に集中するためにカウチに横たわることが，私からの刺激に妨害されなくてよい場合もあると思っています。

> **Q** あなたの治療の広い意味でのねらいと目的は何でしょうか？

　精神力動的な作業のねらいは，その人の内的世界を探索し，無意識を意識化することによって，その人が自分の選択をより統制できるようになることです。事柄がどこから発しており，自分の動きと反応が何に関するものであるかを意識していれば，選択の幅が広がります。メアリーのケースでは，ねらいは，破壊的な思考と行動を，究極的により建設的で創造的なものにすることでしょう。彼女は自信と資源に欠けているので，私は，彼女の自分に対する感性を発達さ

せることをねらいとしたいと思います。

> **Q** ゴール設定について，あなたの構えはどのようなものでしょうか？ あなたは彼女がゴールを設定するのを援助しますか，それとも，しませんか？ するならば，今しますか，後でしますか？

私は，ゴール（最終的達成目標）という意味では，それを設定しません。患者は，それぞれ自分のゴールや考えをもっています。私が見立てのための面接を行なっているのであれば，彼女がセラピーに何を期待し，何を望むか，を尋ねるでしょう。

> **Q** もし，あなたが彼女にゴール設定を奨励しないならば，なぜしないのでしょうか？

確かに治療の1つのねらいは変化ですが，ねらいはゴールそのものではないと思います。変化がどのように生じるかはわからないものであり，実際，人が治療で成長するにしたがって事態が変わってくるものであると思います。エネルギーは力動的に動き，事態は常に変わっていて，ゴールそのものを設定することは意味がないものです。私は，ゴールが人を束縛することがあると考えます。

> **Q** 治療過程から，どのような問題が生じてくると予想しますか，あなたはそれにどのように対処しますか？

私は，この女性に生じてくる問題は，彼女の受動性と彼女の怒りであると思います。彼女のうつ病の底には，実際には怒りと敵意があるのに彼女はそれに対処していない，と思われます。どこかに解離（dissociation）がある。それらのすべてが，セラピストとしての私との関係の中に出てくると想像します。彼

女がそれを理解することができない場合は，それらの感情の問題に入り込むことは極めて困難かもしれず，あるいは，もし彼女が理解したとしても，そこにかなりネガティブな転移があって処理が極めて困難であるかもしれないことを想像しなくてはならないでしょう。私が想像するもう1つの不安は，関係がこれらの攻撃的な感情の本当の深さに達したとき，彼女が治療を続けるかどうか，です。なぜならば，彼女は50年間それを避けてきたものですから。

> **Q** 治療の成果はどのようなものと想像しますか？

　彼女が果たして続けるかどうかはわかりませんが，もし続ければ，やりがいのある患者になると想像します。彼女にとって，事態が非常に難しくなったのは転換点，思春期と更年期においてであり，多分1つにはホルモンの変化が彼女の状況や生活様式を変えたことによって行きづまったことは明白です。彼女は，それらの事態の何1つに対しても実際に対処したことがなく，人生の多くをそうした非機能的な関係や亀裂とともに生きてきた人です。彼女が治療の終わりに，治療関係を相互的に思慮深く終わらすことができるかどうかは疑問ですが，それができれば治療から得るものが多いでしょう。できない場合は，それが彼女にとってあまりにも苦痛なので逃避するということかもしれません。

パーソン・センタード・アプローチ

　ブライアン・ソーン（Brian Thorne）は，東アングリア大学のカウンセリング研究センターの客員教授であり所長でもある。彼は，教育大学の教育学教授であり，ノリッジ人間・職業発達センターの共同設立者でもある。ブライアンは，デイヴ・ミャーンズとの共著『パーソン・センタード・カウンセリングの実際（*Person-centered Counselling in Action*）』（1988），および『パーソン・センタード・カウンセリングとキリスト教の精神主義（*Person-Centered Counselling and Christian Spirituality*）』（1998）などを含む多くの本の著者あるいは編集者である。

> **Q** このクライエントの問題を，あなたはどのように扱いますか？ 問題に焦点を置いたアプローチをとりますか，それとも探索的アプローチ，あるいはその他のアプローチでしょうか，そしてそれはなぜでしょうか？

　私は，パーソン・センタード・アプローチを採用します。それは，私がメアリーに対して，できるかぎりの深い尊敬を提供し，彼女に対する受容を確立することによって，この特別な事態の具体的な内容に対する共感を提供し，何とかして望みが叶うならば私が本当に彼女の内的世界の詳細を知りたいと伝えることに努めることを意味します。したがって，それは，人間としてのメアリーに焦点を置き，彼女が尊敬され，評価され，真に理解されていると感じられるような関係を提供しようと努めるものです。これは，彼女が人生でこれまでにかかわってきた重要な男性たちとの関係とは極めて異なるものでしょう。

> **Q** あなたはメアリーについてどのような仮説をもって，そこから彼女の問題に対するあなたの見立てを引き出したのでしょうか？ そしてそれはなぜでしょうか？

　私のもつ仮説は，メアリーが自己受容する人間になる潜在力をもっている，ということです。彼女は，また妙な言葉ですが，他者を立てることができます。私が，立てるというのは，その人を肯定し存在を認める感じを人に与えるという意味です。私は，もしメアリーが彼女の中にある，そうなるべき人間に実際になり得たならば，彼女は，自分に自信をもてる人になるであろうと仮説を立てます。

　そして，これらの仮説にしたがって作業します，それは，私が実際，すべての人間に対して信じているものだからです。その仮説を，うまく前面に出すことが特に重要なのは，彼女が人生のこの時点で明らかに自己受容的な人間とははるかにかけ離れているようであり，また自分自身を，他者に影響を与える力をもつ何者かであると自己評価することからはるかにかけ離れているようにみえる，その人と対面するからです。

> **Q** その見立ての過程を示す理論の組み立ては，どのようなものでしょうか？

　私は，この見立てという言葉を解釈することによって，誤解のないようにしたいと思います。私は，それをその人の内的世界をより十分に理解するのに役立つもの，という意味合いに解釈します。そこで，それを出発点とすれば，私は，自分のパーソン・センタードの立場からのどの理論構成によれば，メアリーの内的世界をより十分に理解することができるだろうか？　ということになります。

　私は，メアリーが，彼女の人生のこの特別な時期において，また多分これまでの長い間もそうであったでしょうが，私流の用語で実現化傾向と呼ぶものからほとんど完全にそれている，と仮説します。しかし彼女は，たぶん極めて早期から価値を認めてもらうための条件——私にとって意味のあるもう1つの理論構成ですが——を多数科されて作り上げられてきたのです。そこで，彼女の自己概念は——これもパーソン・センタード療法の基本的な思想ですが——深く自己否定的であり続けています。

　私はまた，彼女は，それらのものすべてのために，評価の起点を内的に置くことから縁遠いものになっていて，自分で決断することが極めて困難で，自分の中にある判断する能力をまったく感じ取れないようになっていると想定します。というわけで，実現化傾向，'価値を認めてもらうための条件'，自己概念，評価の起点，などが固い貝殻に詰まっています。そして，これらのすべてが，私にとってはメアリーの内的世界の本質をよりよく理解するために役立つと考えます。

> **Q** あなたは，メアリーとどのような種類の治療的関係を望まれるでしょうか？ 療法のどのスタイルをめざし，用いられるでしょうか？　そしてそれは，なぜでしょうか？

　私は，このことに対して，特に冒頭で述べたことによってある種の答えを出

しています。私は，メアリーに対して，格別に深い尊敬をもち，私が真摯に彼女の内的世界の詳細を理解したいと願っていることを感じてもらえるように努めたいと思います。そこで，私は具体的な事柄にかなりの比重を置きます。なぜならば，尊敬が真に相手に伝わるのは，相手に具体的な事柄に対する深い探索の機会を注意深く提供することによる，と考えるからです。それは，単なるすれ違いざまの好奇心ではなく，深い関心です。

そのために，私は，彼女の恐怖感が徐々に薄らぐような関係を作り上げようと努めるでしょう。これは，本当は，信頼について述べていることになります。つまり，彼女が自己探求していくことを安全と感じ，自分の傷つきやすさに気づき，それを認めることを安全と感じ，そしてそれが彼女の経験，特に男性との交際経験においてかなり重要なことである，と感じることができるほどの親密な関係の樹立について述べていることになります。したがって，これは容易ではなく，おそらく早急にできることではないでしょう。私は，この信頼関係，親密な関係を進めることは，かなり困難なことであると感じます。

また，私が男性であるという事実は，彼女に当初，そしておそらくかなりの期間，深い不安と深い疑惑をもたせると思います。真の受容と共感の経験は，望まれるものであると同時に少し恐怖に感じられるものであろうと思います。

「それはなぜでしょう？」に対する回答としては，メアリーの男性との関係の経験が彼女にとって破壊的であり，自分に価値があるという感覚，および自分の存在の意義を感じることがほとんどできないようになっているからです。そこで，もしその繰り返しの経験を変えることができれば，彼女の人生経験において，また彼女が将来，自分自身を概念化し，自分自身について思考したり，感じたりするうえで，極めて重要なものになるでしょう。がんばってみる価値のあることだと思います。

人間は，誰でも独特な仕方でこの世の中に自分を呈示します。その意味で人々は独自のスタイルをもつものであり，パーソン・センタード・セラピストとしての私は，自分のあり方，他者に対する自分の存在の表現の仕方が，人々とあまりにもかけ離れないように，また，人々が私と関係するのに大変な困難を感じるほど不整合でないようにと気を使っていくつもりです。私が人々の生き方と何かしら不整合な仕方で私自身を呈示し，そのために人々がほとんど異星人

と話をしているように感じた，というようなことがこれまでになかった，と言い切るのは気がとがめられます。

　私は，確かにメアリーの消極的なスタイルを真似するようなことはしませんが，一方，彼女がすぐに脅威を感じるであろうような仕方で私自身の生き方を呈示するようなことをしないように，十分に注意しようと思います。ここには，何かしら他者に受け入れられるように自分自身のあり方を仕立てる，というようなことが絡んでいると考えます。

> **Q** メアリーに対して，治療的関係と特殊な技術とでは，どちらがどれほど重要でしょうか？

　パーソン・センタード・アプローチへのこの質問は，基本を知らないことを意味します。特別な技術は，このアプローチの装備にはありません。治療的関係が至上的な重要性をもち，技術には何の重要性もありません。

　さらに，特殊な技術は，望ましい関係を作り上げるのに有害な傾向があります。それは，何か画策し，何かしら飛び道具のような考え方を醸し出しかねません。パーソン・センタード・カウンセラーとしての私が行なう多くの作業の背後には，人々が対等の尊厳を感じられるようにする，彼らが実際に自分の力と資源をもち，それをセラピストによって騙し取られることがないと感られるようにする，などの事柄があります。対等の尊厳，あるいは関係の平等性という考え方は，すべての努力の中での中心的なものと私は考えます。

> **Q** あなたの治療の広い意味でのねらいと目的は何でしょうか？

　私は，この質問に対して少し異なった角度から表現してみます。私の治療のねらいは，メアリーの内的世界を理解し，そこでの道連れとして受け入れられ，彼女が徐々に自分を価値評価するようになり，その結果として彼女の実現化傾向に少なくとも時々は接触するようになる，そのための援助ができるようにな

ることです。

> **Q** ゴール設定について，あなたの構えはどのようなものでしょうか？　あなたは彼女がゴールを設定するのを援助しますか，それとも，しませんか？　するならば，今しますか，後でしますか？

　私は，ゴール設定に対するクライエントの態度によると考えます。もし，クライエントがゴール設定に熱心であれば，それはけっこうなことです，なぜならば，それは，そのクライエントがやりたいと欲することだからです。メアリーは，常に罪悪感やみじめに思うのが止まればよい，と明らかに言っています。だから，彼女は自分のゴールをもっています。そしてその特別なゴールは，多分に自己概念にかかわるものではないでしょうか？　彼女は，自分自身に対して，これまでと異なった感じをもちたいと欲しており，それはパーソン・センタードの枠組みに大いに適合します。そして私は，パーソン・センタードの治療におけるゴール設定は，ほとんど常に自己概念に関係し，また常に関係性——他者との関係，おそらくは自己との関係——にも関係するものだと思います。そこで，私は，それがクライエントの望むものであればゴール設定に反対しません。

　メアリーのケースで，私は，具体的に彼女が望むと述べたことについて彼女と一緒に取り組みができそうだと想像することができます。彼女の罪悪感とみじめな感情が減少するために，どのような設定をすることになるでしょうか。現時点で彼女にこのように感じさせている原因は何か？　私は，彼女がすでに設定しているゴールを丹念に調べていけば，早い段階で，'価値を認めてもらうための条件'の中の何か，つまり彼女が自分自身に対する現在の感じ方が過去において条件づけられてきたときに起こった何らかの事柄，の問題に移っていくのではないかと想像することができます。他方（ここで私は両天秤にかけることになりますが），明確なゴールを設定することは，彼女が私を喜ばせようとする落し穴にはまるかもしれないという点で，真に危険でもあり得ます。彼女は，私のことを，そのゴールの達成によって彼女の能力を評価する人間と

見るかもしれず，それを達成したかのように装うかもしれず，あるいは最悪の場合，治療そのものがもう1つの失敗に帰するかもしれません。彼女は，治療さえ進めることができなかったとして，いっそうの罪悪感，不器用感，みじめさを感じながら去っていくかもしれません。

このことの周辺には，「パーソン・センタードの実践家はゴールや目的に反感をもっている」という一種の神話があると思います。パーソン・センタード療法の多くの事柄と同様に，このことも，クライエントが何を望むか，次第です。

> **Q** もし，あなたが彼女のゴール設定を援助するとすれば，メアリーにとってどのようなゴールが役に立つと想像しますか，そしてそれはなぜでしょうか？

私が実際に言いたいことは，ゴールを設定するか，しないかについて，まったく定見がないということです。重要なことは，彼女が述べ，望んだことの何かについて私たちが模索し始めるとき，何が実際に表われてくるかでしょう。もし私が彼女のゴール設定を助けるとしたら，そのゴールは明らかに自己肯定に関するものだと思います。自分に対して，罪悪感でなく，普通に感じられるようになるというゴールです。パーソン・センタード療法者は，非常にしばしば顕在的でなく隠微的といえるゴールに向かって作業していると言われていると思いますが，それらのゴールは，たとえ十分に表現されていないとしても，クライエントとカウンセラーが共有しているものだと思います。

「そしてなぜ？」に答えると，もしわれわれが実際に自己概念の変容にかかわり，それは必然的に，これまでと異なる関係性を作り上げる仕事に携わる，というゴールを設定し得たとして，それは，彼女の'価値を認めてもらうための条件'を作り直して，彼女の発達を阻止しているものを除去するという大変な作業にかかわることになります。そこで，この種のゴール設定は，適切なものであることが確かであれば，非常に意義のあるものであり得ます。しかしすでに述べたように，それらのゴールは，存在しても顕在的でなく隠微的でしかないものです。

> **Q** もし，あなたが彼女にゴール設定を奨励しないならば，なぜしないのでしょうか？

すでに述べたように，私は彼女にゴール設定を奨励しないでしょう，なぜならば彼女が私を喜ばせようとするかもしれないからです。

> **Q** 治療過程から，どのような問題が生じてくると予想しますか，あなたはそれにどのように対処しますか？

問題であるか，ないか，定かではないですが，私が直面するであろう問題は，もし彼女が徐々に安全と感じ，信頼し始め，恐怖が減少していくような環境を作ることに成功したとして，そのとき，私に対する深い愛着が生じることが多分にあり得ることです。これまでの彼女にはなかったことですが，それが生じ得ると思います。彼女にとって男性に依存が許されるような安全性はこれまでなかったので，私の中には，それを相互依存への過程の決定的に重要な1段階として許そうとする意欲がなくてはならないと思います。あるいは，言い換えると，私の側が彼女の愛を受容することへの意欲です。というのは，それを拒否することは，彼女が「自分は他者に与えるような価値を何ももっていない」「自分の中には他者を立てるようなものは何もない」とする感情を強化するでしょう。私は，その依存性や彼女が私に対して積極的な感情を寄せるかもしれないことを受け入れ，実際にそれを恐れないように準備しておく必要があります。パーソン・センタード・セラピストの中には，それを非常に恐れる人がいると思います。これは可能性としての問題ですが，私もしばしば経験したことであり，私にとって実際には問題ではないと思います。といっても，これを注意深く扱う必要がないというわけではありません。

> **Q** 治療の成果はどのようなものと想像しますか？

　私は，治療の成果として，彼女の自己価値感が促進されることを望みます。もしそれが治療関係の中で生じるならば，次第により多くの意義ある関係を展開する欲求が彼女に生じてくるでしょう。そしてそれは，ある時点で彼女が望めば，現在の夫もこの治療の役割を担うようになり，彼も面接に来るようになるかもしれません。そして1つの推測可能な成果としては，彼女の結婚が充実するか，あるいはその反対に，その結婚そのものが彼女にとって実際上破滅的であるという認識となって，彼女の過去の無価値感を強化することになり，悲しいことですが夫と別れることになるとも考えられます。

合理情動行動的アプローチ

> **Q** このクライエントの問題を，あなたはどのように扱いますか？　問題に焦点を置いたアプローチを取りますか，それとも探索的アプローチ，あるいはその他のアプローチでしょうか，そしてそれはなぜでしょうか？

　私（ウィンディ・ドライデン；Windy Dryden）は，彼女が心理療法で扱いたい問題のリストを作るようにすすめるでしょう。そういう意味で，問題に焦点を置いたアプローチを取ります。次に私は，それらの問題の1つずつについて話し合う機会を提供します。ということで，私は，問題に焦点を置いたアプローチという文脈の中で探索的であるでしょう。私は，この点については弾力的ですが，治療に最もよくアプローチできるのは，問題を基盤としたやり方であると考えています。メアリーについては，彼女が何かしら否定的で恐れているようで，療法者を統制的で支配的なものとして見そうに思えるので，探索のために彼女に自分の内なる声を聞く機会を提供することを重要と考えます。というわけで，最初から療法の方向付けに対しては彼女が決定権をもっているという感覚をもつことが重要だと考えます。

> **Q** あなたはメアリーについてどのような仮説をもって，そこから彼女の問題に対するあなたの見立てを引き出したのでしょうか？ そしてそれはなぜでしょうか？

　私は，メアリーが，承認への強い欲求をもっているという仮説，そして彼女は自分自身の欲求をあまり重要と考えてこなかった人であり，人生において自分に意義のある企てに従事したことのない人であるという仮説を立てたいと思います。彼女は，他者を先に立てることが美徳とされ，自身を先に出すことは罪悪とされ，したがってそれらが禁止された環境で育ったのかもしれません。メアリーが自己主張に関する問題をもっているので，周囲の人々は，彼女は黙って従う，と思い，だから統制関係が続く，と考えていると私は仮説したいと思います。彼女が支配的な夫を選んだのか，あるいは彼女の自己主張の不足が結果として夫の支配性になっていったのか，これは私が彼女とともに探索する必要のあることでしょう。メアリーは，確かに，人生において自分自身を重要あるいは機能的と見ることがなかった，という意味で，自身に対して貧しい意見をもつタイプの人と見受けられます。その結果として，彼女は自分の人生の責任者としての経験をしたことがなく，もし自分が統制力をもつことになったら悪い事態になって責任を負わなければならない，と考えている，と私は仮説します。今の夫に出会う前からその家庭を破壊したとして責任を感じるというメアリーの考え方は，彼女が責任ということに対して不健康な態度をもっている事実の確証です。この仮説についても，私は，彼女とともに検証したいと思います。

　私はまた，メアリーが支配的で厳しかったと述べている父親の死をいまだに悔やみ，彼女がいい人だったと述べている母親の死を今悔やむことがないのは，なぜか？ と不思議に思います。彼女の哀悼の本質を彼女と一緒に探索する必要があると思います。彼女が，しばしば父親のために泣きながら，その後は日常生活に戻るというのは，健康な哀悼なのか？ それとも彼女は，哀悼によって打ちひしがれているのか？ 私は，彼女の哀悼の情が彼女の人生において，どのような役割を果たしているかを見いだしたいと思います。

私はまた，メアリーがうつ病への強い傾向のある家系からの出身であるかどうかに興味があり，また，彼女のうつ病の病歴についてともに探究したいと思います。生涯絶え間のないうつ病なのか，置かれた状態と関係して変動するものなのか，あるいは，気分の滅入りから来るものなのか？　また彼女が抗うつ剤を正しく使用しているかどうかも気になります。もし，投薬を処方しているのが一般薬剤師であれば，私としては，専門家にチェックしてもらうよう，彼女に示唆したい。というのは，一般薬剤師の中には，抗うつ剤の処方について，あまり専門家でない人がしばしばいるからです。

　REBTは人々の信念に照準を合わせることを奨励する一方で，人々がそれらの信念を抱くのは広い文脈の中においてであるという事実をも，もちろん肯定するものですから，私はメアリーの信念を広い文脈の中で見たいと思います。彼女の現在の夫との関係が失敗に傾いているように見えるので，その関係性についてもっと多くを調べたいし，また，なぜ失敗に進んでいるのかを知りたいです。また，メアリーのような物語と背景をもつ人々は，しばしば怒り（恨み）の処理に大きな困難をもっているので，彼女の怒りの感情と表現に関する態度がどのようなものであるかを調べ，知りたいと思います。

> **Q** その見立ての過程を示す理論の組み立ては，どのようなものでしょうか？

　当然まず，不合理な信念についての理論の組み立てを先に述べなくてはなりません。メアリーについては，責任，承認，自己主張，および怒りに関して不合理な信念を抱いていると予想します。また，メアリーの不合理信念から派出する行動や，それによって形成される対人関係の世界を考察することも重要です。たとえば，メアリーは，自分が夫に承認されなくてはならないと思っているようです。もし，それが正しいならば，典型的な相互作用は，次のように進むでしょう。夫が支配的になり始めたのはいつからか，これについて，彼女は何も答えないかもしれません。次に，彼女の行動性の乏しさが，彼に「彼女は自分についてくる」と思わせるようになったのかもしれません。とすれば，彼女の夫がなぜそれほど支配的であるかについての説明は，彼女の受け身的で自

己主張の乏しい行動にあるかもしれません。そこで，不合理信念と，その信念から派出した行動とのつながり，および彼女の行動が他の人々に及ぼす効果について見立てを行なう必要があります。もし彼女の行動が他者を支配的になるように仕向けているのであれば，メアリーはまさに自分が取り組んでいる問題が発生するようにと，知らず知らずのうちに助勢してきたことになるでしょう。

私は，またラザルスのBASIC IDの枠組みからも学びたいと思います。ただし，私は，認知の役割，特に不合理信念の役割を，彼女の問題の核心的要因としておそらくラザルス以上に強調しますが，それが考察すべき唯一の要因ということではありません。

> **Q** あなたは，メアリーとどのような種類の治療的関係を望まれるでしょうか？ 療法のどのスタイルをめざし，用いられるでしょうか？ そしてそれは，なぜでしょうか？

メアリーについては，おそらく妥協的で従順，かつ温和な女性であることを心しておく必要があります。したがって私は，彼女との作業において努めて温和にし，彼女が私に話しかけること，および，彼女の治療の方向に主題を向けることに慣れてもらうようにもっていきたいと思います。私が男性であるということから，メアリーが女性のセラピストと話すほうがよいかどうかも考えます。もし彼女がはじめから女性の役割について質問し，それが彼女の問題の中心的な問題であることが明らかになったならば，そのことを彼女に提案するかもしれません。

また，自分の力，およびメアリーに対してどの程度積極的で指示的なスタイルを採用するのがよいかを心に止めておきたいと思います。彼女に対しては，つい過度に積極的，指示的になりやすいでしょう。したがって，私は，REBTの教示的な側面よりもソクラテス的（対話）方法を重視し，できるだけその過程に彼女を引き込むように努めたいと思います。彼女がこのソクラテス的アプローチに適すると仮定して，私は，彼女が「自分が主導性をとるのを促進することは'できません'」と言って私にリードさせようと仕向ける可能性も考えま

す。それは厄介なことです，というのは，私が彼女のためにそういったふうにリードしたくないからです。彼女は従順で人を崇める欲求から私のことを助言や知恵の泉のように見るかもしれず，もし私がその役割を引き受けたら重大な過ちになるでしょう。というわけで，私は，自分のエキスパートぶりを過度に強調したくないので，彼女には私の書いたものでなく別の人が書いた自助の本を読むようにすすめるでしょう。私は，メアリーが，何をしたらいいかを言ってもらいたがる，と予想しますが，もちろんそれは結局において彼女のためによくないことです。したがって，治療を通じて彼女の発言からのフィードバックを探し，長い目で見て彼女の健康上の利益になるものがあれば，彼女の欲求にしたがった治療として仕立てます。

　私は，メアリーに対するアプローチを若干のユーモアによって味付けしたいと考えます。

　彼女のケース概要を読んで，私は，彼女のことを味気なく，堅物で，深刻すぎる人と想像します。彼女はユーモアのセンスをもっているでしょうか？　私は，いくつかユーモラスな発言を試みて，彼女がユーモアに対してどのような反応をするか見てみたいと思います。また，すでに述べたとおり，彼女に対して専門家的な姿勢を示すのはまずいでしょう。そこで，力関係を平等にするために，私は彼女に自分のファースト・ネームを使うようにすすめます。私は，メアリーに対してフォーマルな友達としての姿勢を採用し，専門家的なものは包み込んでおきたいと思います。

> **Q** メアリーに対して，治療的関係と特殊な技術とでは，どちらがどれほど重要でしょうか？

　もし私がメアリーとの治療関係を悪いものにしてしまうならば，特殊な技術はその効力を失ってしまうでしょう。もし私が彼女と強く，効力のある正しい関係をもつことができれば，その関係こそがREBTの特殊な技術の根付く土壌となります。反対に，もしその私が自分の才能と能力を強調すれば，メアリーは，私をあらゆる知識の泉として感嘆しながら見てしまい，技術はその力を失っ

てしまうでしょう。

> **Q** あなたの治療の広い意味でのねらいと目的は何でしょうか？

　治療のねらいと目的は，すでに述べたような種類の関係を成立させて，彼女にREBTの技法を教えることです。ただし彼女の個人的な力と機能性を最大限に活かした方法でです。

> **Q** ゴール設定について，あなたの構えはどのようなものでしょうか？　あなたは彼女がゴールを設定するのを援助しますか，それとも，しませんか？　するならば，今しますか，後でしますか？

　私は，確かにメアリーが自分で統制できるようなゴールを設定するように助力すると思います。私は，彼女に「もしあなたが道徳律を犯したならば，後悔することが実行すべき健康な代替行為であり，同様に，悲しみは，うつ病に代わる健康な1つの代替である」ということを理解させるように援助したいと思います。彼女の行動上のゴールは，これらの情動的なゴールに続いて進み，次のような問題の討議に進展するでしょう：

ⅰ) 自己中心的とは，どの程度自分を前面に出すことなのか？
ⅱ) 人の感情を傷つけることを避けられるか？　もし傷つけたら，それは罪悪か？

　私は，これを，彼女に自己肯定的になるようにと奨励する前に実施するでしょう。
　要するに，私は，メアリーに対して治療のはじめからゴール設定を奨励しますが，それらのゴールは後で変わってもよい，ということを心に止めておくものです。

> **Q** もし、あなたがゴール設定を援助するとすれば、メアリーにとってどのようなゴールが役に立つと想像しますか、そしてそれはなぜでしょうか？

　私がメアリーにとって役に立つと思うゴールとは、第1に彼女が自分自身をもっと自己肯定的な人間と見るようになることです。より自己肯定的になるとは、自分の立つグランドに、より多くの人々と一緒にいながら、自分の求めるものをめざしていくことを意味します。彼女が他者を喜ばせることを過度に心がけるのでなく、普通に心がけながら、自分の喜びを先に出すようであればよいと思います。もう1つのゴールは、責任に対する健康的な感覚を身につけることです。つまり、彼女が自分の責任でないことに責任を感じることをやめ、自分を非難することをやめることを望みます。第3のゴールは、彼女の父親の死をよりよく統合することです。最後は、多分、彼女の夫との関係を、おそらく夫婦治療の関連において見ることでしょう。私は、自分でこれを行なうのが最善だとは思いませんが、メアリーが彼女の夫とともに実行すれば有益ではないかと思います。

　これらのすべてが私の目標ですが、重要なことは、メアリー自身の目的に適合するように援助することです。私は、彼女が、自分の求めるゴールよりも、私が彼女に求めていると思うゴールを設定するかもしれないことを心に止めておきたい。そこで、私は彼女に、「さて、もしあなたの決めるそのゴールを私が望まないとしたら、あなたはそれを変更する気がありますか？」というかもしれません。

> **Q** 治療過程から、どのような問題が生じてくると予想しますか、あなたはそれにどのように対処しますか？

　主要な問題は、もしメアリーが彼女の人生におけるもう1人の支配的な男として私を見ないように十分注意を払うということです。私は、治療者として、確かに人間的な影響力をもっていると認めます。そのため、治療過程の特にこ

の側面には，特別に注意深くすることが必要だと思います。また私は，メアリーが治療に関する不満，あるいはカウンセリング過程の困難を，どの程度率直に表現できるか，を思案しています。これも，私が非常に気遣わなければならないことです。彼女は，不満を感じながらも万事快調と言うかもしれません。また私は，メアリーが宿題を，あまりにも厳格に実行するか，あるいは実行せずに言い訳をするかのどちらかではないかと思います。彼女は，続けることをせずに，「あまりいい宿題でなかった」とか「私への罰として与えたのでしょう」というような言い方をするかもしれません。私としては，私の仮説を彼女に示し，「メアリー，カウンセリングで不快だったり，難しかったり，私の行動が気に入らなかったりする点について私に言いにくいのではないかしら？」というようなことを言うでしょう。私はこのことを，常に心にとどめ，時々実行しますが，あまり早い段階からは行ないません，なぜならばそれは彼女にとって脅威的であるかもしれないからです。はじめは，彼女に，カウンセリングについて何を考え，どのように理解しているか，また彼女の希望や恐れを聞こうとします。私は，彼女のことを真摯に考える人間であることを，そして彼女の意志に反して何かに追い込もうとするものでないことを示したいものです。

> **Q** 治療の成果はどのようなものと想像しますか？

一概には言えません。もしメアリーが治療において受け身的な役割を果たそうと構えているだけであったり，夫との関係が明らかな困難に突き当たったりすれば，それらの要素が問題になるかもしれません。しかし，もし彼女がともに作業する構えであり，夫との関係が耐えられるものであるならば，彼女はよいクライエントになれると思います。私は，彼女が治療に熱心に取り組めば，よい結果が生じ得ると思います。もし彼女の夫が治療的介入に理解を示せば，非常によい結果が生じ得るでしょう。

多面的アプローチ

　スティーヴン・パルマー（Stephen Palmer）博士は，ロンドンの多面的療法センター，およびストレス・マネージメント・センターの所長であり，市立大学の研究員，臨床顧問，契約心理士も兼ね，また UKCP（連合王国心理療法協議会）に登録された心理療法士でもある。彼は英国における多面的療法の主導的人物の1人であり，著書や編書として『ストレス問題に対するカウンセリング（*Counselling for Stress Problems*）』(1995)，『カウンセリング：BAC カウンセリング読本（*Counselling: The BAC Counselling Reader*）』(1996; S. Dainow，および P. Milner 共著)，『カウンセリングと心理療法の未来（*The Future of Counselling and Psychotherapy*）』(1997; V. Varma 共著) など多数ある。

> **Q** このクライエントの問題を，あなたはどのように扱いますか？ 問題に焦点を置いたアプローチをとりますか，それとも探索的アプローチ，あるいはその他のアプローチでしょうか，そしてそれはなぜでしょうか？

　両方です。多面的療法は一般的に問題に焦点を置くので，問題焦点アプローチをとり，メアリーの問題領域をよく見て，彼女がそれらを除去するか，うまく扱うか，克服するのを助けたいと思います。また，探索的なアプローチも用いたい，というのは，哀悼とか子ども虐待などの問題は，多分にクライエントからの説明を要するものがあるからです。このケースは，こじれた哀悼のような感じがします。彼女の父親に対する感情や態度を探索することは，おそらく有効でしょう。それは彼女が「父親との関係が2人の夫との関係に再現されたテーマである」ことに気づいていないかもしれないからです。

　私は，第1回目の面接で通常約20分かけて，探索的なアプローチでクライエントの話を聞きます。次いで，私・彼女の両方がクライエントの問題を理解しやすいように，7つの基本的な領域（すなわち BASIC ID 様式）にわたって，面接室に準備されたホワイト・ボードに2人で書き出すことを提案します。これは，問題焦点化的アプローチといえるでしょう。メアリーの事例では，生活史に多くの問題領域があるので，最初の探索に20分以上かかるかもしれません。

> **Q** あなたはメアリーについてどのような仮説をもって，そこから彼女の問題に対するあなたの見立てを引き出したのでしょうか？ そしてそれはなぜでしょうか？

　この事例概要を読んでいくつかの仮説が心に浮かびました。第1に，彼女のうつ病の根源として，彼女の人生の多くの領域で外から肯定的に強化してくれるものが欠けている点です。それらのいくつかについては，具体的に何かをすることができます。たとえば，対人様式に焦点を置くならば，彼女に友達がないことに注目し，彼女が人々と交わり，もっと友達を作ることで援助できそうです。第2は，彼女が興味や趣味に乏しいことに示されるように内的な強化に欠けている点です。

　次の仮説は，彼女が自己主張的になったり，自分の権利の上に立ったりすることに対して非常な不安をもっていることです。それはおそらく彼女の父親との関係，それが夫たちとの間で，また多分，たとえば職場の仲間など彼女の人生における他者との間で繰り返されていることによるものでしょう。肝心な点は，彼女が父親との関係から「もし自分が自立したら周囲の大事な人たち——通常は男性——が'意地悪く'なり，虐待するであろう」という信念を頭の中に構築していて，その考えが自己主張的になることを妨げていることです。

　最後に，彼女は，服薬のために器質的な問題が生じていて，それがうつ病を促進しているかもしれません。難しい症状では，通常は，ホルモン補充療法を採用しますが，治療してもいくつかの症状は残ります。多くの女性にとって，閉経期は人生での重大な変化期です。メアリーは自分の死について意識するようになっているかもしれない。死を迎えるということは人生における1つの事実であり，彼女は父親の死を通じてそれを知っています。

> **Q** その見立ての過程を示す理論の組み立ては，どのようなものでしょうか？

　学習理論，社会的学習理論，およびシステムズ・コミュニケーションの諸理

論が，多面的な見立ての過程とカウンセリング・プログラムの策定について役に立ちます。メアリーの見立てに際して，これらの理論に関係する構成概念として私の心にとどまるのは，誤った情報，不健全な習慣，自己受容の欠如，および周囲の人間関係による妨害です。見立ての過程では，7つの基本的な側面（BASIC ID）に焦点を合わせるでしょう。

・彼女の自棄的な行動，これをもたらし，持続させているものは何か？
・彼女の基本的な情動障害。彼女が常々経験している不快な感覚は何か？　について，彼女の忍耐域値に注目しながら探る
・彼女がおそらく抱いている父親との関係でのネガティブなイメージが情動障害を悪化させているかもしれない
・いくつもの自棄的な信念，誤った情報か情報の欠如がありはしないか？　を明らかにしていく
・支配的な夫との問題，および彼女に友達がいない問題
・彼女の全般的な体調に関する問題

この見立ては，たぶんメアリーとの第1回，あるいは第2回までの面接で行なわれるでしょうが，その後も引き続く過程です。新たな情報があれば，見立ては修正され，常に最新のものに更新されていきます。

> **Q** あなたは，メアリーとどのような種類の治療的関係を望まれるでしょうか？　療法のどのスタイルをめざし，用いられるでしょうか？　そしてそれは，なぜでしょうか？

　私は，必要なときは適度に自己開示しながら，話を一般論的でなく具体的にすることを含めて，開放的で率直な関係を作り上げる必要があると思います。秘密の治療や技術的な計略は一切なく，彼女の対人関係的なスキルに対しては注意深くフィードバックして返します。また私に対して彼女が，'反抗'することを奨励し，彼女が批判を恐れることなく，堂々と自身の心のうちを語るように運びたいと思います。彼女には，エゴのないセルフという概念に理解をもつ，

言い換えれば「ホモ・サピエンスは評価などできないほど複雑である」ことを理解する必要があると思います。そこで,「人は行動だけがすべてではない」という認識を通して,彼女に自己受容を教えます。たとえば,もし彼女が人間関係に失敗したとしても,それは論理的に,彼女が人間としての失敗者ということにはならないということです。

多面的セラピストは,'究極のカメレオン'になることが重要と信じています。すなわちカウンセリング過程のどの時点でも,クライエントとの作業に最も都合のよいような対人スタイルに順応することです。メアリーに対しては,彼女が治療を続けるのを助けるために,また彼女の期待に応えるために,最初は'カウチ(自由連想用の寝椅子)'でアプローチしたいと思います。

治療が進んでからは,彼女が主導性を発揮し始められるように,もっと受動的なアプローチをとることが重要になってくるでしょう。これは,順応のためのゆっくりした過程だと思います。カウンセリング過程で彼女が自分の殻から出てきて,自信が増すにしたがって,たとえば,助けによることなく自分に宿題を課すなど主導性を発揮し始めることができます。

Q メアリーに対して,治療的関係と特殊な技術とでは,どちらがどれほど重要でしょうか?

経験のある多面的セラピストならば,次に示す5つの重要な領域を考察するでしょう。

・クライエントの資質
・セラピストの資質
・治療的スキル
・治療的同盟関係
・技法の特殊性——すなわち,それぞれの問題に対してどの技法が適当か?

この5つの領域はすべて相互にかかわり合っていますから,優れた多面的カウンセラーは,そのすべてを重要であり,綿密な注意を要するものと考えで

しょう。たとえば，もしあるクライエントにとって現実生活場面の中での直接対処が必要だといっても，信頼関係が十分でない場合はその実地課題を実行せず，結局治療を中断することになりかねません。この場合，治療者は最初の間，想像上の再体験，あるいは対処的な想像のような，不安喚起の少ない手立てをすすめることができます。そうしたやり方のほうがクライエントに実行されやすく，彼女が途中で治療を中断する可能性も少ないのです。

　メアリーのケースでは，自己主張の訓練も考えられますが，彼女がその自己主張スキルを夫に対して直接に適用することは難しいでしょう。それでもその自己主張スキルを激励すれば，たとえば職場の同僚などあまり近くない他者に対しては適用できるかもしれません。それは，彼女がそのスキルを学び，将来，生活の中で夫に対してあえて用いることができるようになることを示す試走として役立つかもしれません。もちろんそのためには，現実生活場面での実践に先立って，カウンセリング・セッションでのロール・プレイングや対処的イメージ法などを用いたかなりの練習が必要となるでしょう。慎重な考慮のうえ，補助的な治療として自己主張訓練教室へ紹介することも考えられるでしょう。

> **Q** あなたの治療の広い意味でのねらいと目的は何でしょうか？

　療法のねらいと目的は，私のではなくあくまで彼女のカウンセリング・プログラムですから，何事も彼女と相談していきます。結局のところ治療は彼女のものです。もし私が治療のねらいをもつとすれば，それは，どの特別な治療的ないし訓練的なアプローチからでも採用した，いろいろな技法や介入や策略を駆使して，クライエントが彼らのゴールと目標を達成するのを助けることです。多面的治療は，人それぞれをユニークな存在であると考え，各人が自分のゴールを達成するように援助します。このケースでは彼女が抑うつや罪悪感を抱かなくなるように援助するために自分で慎重に仕立てたカウンセリングや訓練の計画をもつ必要があると考えます。すべて個性的なアプローチです。この過程（表 6-1 参照）に役立つように BASIC ID 側面総合表が作られるでしょう。もし当人が明確に定義された目標をもっていない場合，私の仕事は，そのこと

を問題として彼らを援助することです。こういったことは，臨床的に抑うつ的なクライエントの場合によく生じます。

表6-1 メアリーに対する仮説的な多側面総合表

側 面	問 題	カウンセリング計画案
行 動	家庭外での活動が少ない 気に入らない転居をした 人生における目標ないし興味が欠けているように見える	目標設定 新たな興味の可能性について討議する
情 緒	抑うつ 悲 嘆 苦 痛 罪悪感	障害の引き金になっている信念やイメージを見いだし，適切に再構築する
感 覚	更年期の不快な身体的症状の可能性	リラクセーション技法，あるいは 自己暗示（テープを使う可能性）
イメージ	"厳しい"父親に関する幼少期のネガティブなイメージの可能性 病気／瀕死の父親に関するネガティブなイメージの可能性	時間展望的イメージ法 '新しい割り切り方'の想像 慣れてしまうまでネガティブ・イメージに集中する
認 知	人の心を読む（気を使いすぎ） 承認を求める信念 自己肯定や自己価値の低さ 父親を特別養護ホームに入れたことへの自己嫌悪的な信念 自分の子どもたちや義子に関する自己嫌悪感	思考スキル訓練 無益な信念に挑戦する 自己受容訓練 エリスのABCDEパラダイム エリスのABCDEパラダイムと，信念の結果について賛否をあげる
対人関係	従順，もの静か 非・自己主張的 結婚上の問題 不平不満の訴え 友人が少ない 承認求め	自己主張スキル訓練 コミュニケーション・スキル訓練 社会的・交友的スキル訓練 自己受容訓練と承認求めの信念への反論
薬／生理学	睡眠障害 倦怠 抗うつ剤について ホルモン補充治療	リラクセーションと思考休止 薬の副作用について点検 これらの問題については，すべて必要があれば医師に紹介

> **Q** ゴール設定について，あなたの構えはどのようなものでしょうか？ あなたは彼女がゴールを設定するのを援助しますか，それとも，しませんか？ するならば，今しますか，後でしますか？

多くのクライエントにとって，ゴール設定は最も重要です。私は，最初の面接の間に，メアリーの問題点とスキル不足点，およびそれらをいかに扱うかに焦点を置いて，BASIC ID 側面総合表を作り始めます。この表は変更不可能なものでなく，クライエントのカウンセリング過程を通じて更新し，修正する柔軟なものです。

> **Q** もし，あなたがゴール設定を援助するとすれば，メアリーにとってどのようなゴールが役に立つと想像しますか，そしてそれはなぜでしょうか？

私はメアリーに会ったことがないので，提出した多側面総合表は，ケース記述のみから設定したものであり，したがって仮説的なものです。メアリーにとってのゴールは，各々の側面から引き出される問題を反映するものです。たとえば，彼女が，抑うつと罪悪感に対処し，自己肯定的になり，自己受容を増し，承認を求める行動を減らし，喪失への悔恨やその他の問題に対処するように人生への関心に再点火し，社会的交際を増やすようにと示唆するでしょう。

総合的なプログラムでは，薬剤／生理的な側面を含む重要な領域を見落としてはなりません。私が，まだメアリーについて，使うべき技法，介入，戦略等を話し合うような完成された側面総合表を提出したのではない点に留意してください。しかしそこには，おそらくゴールの方向づけ (B)，リラクセーション技法 (S)，問題へのイメージ上の再体験，踏んばるイメージ (I)，認知の再構成，自己受容，一般的な思考スキル訓練 (C)，自己主張，コミュニケーションと友人交際スキル訓練 (I)，実習，および彼女のかかりつけ医師との連携 (D)，などを含むでしょう。

> **Q** 治療過程から、どのような問題が生じてくると予想しますか、あなたはそれにどのように対処しますか？

彼女が受動的で従順すぎることは、大きな問題でしょう。行動的、および対人関係の側面で何か行動を起こすことに対する彼女の不安によって、カウンセリング・セッションで討議し宿題として課されたことの実行が困難なこともあるでしょう。もし彼女が、罪悪感や羞恥心のために宿題に取り組めないときは、彼女はカウンセリングを中断するかもしれません。したがって、彼女がカウンセラーから批判されると感じないようなよい治療的関係がぜひ望ましいものであり、それがあれば、彼女は宿題を実行しなかったことに対する批判的な評価を恐れることなく次回の面接には戻ってくることができます。

彼女の子ども時代の父親との関係に対する熟考から、私のような男性のセラピストとの関係は、女性セラピストの場合に比べて問題が多いかもしれません。女性の多面的療法者に紹介することは1つの考えともいえますが、男性セラピストとの関係も、注意深く扱われるならば、長い目で見て利点があるでしょう。

> **Q** 治療の成果はどのようなものと想像しますか？

彼女が家庭において新しい行動や対人関係スキルを身につけ始めるにつれて、夫との関係で問題が生じてくることが懸念されます。彼女は、家庭その他の状況において自立することのよい点と悪い点とを秤にかけなければならないときがくるかもしれません。彼女の従順な行動は、一時的に彼女の不安を緩和し、葛藤を防いでいます。一方、彼女が自己主張的になると、他者からの攻撃的な行動を誘発することになりかねず、それは彼女にとって対処しがたいものでしょう。彼女がカウンセリング計画で話し合ったことを実行に移すことを想定すると、夫の反応いかんによっては別れるかもしれず、そのときは、彼女は新しい社会的支持者であり、しかもそれがカウンセリング・プログラムにとって

も有効であるようなものを得ないかぎり，彼女の不安レベルを増強すると懸念されます。過去に経験した類似のケースに基づくと，批判的な夫がいても，いない場合でも，メアリーにとっての成果は，私として静かに楽観していられるものです。

比較

ここでは，4人のセラピストたちに発した質問を1つ1つ取り上げ，4人からの回答を比較してみる。その4つのアプローチを比較対照する過程でわれわれは，わかりやすいようにそれぞれの発言の最も重要な点を要約して表6-2にまとめた。表を見ると，各セラピストがどの側面に焦点を置いているかについて何らかの特徴を理解できる。その中で多分に指示的なアプローチである合理情動行動療法と多面的療法は，メアリーにとって役に立ちそうな見立てと目標を説明する仮説を多く述べている。このことは，それら2つが問題解決的アプローチを採用していることを反映している。

> **Q** このクライエントの問題を，あなたはどのように扱いますか？ 問題に焦点を置いたアプローチをとりますか，それとも探索的アプローチ，あるいはその他のアプローチでしょうか，そしてそれはなぜでしょうか？

この第1の質問に対する4人のセラピストの答えは，明らかにそれぞれの見解を反映している。しかし4人ともが，メアリーが自身の問題をもっと探求する必要があるという点には留意しているように見える。精神力動，およびパーソン・センタードの両アプローチは，クライエントが問題を理解するための援助において治療的関係が重要であると強調している。ジュディー・クーパーとブライアン・ソーンは，いずれもメアリーに対して問題解決的アプローチをとらず，ともに純粋に探索的なアプローチを述べている。これら2者と対照的なのは，合理情動行動療法（REBT），および多面的療法の2者であり，ウィンディー・ドライデンとスティーヴン・パルマーが，メアリーに対してより指示

表6-2　4人に対する面接結果の比較

	精神力動	パーソン・センタード	合理情動行動	多面的
メアリーの問題へのアプローチ	精神力動のガイドラインを心にとどめた探索的アプローチ	尊敬と共感を提供するパーソン・センタード（探索的）アプローチ	問題に焦点を絞ったアプローチだが、その中で探索的	問題に焦点を絞ったアプローチだが、やはり、特に最初は探索的
見立てを導く仮説	メアリーは・多くの喪失をしてきた・受動的一攻撃的である・幼少期の経験に根ざす被害者として関係づける・困難を分担してしまう	メアリーは、・自己受容に欠けるが、それを開発する能力がある・自己謳歌に欠けるが、他者に影響を与える能力を有する	メアリーは、・承認の強い欲求をもつ・自己主張に問題がある・自分自身に対して貧しい意見をもつ・人生の主体者としての自分を経験したことがない・責任に対して不健康な態度をもっている・怒りの感情とその表現に問題があるかもしれない・うつ病への遺伝的傾向があるかもしれない・父親への畏怖が彼女の人生に影響しているかもしれない	メアリーは、・外的、積極的変化に欠ける・内的強化に欠ける・自己主張的であることに不安をもつが、おそらく彼女の人生における男性との関係による器質的に問題があるかもしれない
見立てを導く理論構成	・幼少期の経験・無意識の諸要因・幼児性欲・転移	・実現化傾向・価値を認めてもらうための条件・自己概念・評価の内的位置づけ	・不合理な信念・不合理な信念から生じた行動・彼女の行動が他者に及ぼす影響	・学習理論、社会学習理論、システムズ・コミュニケーション理論に基づき：・誤った情報・情報の欠落・不健康な習慣・自己受容の欠如・対人関係からの妨害・BASIC ID

治療的関係とスタイル	関係：そこにおいて、 ・メアリーが安全で自由を感じることができる ・彼女の関係性に関する場面／問題を扱える スタイル： ・非指示的	関係：そこにおいて、 ・メアリーが安全と感じることができる ・尊敬、受容、および共感が存在する スタイル： ・非指示的 関係における平等性が肝要	関係：そこにおいて、 ・メアリー治療の方向づけについておおむね発言権をもつ スタイル： ・積極的 ・礼節的で友好的 ・専門家ぶらない ・ユーモラス	関係： ・開放的、直截的 ・適度な自己開示を伴い、彼女が自分の心を語るように激励する スタイル： ・融通性 ・最初はカウチ式 ・後々、次第に受け身的に
関係性対技術の重要度比重	治療的関係が特に重要 用いる技術： ・不快感 ・解釈 ・夢の解釈 ・自由連想	治療的関係が最高度に重要、技術は、まったく問題にならない	関係における平等性 両者の重要度のバランスが大切。治療関係が悪ければ効力を失う	重要な5項目： ・クライエントの資質 ・セラピストの資質 ・治療的スキル ・治療同盟関係 ・適切な技法 すべてが相互関連している
治療のねらいと目的	メアリーの内的世界を探索しようと努める 無意識を意識化する 彼女の自己感覚を開発する（エゴの強化）	メアリーの内的世界を理解しようと努める 彼女がより自己肯定的になり、自己実現的傾向に近づくように援助する	説明したような治療的関係を作り上げる REBTの作業と技法を教える	彼女のねらいや目的に焦点を合わせるが、それは： ・メアリーと話し合って決める ・彼女がゴールを決め、達成するのを援助する
ゴール（具体的な達成目標）を設定するか？しない場合はなぜか？	治療のねらいは変化であるが、それはゴールではない ゴールは厳密なもの	ゴール設定に対するクライエントの態度による	確かに、メアリーが自分で達成できるようなゴールを設定する	多くの場合、ゴールがなくてはならない 最初の面接でメアリーがBASIC ID側面総合表を作るのを助ける

比較

表 6-2　4人に対する面接結果の比較 (続き)

	精神力動	パーソン・センタード	合理情動行動	多面的
メアリーにとって有効なゴールとは何か？	該当なし	もし彼女がゴールを欲するならば、それは自己肯定(自分に対して安らぎに感じ罪悪感を抱かない)の周辺のものであろう　ゴールはしばしば明確でなく隠微的である	有効なゴールとは： ・後悔は罪悪の健康な代替で、悲しみはうつの健康な代替であると理解する ・自分を第1にするのは自己主義であるとする考え方を再検討する ・われわれ人間が他者を傷つけることを避けられるとか、少しでも傷つけるのは罪とする考えを再検討する ・より自己肯定的になる ・責任に対する健全な感覚を養う ・他者を喜ばせることに気を使うのはよいが、過度に気を使うことと統合する ・父親の死をもっと検討する ・ロバートとの関係を理解する 核心はメアリーのゴール達成を助けること	ゴールは各側面の問題を反映し、おそらく次のようなものを含むであろう： ・人生の興味に再点火する ・社会的交際を増大する ・うつ病と罪悪感に対処する ・自己肯定的になる ・自己受容を増大し、承認を求める行動を減らす ・哀悼や喪失に対する諸問題を扱う しかし、ゴールはその都度メアリーと話し合って決める
過程において起こりそうな問題	彼女の消極性、怒りと敵意が関係の中に出てくる可能性 ・ネガティブ転移 ・彼女が治療を続けるかどうかの疑念	メアリーがカウンセラーに愛着と依存性を生じる。これは、ありうる問題であり、カウンセラー側に高度の感受性とメアリーの依存感情を積極的に受容しようとする姿勢が求められる	・メアリーが私をややい支配的な男と見るかもしれない ・メアリーが治療に対する不満を口に出さないかもしれない ・宿題が問題をかすかもしれない、つまり彼女が厳密にやりすぎる、あるいは不実行の言い訳をするかもしれない	・彼女の消極性が懸念であろう ・宿題実施上の問題 ・治療の終結 ・男性セラピストとの関係
治療成果についての意見	彼女が治療を続けるならば、報いられるものになるだろう	彼女の自己価値観の増進という成果を望む。彼女の周囲関係に変化が生じそうで豊かなものになるか、あるいは夫と別れることもありうる	もしメアリーが消極的であったり、問題であるが生じたりしたら、結婚に困難が生じるかもしれない　もし彼女が熱心に取り組み、夫との関係が保たれれば、よい成果が得られよう	メアリーが変わるにつれて夫との間の問題に発展し、別れることになるかもしれない　結果は彼女の視野から見れば好ましいものであろう

240　第6章　4つのアプローチ比較

的な方法で探索を激励しながら，基本的に問題解決的なアプローチをとっている点が注目される。後者2人は，治療にはこのようなアプローチが最もよいと考えている。

　精神力動，およびパーソン・センタード・アプローチはクライエントが理解を深めるための援助をすることを狙い，両者とも，そもそも探索的である会話という媒体を通してそのことを行なおうとしている。合理情動行動療法，および多面的治療においては，理解も重要ではあるが，もっと重要なことはその理解に基づいて行動することにあるとする。それら2者は，クライエントの問題を最も効果的な方法で解決しようと狙う実践的なモデルといえる。

> **Q** あなたはメアリーについてどのような仮説をもって，そこから彼女の問題に対するあなたの見立てを引き出したのでしょうか？　そしてそれはなぜでしょうか？

　これまでわれわれは，精神力動的アプローチ，合理情動行動療法，および多面的アプローチはすべて，見立てをカウンセリングの重要な要素と見ており，それに対してパーソン・センタード・カウンセリングが形式的な見立ては不必要と見なしていることを明らかにした。ここに紹介した4人のカウンセラーの答えからも，そのことがうかがえる。ジュディー・クーパー（精神力動）は，特にメアリーの話からその問題に対する見立てを表わすいくつかの仮説を立てており，ウィンディ・ドライデン（REBT）とスティーヴン・パルマー（多面的）も同様である。しかしブライアン・ソーン（パーソン・センタード）は，どのクライエントにでも適用できる一般的な仮説を用いている。このことは，「クライエントは，すべて，実現化傾向から外れたものであるから，特別な仮説は不必要」とするパーソン・センタードの考えを示している。クライエントは治療過程の中心にあり，カウンセラーの仕事は'手出しをしない'ことである。ブライアン・ソーン以外は，全員が，メアリーの自己主張性についての問題——面接の中で再々現われたテーマ——を取り上げている。

> **Q** その見立ての過程を示す理論の組み立ては，どのようなものでしょうか？

　見立ての過程は，通常，問題がいかに発生し，持続されているかについての理論によって示される。われわれは，各セラピストの述べた理論構成が，いかにそれぞれの選んだアプローチに関連するかを，この面接結果の中に見ることができる。ここには，共通的なものは少ない。

　ジュディー・クーパーは，メアリーに対する見立てを述べるために，クライエントの過去（子ども時代の経験や幼児性欲）と現在（無意識の要因や治療関係における転移）に焦点を合わせようとしている。これは，大人になってからの障害が，子ども時代の発達過程の混乱に根ざし，多分に無意識の過程で持続されていくという精神力動的な信条に則っている。

　ブライアン・ソーンも，メアリーが幼児期から実現化の傾向から逸れてきたこと，そして幼児期から'価値を認めてもらうための条件'に影響されてきたと認めている点で，ある程度過去に焦点を置いている。それら2つの要因は，ともに，人間の発達が阻止されゆがめられるという点からパーソン・センタード・アプローチが主要なメカニズムとして提唱しているものである。そしてそれらは，今でも評価規準の内在性，自己否定などの形でメアリーの中に生きている。これらすべての理論構成から見た現在における状況が，メアリーに対する見立てに示されている。

　REBTと多面的治療はともに，過去の経験が個人の問題の発生と経過に関与し得ると認めはするが，パーソン・センタード・アプローチの場合のようにそれだけに頼るのではなく，むしろ'今ここに'あるものに焦点を置く。たとえば，ウィンディ・ドライデンは，不合理信念という理論構成の重要性について述べている。彼は，不合理な信念を抱きやすい傾向は生物学的なものであると認めながら，メアリーの不合理信念がいかに始まったかではなく，今彼女がどのような不合理信念をもっているかを見立てることに焦点を置いている。彼はまた，これらの不合理信念から派出した行動，そしてそれが他の人々に及ぼす影響についても焦点を置こうとする。これは，彼女の問題が持続されてきてい

るメカニズムであるかもしれない。不合理信念と行動という2つの理論は，見立ての過程を示し，それはまた，彼がメアリーと話し合う治療のプログラムを示すものでもある。

　同様に，スティーヴン・パルマーも問題行動の発生における学習の役割を認めているが，ドライデンの場合と同様，問題が過去においてどのように発生したかではなく，現在のメアリーに焦点を置いて接近しようとしている。多面的療法は，REBTと同様に，パーソナリティの生理学的な次元を認め，また，問題の発生には多くの要因が絡み合っていることを認めている。スティーヴン・パルマーは，われわれとの面接中にこれらのいくつかを拾い上げ，またパーソナリティがBASIC IDの7つの側面によって記述されるものであることに言及する。これらの理論構成はメアリーに対する彼の見立てを示すものであり，また，彼女と話し合う治療計画を示すものでもある。REBTや多面的療法においては，見立ての過程は，そのカウンセリング計画の進展の核心的なものと見なされる。

> **Q** あなたは，メアリーとどのような種類の治療的関係を望まれるでしょうか？療法のどのスタイルをめざし，用いられるでしょうか？　そしてそれは，なぜでしょうか？

　4つのアプローチについての各章で，われわれは治療的関係についてかなり詳細に述べた。4人のセラピストは，それぞれメアリーに対して特に重要だと思う特別な関係のあり方を強調している。

　ジュディー・クーパーとブライアン・ソーンは，いずれもメアリーが自分の内的世界を探索できるようになるためには，十分な安心感が必要であることを認め，またどちらもそれら2つのアプローチで採用されている非指示的なスタイルを最善としている。彼らの異なる点は，クライエントに対する自我関与の程度である。第2章では，精神力動的カウンセラーが自由連想の過程でクライエントが治療関係に転移を発展させるのを助長するべく，無用な影響を避けるために採用する抑制，匿名性，および中立の法則について述べた。ジュディー・

クーパーも，その趣旨に則して，メアリーを邪魔な刺激から遮断するために治療中横臥するように提案するかもしれないと述べている。これらの3種の法則に真っ向から反対するものとして，ブライアン・ソーンは，クライエントが治療関係の中により深く関与するようになるための3つの核心的な条件の重要性を強調している。パーソン・センタード・セラピストはクライエントの世界に入り込もうとするので，その関係において在りのままで開放的であることの重要性を強調する。中立性や匿名性の考えは，彼らにとって異端なものである。

パーソン・センタードの信用性と開放性に対する強調は，多面的アプローチにおいても見られる（究極のカメレオン）。スティーヴン・パルマーは，適度の自己開示を伴う開けっぴろげで率直な関係を強調している。また精神力動の中立性と匿名性の考え方に対しては，正反対である。ウィンディ・ドライデンもスティーヴン・パルマーも，ジュディー・クーパーやブライアン・ソーンと同様に，メアリーが'心の内を話す'ことができるような関係を作り上げようと求めている。しかし，彼らはともに，ある程度の教育や指導を含む積極的で指示的なスタイルを取ろうとしている。

多面的，およびREBTの両アプローチともに，関係における平等性を強調し，これを治療関係の中心として強調するブライアン・ソーンと何かしら共通のものをもっている。パーソン・センタード・カウンセラーの用いる核心的な条件は，多面的，およびREBTアプローチも必要と認めるが，それで十分だとは考えない。

> **Q** メアリーに対して，治療的関係と特殊な技術とでは，どちらがどれほど重要でしょうか？

4つのアプローチのすべてが，治療的関係の重要性を強調しており，そのことは，それぞれ4つの面接によく表わされている。ジュディー・クーパーとブライアン・ソーンは，ともに'技術'という概念に抵抗感をもつ。それら2つのアプローチは，技術よりも関係に傾く。パーソン・センタード・アプローチの考えでの治療関係の核心となる諸条件とは，単に必要であるというだけでな

く変化を生じるために十分なものでもあり，技術は単に表層的なものというだけでなく，そういうものを用いることは治療過程の中心がクライエントであるという基本的な考え方に反するものとされる。精神力動的アプローチは，確かにたとえば解釈とか自由連想などの技術を使うが，治療者とクライエントとの関係は至上の重要性をもつものである。

　反対に，指示的なアプローチの2者は，変化をもたらすために多くの側面におけるさまざまな技術を用いる。とは言っても，ウィンディ・ドライデンもスティーヴン・パルマーもその技術が効果を上げるためには，よい治療関係が肝心であると明らかに述べている。両者ともに，技術と治療的関係のバランス，および相互依存性を強調している。

> **Q** あなたの治療の広い意味でのねらいと目的は何でしょうか？

　この質問に対しては，4人のセラピストが異なる解釈をしたので，比較することが困難である。ジュディー・クーパーとブライアン・ソーンは，メアリーの内的世界を理解しようとする。より詳しく比較すると，ジュディー・クーパーは，彼女の内的世界を探求して，無意識を意識化しようと求めるようである。一方，ブライアン・ソーンは，彼女が実現化傾向との接触に戻ってくるように，彼女の道連れになるという目標に集中する。ウィンディ・ドライデンは，メアリーとの間に援助的な治療関係を作り上げてREBTの課題と技術を教えるというねらいをもっているようである。スティーヴン・パルマーは，何事もメアリーと協議することの必要性，および彼女が自分の目標をもつようになり，それを実行するようになるのを助けるのが彼の役割であるということを強調している。

> **Q** ゴール設定について，あなたの構えはどのようなものでしょうか？　あなたは彼女がゴールを設定するのを援助しますか，それとも，しませんか？　するならば，今しますか，後でしますか？

ジュディー・クーパーとブライアン・ソーンの両者は，ゴール設定という考え方に対して語りたがらない。なぜなら，精神力動もパーソン・センタードも，治療においてゴール設定することが意味のあることとは考えていないからである。それぞれは，たとえば精神力動的アプローチにおける無意識の意識化，またパーソン・センタード・アプローチにおける実現化傾向に対する障害物の除去など，カウンセリングの一般的なゴールをもっている。しかし，それらの一般的なゴールは，各クライエントについて設定したゴールではない。ブライアン・ソーンは，通常，自分のクライエントについてのゴール設定をしない。しかし本当のクライエント・センタードのスタイルにおいては，もしメアリーがゴール設定を求めれば，そうするように彼女を援助するであろう，としている。
　まったく対照的に，ウィンディ・ドライデンとスティーヴン・パルマーはともに，ゴール設定をぜひ必要なものと考え，また両者ともに，カウンセリングのはじめからその設定を期待している。このことは，合理情動行動療法と多面的療法がともに問題解決過程を強調することを反映している。

> **Q** もし，あなたがゴール設定を援助するとすれば，メアリーにとってどのようなゴールが役に立つと想像しますか，そしてそれはなぜでしょうか？

　問題解決的な2つのアプローチだけが，メアリーにとって役に立つと思うゴールを実際にリストしている。ウィンディ・ドライデンとスティーヴン・パルマーは，まさにゴールに焦点を置くアプローチを代表している。まず話し合いによってゴールが設定されたら，その問題の解決をメアリーとともに検討し，行動を検討することができる。スティーヴン・パルマーによって示唆されたゴールは，BASIC ID に基づいており，それらのいくつかは，ウィンディ・ドライデンにも出現する。たとえば，もっと自己主張的になること，哀悼の問題を扱い，罪悪感と抑うつの感情を変化させることである。
　すでに述べたように，ブライアン・ソーンは，もしメアリーが望むならばゴールを設定しようとしており，考えられるゴールを2つあげているが，それらは実際に彼女が最初の面接で述べた2つである。すなわち彼女は，罪悪感を抱く

こととみじめさを感じることがなくなってほしいと望んでいた。また，ジュディー・クーパーは，この質問に対しては，まったく何も述べていない。なぜなら，精神力動的アプローチから見れば，治療の目標はゴール設定ではなく，その設定は制約と見られるからである。

> **Q** 治療過程から，どのような問題が生じてくると予想しますか，あなたはそれにどのように対処しますか？

　4人の療法者のすべてが，治療過程で問題が生じ得ることを認めている。そのうちの3人は，メアリーに起源する問題，特に彼女の受動性に焦点を置き，その影響から生じる結果に関心をもつ点で一致している。一方，ブライアン・ソーンは，メアリーの件で問題になりそうなこととしては何も触れていない。その代わり彼は，治療関係そのものに問題の可能性があり，問題はメアリーではなく療法者にとってのものであると述べている。彼は，治療過程の中でメアリーが療法者に愛着をもつことがあり得るが，そういったことに関して治療的関係を損なうことなく処理するのは，未熟練な療法者にとって難しいかもしれないと考えている。

　ジュディー・クーパーとスティーヴン・パルマーは，理由はそれぞれ異なるがともにメアリーが治療を中断するかもしれないと懸念している。ジュディー・クーパーは，クライエントが治療を中断するいくつかの理由の1つを取り上げている。すなわち，それは，単にクライエントにとって重荷になるからというものである。一方スティーヴン・パルマーは，もしメアリーが約束した宿題を完全に行なうことができない場合に彼女がどのように感じるか，に焦点を当てる。「この療法者は評価をしない」ということに信頼が置けない場合，彼女は恥と罪の感情から治療に来にくくなるかもしれない，としている。

　ウィンディ・ドライデンとスティーヴン・パルマーは，ともに，合意した宿題の実行についてメアリーがもつかもしれない問題に焦点を置いている。パーソン・センタードと精神力動は，どちらも宿題を課さないので，このことには関係がない。男性の療法者3人は，すべて，男性ということが問題となり得る

と考えている（ソーンは，特に面接の早い段階で，この点が問題となる可能性を強調している）。しかし一方では，3人とも，メアリーのこれまでの重要な男性との関係は不満足なものであったので，この問題を慎重に扱えば，メアリーにとってより長期的な利益になるであろうと考えている。

> **Q** 治療の成果はどのようなものと想像しますか？

4人のセラピストのすべてが，メアリーにとって結果は好ましいものであろうという意見であるが，それぞれ，異なるいくつかの要因に左右されるとしている。ジュディー・クーパーのおもな懸念は，メアリーが治療を続けるかどうかであり，もし続けたとして，治療の終結が満足に運ぶかどうかである。ジュディー・クーパーは，精神力動的治療の重要な2つの側面を表わしている。第1は，'健康への逃避' の自我防衛機制である。これは，治療中にクライエント自身が，意識の表層に上ってきた困難な材料に対処できそうもないと思ったとき，「私はだいぶよくなりました」と言って治療を中断してしまうことである。第2に，治療の終結期は，治療過程において重要な段階と考えられることである。

ブライアン・ソーンは，メアリーの自己価値感——パーソン・センタード・カウンセリングにおいては中心的な理論構成であるが——の進展に対する期待に焦点を置いている。彼は，メアリーの自己価値感の進展につれて夫との関係に影響が生じるかもしれず，それは彼女の結婚に関してよいほうに作用するかもしれない反面，離別に導くかもしれず，それが彼女の無価値感を強化するかもしれない，という可能性をあげている。彼は，メアリーがカウンセリングを続けられないかもしれないという考えは抱いていない。

ウィンディ・ドライデンもメアリーの夫との関係に焦点を当てているが，彼は，夫との表向きの問題が治療過程に入ってくるかどうかに対して，より強い関心をもっている。合理情動行動的アプローチは，クライエントがみずから変化するように努力しなければならないことを重視するので，ウィンディ・ドライデンもそれがよい結果のための重要な条件であると強調する。スティーヴン・

パルマーの反応も，多分に類似している。彼は，また，メアリーと夫との関係の困難が治療に及ぼす影響を懸念し，ブライアン・ソーンと同様に，結果が彼との離別になる可能性を考慮している。

終わりに

　カウンセリング／心理療法についてこれまでに述べた4つのアプローチは，探索的 対 問題解決的の2群に大別することができる。精神力動とパーソン・センタードの両アプローチは，ともに探索的であり，そのおもな焦点は，クライエントが自分の内的な生活を探索するのを十分に安全と感じられるような関係を治療の主要な手段として用いる点にある。合理情動行動療法と多面的療法は，問題解決的なアプローチである。その焦点は，ゴールと技術の方向に傾斜している。

　本書の4つのアプローチを2群に大別することはできるが，それぞれの群の中には，両群の間と同じように相違点があることを明らかにしてきたつもりである。そこで，たとえば探索的な群の中でも，精神力動的アプローチは過去の経験，および無意識を明るみに出すことに焦点を置き，一方パーソン・センタード・アプローチは，今ここで，に焦点を置く。他方，問題解決群の中でREBTは，多面的アプローチに比べて，より哲学的に方向づけられ，より認知に比重がある。多面的アプローチは，より実践的な構えをとり，7つの側面のすべてにわたって作業する。

　大別した2群間の類似性には，問題解決的アプローチの2つがともに，健全な治療的関係がなくては技術も効果が乏しく，ある程度の探索はほとんど常に必要であると認めていることが含まれる。パーソン・センタードの‘今ここで’に対する焦点づけは，問題解決的アプローチの2つにも見られ，また精神力動的アプローチも，見立てについては同じ焦点化を分かち合っている。

　本書はここで終わる。読者方が，より理解できた，勉強になった，と思ってくれればと願っている。

引用文献・参考図書

第1章

Aveline, M. (1992) *From Medicine to Psychotherapy*. London: Whurr.
Beck, A. T. (1967) *Depression*. New York: Harper & Row.
Brown, D. and Pedder, J. (1979) *Introduction to Psychotherapy*. London: Tavistock/Routledge.
Deutsch, A. (1949) *The Mentally Ill in America*. New York: Columbia University Press.
Efran, J. S. and Clarfield, L. E. (1992) 'Constructionist therapy: sense and nonsense', in S. McNamee and K. J. Gergen, *Therapy as Social Construction*. London: Sage.
Ellenberger, H. F. (1970) *The Discovery of the Unconscious. The History and Evolution of Dynamic Psychiatry*. New York: Basic Books.
Eysenck, H. J. and Rachman, S. (1965) *Causes and Cures of Neurosis*. London: Routledge.
Frank, J. D. (1974) 'Psychotherapy: The restoration of morale'. *American Journal of Psychiatry*, 131, 271–4.
Kraepelin, E. (1981) *Clinical Psychiatry*. (A. R. Diefendorf, trans.) Delmar, NY: Scholar's Facsimiles and Reprints. (Original work published 1883.)
Lazarus, A. A. (1971) *Behavior Therapy and Beyond*. New York: McGraw Hill.
Marks, I. (1987) *Fears, Phobias and Rituals*. Oxford: Oxford University Press.
Maslow, A. (1968) *Toward a Psychology of Being*. 2nd edn. New York: Van Nostrand.
Meichenbaum, D. H. (1977) *Cognitive-behavior Modification*. New York: Plenum.
Neugebauer, R. (1979) 'Mediaeval and early modern theories of mental illness'. *Archives of General Psychiatry*, 36, 477–84.
Norcross, J. C. (1986) *Handbook of Eclectic Psychotherapy*. New York: Brunner/Mazel.
O'Sullivan, K. R. and Dryden, W. (1990) 'A survey of clinical psychologists in the South East Thames Region: activities, role and theoretical orientation'. *Counselling Psychology Forum*, 29, 21–6.
Watson, J. B. (1913) 'Psychology as the behaviorist views it'. *Psychological Review*, 20, 158–77.
Watson, J. B. and Rayner, R. (1920) 'Conditioned emotional reaction'. *Journal of Experimental Psychology*, 3, 1–14.
Wolpe, J. (1958) *Psychotherapy by Reciprocal Inhibition*. Stanford, CA: Stanford University Press.
Zilboorg, G. and Henry, G. W. (1941) *A History of Medical Psychology*. New York: Norton.

第 2 章

Bowlby, J. (1969) *Attachment and Loss. I. Attachment.* London: Hogarth Press.
Breuer, J. and Freud, S. (1895) *Studies on Hysteria.* Standard Edition of the Complete Psychological Works of Sigmund Freud, Vol. 2. Edited and translated J. Strachey (1955), London: Hogarth Press and the Institute of Psychoanalysis.
Ellenberger, H. F. (1994 [1970]) *The Discovery of the Unconscious. The History and Evolution of Dynamic Psychiatry.* London: Fontana Press.
Erikson, E. (1965) *Childhood and Society.* Harmondsworth: Penguin Books.
Freud, S. (1900) *The Interpretation of Dreams.* Standard Edition of the Complete Psychological Works of Sigmund Freud, Vols 4 and 5. Edited and translated J. Strachey (1953), London: Hogarth Press and the Institute of Psychoanalysis.
Freud, S. (1901) *The Psychopathology of Everyday Life.* Standard Edition of the Complete Psychological Works of Sigmund Freud, Vol. 6. Edited and translated J. Strachey (1960), London: Hogarth Press and the Institute of Psychoanalysis.
Freud, S. (1905) *Three Essays on the Theory of Sexuality.* Standard Edition of the Complete Psychological Works of Sigmund Freud, Vol. 7. Edited and translated J. Strachey (1953), London: Hogarth Press and the Institute of Psychoanalysis.
Freud, S. (1905) *Jokes and their Relation to the Unconscious.* Standard Edition of the Complete Psychological Works of Sigmund Freud, Vol. 8. Edited and translated J. Strachey (1960), London: Hogarth Press and the Institute of Psychoanalysis.
Freud, S. (1914) *On the History of the Psychoanalytic Movement.* Standard Edition of the Complete Psychological Works of Sigmund Freud, Vol. 14. Edited and translated J. Strachey (1957), London: Hogarth Press and the Institute of Psychoanalysis.
Freud, S. (1920) *Beyond the Pleasure Principle.* Standard Edition of the Complete Psychological Works of Sigmund Freud, Vol. 18. Edited and translated J. Strachey (1955), London: Hogarth Press and the Institute of Psychoanalysis.
Freud, S. (1923) *The Ego and the Id.* Standard Edition of the Complete Psychological Works of Sigmund Freud, Vol. 19. Edited and translated J. Strachey (1961), London: Hogarth Press and the Institute of Psychoanalysis.
Freud, S. (1925) *An Autobiographical Study.* Standard Edition of the Complete Psychological Works of Sigmund Freud, Vol. 20. Edited and translated J. Strachey (1959), London: Hogarth Press and the Institute of Psychoanalysis.
Freud, S. (1926) *Inhibitions, Symptoms and Anxiety.* Standard Edition of the Complete Psychological Works of Sigmund Freud, Vol. 20. Edited and translated J. Strachey (1959), London: Hogarth Press and the Institute of Psychoanalysis.
Freud, S. (1927) *The Future of an Illusion.* Standard Edition of the Complete Psychological Works of Sigmund Freud, Vol. 21. Edited and translated J. Strachey (1961), London: Hogarth Press and the Institute of Psychoanalysis.
Freud, S. (1930) *Civilisation and its Discontents.* Standard Edition of the Complete Psychological Works of Sigmund Freud, Vol. 21. Edited and translated J. Strachey (1961), London: Hogarth Press and the Institute of Psychoanalysis.
Freud, S. (1933) *New Introductory Lectures on Psychoanalysis.* Standard Edition of the

Complete Psychological Works of Sigmund Freud, Vol. 22. Edited and translated J. Strachey (1964), London: Hogarth Press and the Institute of Psychoanalysis.

Freud, S. (1937) *Analysis Terminable and Interminable*. Standard Edition of the Complete Psychological Works of Sigmund Freud, Vol. 23. Edited and translated J. Strachey (1964), London: Hogarth Press and the Institute of Psychoanalysis.

Hartmann, H. (1939) *Ego Psychology and the Problem of Adaptation*. New York: International Universities Press.

Jacobs, M. (1988) *Psychodynamic Counselling in Action*. London: Sage.

Jones, E. (1961) *The Life and Work of Sigmund Freud*. Edited and abridged in one volume by L. Trilling and S. Marcus. New York: Basic Books.

Jung, C. (1931) *The Practical Use Of Dream Analysis*. In Sir H. Read, M. Fordham, and G. Adler (eds) (1966) *C. G. Jung The Collected Works*. Vol 16. 2nd edn. London: Routledge and Kegan Paul.

Kohut, H. (1977) *The Restoration of the Self*. New York: International Universities Press.

Malan, D. H. (1979) *Individual Psychotherapy and the Science of Psychodynamics*. London: Butterworth.

参考図書

Bateman, A. and Holmes, J. (1995) *Introduction to Psychoanalysis. Contemporary Theory and Practice*. London: Routledge.

Brown, D. and Pedder, J. (1991) *Introduction to Psychotherapy*. 2nd edn. London: Routledge.

Hinshelwood, R. D. (1994) *Clinical Klein*. London: Free Association Books.

Jacobs, M. (1986) *The Presenting Past*. Milton Keynes: Open University Press.

Klein, J. (1995) *Doubts and Uncertainties in the Practice of Psychotherapy*. London: Karnac Books.

第3章

Gendlin, E. T. (1981) *Focusing*. (2nd edn.) New York: Bantam Books.

Gosse, E. (1974) (First published 1907) *Father and Son. A Study of Two Temperaments*. London: Oxford University Press. Thanks are due to William Heinemann Ltd for permission to reprint the extract on pp. 57–8.

Kirschenbaum, H. (1979) *On Becoming Carl Rogers*. New York: Delacorte Press.

Kirschenbaum, H. and Henderson, V. L. (eds) (1990) *The Carl Rogers Reader*. London: Constable.

Rogers, C. (1939) *The Clinical Treatment of the Problem Child*. Boston: Houghton Mifflin.

Rogers, C. (1942) *Counseling and Psychotherapy*. Boston: Houghton Mifflin.

Rogers, C. (1951) *Client-Centered Therapy*. Boston: Houghton Mifflin.

Rogers, C. (1957) 'The necessary and sufficient conditions of therapeutic personality change'. *Journal of Counseling Psychology*, 21(2), 95–103.

Rogers, C. (1959) 'A theory of therapy, personality and interpersonal relationships as developed in the client-centered framework', in S. Koch (ed.), *Psychology: a Study of Science, Vol III. Formulations of the Person and the Social Context*. New York: Harper and Row.
Rogers, C. (1961) *On Becoming a Person*. Boston: Houghton Mifflin.
Rogers, C. (1962) 'The interpersonal relationship: the core of guidance'. *Harvard Educational Review*, 32, 416–29.
Rogers, C. (1974) 'In retrospect: forty-six years'. *American Psychologist*, 29(2), 115–23.
Rogers, C. (1980) *A Way of Being*. Boston: Houghton Mifflin.
Thorne, B (1996) 'Person-centred therapy', in W. Dryden (ed.) *Handbook of Individual Therapy*. London: Sage.

■ 参考図書

Mearns, D. and Thorne, B. (1988) *Person-Centred Counselling in Action*. London: Sage.
Thorne, B. (1992) *Carl Rogers*. London: Sage.

■ 第4章

Beck, A. (1967) *Depression*. New York: Harper.
Dryden, W. (1989) 'Albert Ellis: an efficient and passionate life'. *Journal of Counseling and Development*, 67, 539–46.
Dryden, W. (1990) *The Essential Albert Ellis: Seminal Writings on Psychotherapy*. New York: Springer.
Dryden, W. (1991) *A Dialogue with Albert Ellis. Against dogma*. Buckingham: Open University Press.
Dryden, W. (1996) 'Rational emotive behaviour therapy', in W. Dryden (ed.) *Handbook of Individual Therapy*. London: Sage.
Ellis, A. (1945) The sexual psychology of human hermaphrodites. *Psychosomatic Medicine*, 7, 108–25.
Ellis, A. (1951) *The Folklore of Sex*. New York: Doubleday.
Ellis, A. (1955a) 'New approaches to psychotherapy techniques'. *Journal of Clinical Psychology*, 11, 1–53.
Ellis, A. (1955b) 'Psychotherapy techniques for use with psychotics'. *American Journal of Psychotherapy*, 9, 452–76.
Ellis, A. (1957a) 'Rational psychotherapy and individual psychotherapy'. *Journal of Individual Psychotherapy*, 13, 38–44.
Ellis, A. (1957b) *How to Live with a Neurotic*. New York: Crown.
Ellis, A. (1958) *Sex without Guilt*. Secaucus, NJ: Lyle Stuart (rev. edn, 1965).
Ellis, A. (1960) *The Art and Science of Love*. Secaucus, NJ: Lyle Stuart.
Ellis, A. (1963a) *Sex and the Single Man*. Secaucus, NJ: Lyle Stuart.
Ellis, A. (1963b) *The Intelligent Woman's Guide to Manhunting*. Secaucus, NJ: Lyle Stuart.

Ellis, A. (1968) *Biographical Information Form*. New York: Institute for Rational-Emotive Therapy.

Ellis, A. (1973) 'My philosophy of psychotherapy'. *Journal of Contemporary Psychotherapy*, 6(1), 13–18.

Ellis, A. (1976) 'The biological basis of human irrationality'. *Journal of Individual Psychology*, 32, 145–68.

Ellis, A. (1977) 'The basic clinical theory of rational-emotive therapy', in A. Ellis and R. Grieger (eds) *Handbook of Rational-Emotive Therapy*. New York: Springer.

Ellis, A. (1980) 'The value of efficiency in psychotherapy'. *Psychotherapy: Theory, Research and Practice*, 17(4), 414–19.

Ellis, A. (1987) 'On the origin and development of rational-emotive therapy', in W. Dryden (ed.) *Key Cases in Psychotherapy*. London: Croom Helm.

Ellis, A. (1989) 'Rational-emotive therapy', in R. J. Corsini and D. Wedding (eds) *Current Psychotherapies*. Itasca, IL: Peacock.

Ellis, A. (1991) 'My life in clinical psychology', in C. E. Walker (ed.) *The History of Clinical Psychology in Autobiography*, Vol. 1. Pacific Grove, CA: Brooks/Cole.

Ellis, A. (1993) 'Changing rational-emotive therapy (RET) to rational emotive behavior therapy (REBT)'. *Behavior Therapist*, 16, 257–8.

Ellis, A. (1994) *Reason and Emotion in Psychotherapy. A Comprehensive Method of Treating Human Disturbances.* (Revised and updated) New York: Birch Lane Press.

Meichenbaum, D. (1977) *Cognitive-Behavior Modification*. New York: Plenum.

Palmer, S., Dryden, W., Ellis, A. and Yapp, R. (1995) *Rational Interviews*. London: Centre for Rational Emotive Behaviour Therapy.

参考図書

Dryden, W. (1999) *Rational Emotive Behavioural Counselling in Action*. London: Sage.

Ellis, A. (1994) *Reason and Emotion in Psychotherapy*. (Revised and updated.) New York: Birch Lane Press.

第5章

Bandura, A. (1977) *Social Learning Theory*. Englewood Cliffs, NJ: Prentice-Hall.

Dryden, W. (1991) *A Dialogue with Arnold Lazarus. 'It Depends'*. Milton Keynes: Open University Press.

Lazarus, A. A. (1958) 'New methods in psychotherapy: A case study'. *South African Medical Journal*, 33, 660–4.

Lazarus, A. A. (1971) *Behavior Therapy and Beyond*. New York: McGraw-Hill.

Lazarus, A. A. (1992) 'Multimodal therapy: Technical eclecticism with minimal integration', in J. C. Norcross and M. R. Goldfried (eds) *Handbook of Psychotherapy Integration*. New York: Basic Books.

Lazarus, A. A. and Fay, A. (1992) *I Can if I Want To*. New York: Morrow.

Lazarus, A. A. and Lazarus, C. N. (1997) *The 60-second Shrink: 101 Strategies for*

Staying Sane in a Crazy World. San Luis Obispo, CA: Impact.

Lazarus, A. A., Lazarus, C. N. and Fay, A. (1994) *Don't Believe it For a Minute! Forty Toxic Ideas that are Driving You Crazy.* San Luis Obispo, CA: Impact.

London, P. (1964) *The Modes and Morals of Psychotherapy.* New York: Holt, Rinehart and Winston.

Nystul, M. S. and Shaughnessy, M. (1994) 'An interview with Arnold A. Lazarus'. *Individual Psychology,* 50, 372–85.

Palmer, S. and Dryden, W. (1995) *Counselling for Stress Problems.* London: Sage.

Pavlov, I. (1927) *Conditioned Reflexes* (ed. and trans. by G. V. Anrep). New York: Dover (reprinted 1960).

Watzlawick, P., Weakland, J. A. and Fisch, R. (1974) *Change: Principles of Problem Formation and Problem Resolution* New York: Norton.

▌参考図書

Lazarus, A. A. (1989) *The Practice of Multimodal Therapy.* Baltimore, MD: Johns Hopkins University Press.

Lazarus, A. A. (1997) *Brief but Comprehensive Psychotherapy: The Multimodal Way.* New York: Springer.

Palmer, S. and Dryden, W. (1995) *Counselling for Stress Problems.* London: Sage.

索　引

■あ

REBT（合理情動行動療法）　113, 120, 121, 224, 243
　　──の3つの洞察　136
アイゼンク，H.　14
愛着　49
アサーション（自己主張性）・トレーニング　167, 202
アドラー，A.　29, 31, 38, 110, 120
アメリカ医学的精神療法者委員会（American Board of Medical Psychotherapists）　165
アメリカ職業心理学委員会（American Board of Professional Psychology）　165
アメリカ心理学会（American Psychology Association）　70
アメリカ心理療法アカデミー（American Academy of Psychotherapy）　70
誤った情報　178
ありふれた物体技法　198
アンナ・O　27

■い

閾値　175
イギリス精神分析学会　33
一致性　76, 93
　　──の伝達　99
イド（id）　36, 39, 40
意味の厳密化　153

イメージ　168, 172, 185
　　──的諸技法　157
　　──的リハーサル　157
イロクォイ・インディアン　2

■う

ウォルピ，J.　14, 165-167, 204

■え

英国カウンセリング協会（The British Association for Counselling; BAC）　6, 19
英国心理学会（British Psychological Society; BPS）　19
英国心理療法者協会（British Confederation of Psychotherapists; BCP）　20
ABC　122
　　──モデル　122, 128, 133
ABCDEパラダイム　234
ABCDEモデル　150
エゴ（ego）　39, 40, 54
　　──・アイデンティティ　35
　　──障害　135
エディプス・コンプレックス　45, 48
エピクテタス（Epictetus）　10, 107, 108, 110, 120
エリクソン，E.　35, 49
エリス，A.　16, 108, 109, 113, 204
エレクトラ・コンプレックス　45
エレンベルガー，H.　2, 36

■え

エロス　37, 38
エンカウンター・グループ　105

■お

置き換え　42
オペラント条件づけ　174

■か

解釈　59, 63
快楽原理　13
解離　212
カウンセリング　5
学習理論　173
学習を取り消す（unlearn）　175
カタルシス　13, 27
価値を認めてもらうための条件　86, 215, 238, 242
過度の一般化　126, 135
我慢できない症　126, 134
感覚　168, 172, 185
　　——的フォーカス・トレーニング　197
完全に機能する人　85
カント，I.　110, 120
完璧主義　135

■き

気逸らせ（distractions）　179
気づいていない過程　176
逆転移　56
究極のカメレオン　192, 232, 244
強化（reinforcement）　174
共感　96, 214
　　——の伝達　103
教示的な形態　147

■く

クーパー，J.　208, 237, 241, 242, 245, 248
薬／生理学　173
クライン，M.　32, 33, 38
クレペリン，E.　12

■け

系統的脱感作法　14, 166
契約の範囲　57
現実場面脱感作　155
現実不安　49

■こ

厚意を求める欲求　84
孔子　120
口唇期　43, 47
行動　168, 171, 185
　　——的諸技法　155
　　——リハーサル　194
　　——療法　15, 165, 166
肛門期　44, 48
合理化　41
合理情動イメージ法　157
合理情動行動的アプローチ　248
合理情動行動療法（REBT）　15, 107, 143, 237, 241, 249
合理的に努める自己声明　153
コーピング　205
ゴール（具体的な達成目標）　53, 92, 142, 191, 239
ゴール設定　212, 218, 220, 227, 245
コールリッジ，S.　13
誤解の修正　201
コフート，H.　34
コミュニケーション・トレーニング　202
コミュニケーション理論　177

■さ

サイコドラマ　193
最低化と最大化　135
参考文献法　200

■し

ジェンドリン，E.　98
時間移行的展望（time projection）　157
時間移行展望的イメージ法　200
刺激統制（stimulus control）　195
思考（認知）　185

自己概念　84, 238
　　　──の発達　84
自己教示法　200
自己主張の訓練　233
自己受容の欠損　181
自己成就予言　138
自助書式　158
実現化傾向　215
　　　──の阻害　86
実現化への傾向　78
実生活における脱感作法　111
忍び込む不一致性　94
社会的学習理論　175
社会的スキル・トレーニング　202
シャルコー, J.　26, 35
習慣再訓練　180
集合的無意識　32
自由連想　28, 58, 60, 63
宿題　158, 247
昇華　42
消去（extinction）　175
情緒　168, 172, 185
情報の欠落　178
ジョーンズ, E.　29, 33
初回面接と13の決定事項　183
神経症的不安　50
身体生理　168
　　　──的諸要因（薬剤／生理学）　186
身体的運動　203
信念体系（beliefs）　120
心理学における第三勢力　71
心理療法　4, 6

■す
スーパーエゴ（super-ego）　36, 39, 40, 54
スキナー, B.　121, 174
すべてかゼロか的思考　134

■せ
性器期　46
精神力動　22, 34, 237, 238, 241
　　　──的アプローチ　35, 249

責任コスト　195
折衷主義　19, 170
セルフ（自分／自己）と自己概念　82
前意識　36
潜伏期　46

■そ
喪失　209
想像上の再体験　199, 233
ソーン, B.　92, 213, 237, 241, 245, 248
側面間移行の橋渡し　192
ソクラテス的質問　146
ソクラテス的（対話）方法　224
'そこにとどまる'活動　156

■た
ダーウィン, C.　35
退行　42
第三勢力　15
対象関係学派　33
対人関係　168, 173, 186
　　　──の中での妨害　181
第2順目のBASIC ID　189
タナトス　37, 38
多側面構成図　187, 188, 189
　　　──の使用　183
多側面総合表　186, 234
　　　──の使用　183
多側面的生活史インベントリー　185
多面的療法　229, 237, 243, 249
段階的再体験　195, 196
男根期　45
探索的(な)アプローチ　214, 221, 229, 237, 238

■ち
中立性の法則　55, 59
治療的関係　17, 54, 92, 143, 191, 211, 215, 217, 225, 231, 232, 239, 243, 249

■て
抵抗　42, 59

ディッケンス，C.　13
手順　190
テューク，W.　12
転移　55, 60, 61

■と
トイレット・トレーニング　44
統合主義　19
統合・折衷主義　18
投射　41
道徳的不安　50
透明性　94
読書，および聴覚セラピー　158
匿名性の法則　54, 55
ドライデン，W.　221, 237, 241, 245, 248
トラウマ的経験　180
取り入れ　85
取り入れられた価値基準　88

■な
内的世界　214, 239
　　──の枠組　81
7つの側面　171

■に
ニーチェ，F.　12, 34, 36
2次的利益　138
人間の三角　62
認知　168, 172
認知的行動療法（CBT）　16, 17
認知的諸技法　150
認知行動諸療法　108

■ね
ねばならない主義　134
　　──者　131
　　──的　126

■の
ノンコンシャス（nonconscious）　176

■は
パーソナリゼイション　134
パーソン・センタード　66, 237, 238
　　──・アプローチ　15, 72, 241, 249
パヴロフ，I.　174
恥を打破する訓練　155
場面設定　57
パラプラクシス　29
ハルトマン，H.　33
パルマー，S.　204, 228, 237, 241, 243, 245
反・怠惰訓練　156
バンデューラ，A.　164, 175
反・未来ショック・イメージ　198
反論作戦　150

■ひ
ビァラー，J.　164, 170
PTSD　13
非強化　195
非指示的カウンセリング　75
ヒステリー　26, 27, 35
否認　41
ピネル，F.　11
ヒポクラテス　10, 162

■ふ
フェレンツィ，S.　29, 30, 31, 34
不快障害　136
不合理（な／的）信念　107, 124, 223, 238, 242
ブッダ　120
払魔式　1, 10
プラスのイメージ　199
プラスの感情　127
フランク，J.　17
フリース，W.　26, 29
フリー・フローティング・アテンション　60
ブリュック，E.　24
ブロイアー，J.　27, 35
フロイト，S.　12, 13, 21, 23, 110, 204
フロイト，A.　32

踏んばり技法　199

■へ
BASIC ID　169, 171, 224, 231, 238
　　──側面総合表　233, 235
ベック，A.　16, 119

■ほ
防衛機制　40, 43, 51, 138
防衛的反応　179
ボウルビー，J.　49
ホールディング環境　58
ポッパー，K.　120
ホリスティック　2
ホワイト・ボード　229
　　──技法　198

■ま
マイケンバウム，D.　16, 119
マイナスの感情　127
マスターバトリ（musturbatory）→ねばならない主義的
マスターベイター（musturbator）→ねばならない主義者
マズロー，A.　15
満遍なく注がれた注意力　55

■み
見立て（アセスメント）　52, 91, 140, 183

■む
無意識　36, 238
無益な習慣　179
無条件の厚意　95
　　──の伝達　102
結びつけ（association: 連合）　14, 173

■め
メタ（meta）情動障害　137

■も
モデリング　194

ものすごく大変なこと化（awfulising）　125, 134
問題解決　201
　　──的　249
　　──的アプローチ　237

■ゆ
有機体としての価値判断　87
　　──過程　87
ユーモラスな技術　154
誘惑理論　28
夢の解釈　63
ユング，C.　29, 30, 31, 38, 110

■よ
抑圧　40
抑制の法則　54
欲動理論　37
欲求不満耐性の低さ（LFT）　126, 131, 137

■ら
ラザルス，A.　14, 19, 161, 162
ラシュ，B.　11
ラッセル，B.　120

■り
リスクに挑む訓練　156
理性感情行動療法　107
リビドー　38
療法者の自己開示　154
療法の終結　64
リラクセーション　204
　　──技法　234, 235

■れ
連合王国カウンセラー登録制（United Kingdom Register of Counselling; UKRC）　20
連合王国心理療法協議会（United Kingdom Council for Psychotherapy; UKCP）　20

索引　281

■ろ
老子　120
ロジャーズ，C.　15, 66, 68, 113, 204
ロンドン，P.　170
論理情動療法　107

論理療法　107, 108

■わ
ワーズワース，W.　13, 43
ワトソン，J.　13, 121

訳者紹介

酒井　汀（さかい　みぎわ）

1931年　長野県に生まれる
1955年　京都大学教育学部卒業(教育心理学)
同　年　法務技官として京都医療少年院勤務
　　　　　その後各地の少年鑑別所等に勤務
1992年　大阪少年鑑別所長を最後に退官
同年〜2002年　大谷大学教授
現　在　東亜大学大学院教授を経て，同大学院非常勤講師・臨床心理士
主　著　『心理療法の比較研究』　フランク，J．D．著(翻訳)　岩崎学術
　　　　　出版社　1969年
　　　　非行の心理学療法　『青年心理』　No.65　金子書房　1987年
　　　　矯正　『臨床心理学4』　(共著)　創元社　1994年

カウンセリング／心理療法の4つの源流と比較

2005年3月10日　初版第1刷印刷　　定価はカバーに表示
2009年7月3日　初版第3刷発行　　してあります。

　著　者　　W．ドライデン
　　　　　　J．ミットン
　訳　者　　酒井　　汀
　発行所　　㈱北大路書房
　　　　〒603-8303　京都市北区紫野十二坊町12-8
　　　　　　　電　話　(075) 431-0361(代)
　　　　　　　F A X　(075) 431-9393
　　　　　　　振　替　01050-4-2083

Ⓒ2005　　　　　　　　　　印刷・製本／亜細亜印刷㈱
　　　　検印省略　落丁・乱丁本はお取り替えいたします。
　　　ISBN978-4-7628-2420-3　　Printed in Japan

The psychodynamic approach Sigmund Freud
The person-centred approach Carl Rogers
The rational emotive behaviour[al] approach Albert Ellis
The multimodal approach Arnold Lazarus